天下霸唱◎著

谜踪之国

MIZONG ZHIGUO

III

神农天匦

安徽文艺出版社
时代出版传媒股份有限公司

目录
CONTENTS

第一卷

无中生有

第一话
吞 蛇 碑

司马灰认为考古队在地底发现的巨大青铜器，藏于地下数千年，并未因氧化而生出铜蚀，可能是在铜中混入了陨石里的金属成分。而观其形，正是古人造于涂山的禹王鼎，因为鼎身上铸有"山海之图"。那些神秘的图形与符号，涉及了远古时代的地理、地貌、湖泊、沼泽、沙漠、湿地，以及海外山川巨变，矿物、植物分布，飞禽走兽的迁徙和灭绝、变异与演化等诸多信息。

其中有一尊巨鼎，遍铸地下魑魅魍魉之形，以时间和地层深度为序，依次记载着四极以下的地形地貌，乃至各种矿藏和古怪生物。最底层则是一个无底深渊般的黑洞，里面还有些奇形怪状的东西半隐半现，不知究竟为何物。这个黑洞的位置与特征，都与考古队想要寻找的神庙十分相像。

每一处图形旁边都有虫鱼古篆进行注释，司马灰加以辨认，应该是"夏朝龙印"。他对此无能为力，半个古篆也认不出来，只不过"禹王鼎"是相物古术的根源，司马灰听闻已久，所以不算困难就推测出了这几尊巨鼎的来历。据说秦代的地理古籍《山海经》，就是根据古鼎上的山海图所著，但内容已失真。

司马灰说得完全合乎逻辑，想来不会出现太大偏差，身边的胜香邻也不免暗自惊叹。以往帝王诸侯的陵寝中，最重要的殉葬器物就是铜鼎。鼎为国之重器，只有帝王才有资格殉以九鼎，以此代表九州。如果寻根溯源，还数禹王涂山铸鼎为祖，因此禹王鼎又称鼎母。鼎上契刻的山海图，更是涵盖天地之秘，历史上对禹王鼎下落的记载十分模糊，想不到竟会出现在这座地下古城之中。

罗大舌头焦躁地说："我看这几尊大铜鼎里又没地图，对咱考古队没什么意义，趁早别在它身上浪费时间了。"

司马灰说："罗大舌头你小子一肚子草包。以前总听宋地球说什么'四羊方尊、虢季子白盘、越王剑、秦王镜'之类的国宝，可要放在这九尊青铜巨鼎面前，却都是重子重孙不值得一提。如今实属旷世难逢的机缘，这是咱们从大沙坂进入地下以来，最为重要的发现了。"他又问胜香邻能不能把鼎身上的图案临摹下来。可这些记载着地底秘密的古老图形，神秘而又复杂，就算是找来一队人分头描样，怕也不是一两天就能完工的。但现在的四个人里，只有胜香邻掌握这门技术，其余三个人即使照着葫芦也画不成瓢，帮不上什么忙。

胜香邻说："壁画才需要描样临摹，而大鼎上铸刻的图案可以直接拓下来，用不了多少时间。"她说着话就从背包里取出拓本，将古鼎上的图形逐片拓下，又编上记号注明位置。

司马灰等人全是外行，根本插不上手，只能在旁抽烟等候，合计着接下来如何到山腹中的地宫里进行侦察。

通讯班长刘江河在旁负责戒备。他有些好奇地问司马灰："司马首长，你刚才说这几尊铜鼎对考古队意义重大，它对咱们究竟能有什么用处？"

罗大舌头说："几千年前的东西能有什么意义？典型的封建迷信思想回潮，难道修正主义的错误工作路线还要在考古队里旧调重弹？"

司马灰脑中也没什么头绪，无心再与罗大舌头胡扯，只能说考古队和绿色坟墓组织想要寻找的目标，现在已是完全相同，也就是一个接近地心的未知区域，赵老憨称其为神庙。它可能是因为地幔能量高度集中，塌陷而成的一个黑洞。这个黑洞的具体位置和里面存在的秘密，已经超出了他们所能理解的极限。

考古队现在唯一找到的确切线索，就是这座地下古城和禹王鼎上的山海图。但由于无法解读出夏朝古篆，单凭那些神秘诡异的图形，很难洞悉其中的真相。绿色坟墓组织中的物探工程师田克强，也就是那个代号为"86号房间"的特务，他常年潜伏在新疆戈壁，窥视着罗布泊望远镜。这说明地底一定存在某种东西，它直接威胁到了该组织的目标。或许这些秘密就在禹王鼎里，考古队要想前往接近地心的黑洞，就必须想办法破解这个谜团。

这地底沙海的尽头，是一座环绕火山窟而建的古城，山腹里藏有地宫。夏代古篆和青铜大鼎，都直接印证了它是从黄河流域远迁而来，那时候人烟少、野兽多、山崩海怒，自然环境非常残酷，四方都有穴地而居之人。而铜鼎的存在，则说明洪荒时代已经结束，这座城墟应该是夏商王朝的后裔所留，所以考古队要继续搜寻地宫，希望能有一些新的发现。

这时胜香邻已拓下图案，整理好了，装进背包，只留下一张递给司马灰看。司马灰发现禹王鼎的山海图中，竟然也记载了极渊的信息。

司马灰见那些图形都是地下波涛汹涌的深海，其中不乏"连城之鲸、万丈之蛟"。相传禹王涉九州、探四极，详细度量大地山川的形势，才凿开龙门导河入海。具体是东海还是南海，则已无从考证，仅知道洪水灌注之海被称为禹墟。也许这个地壳与地幔之间的"空洞"就是禹墟，不过这些事没有证据，只是凭空揣测而已。

司马灰知道这些图片不同寻常，就让胜香邻将其妥善收好备用，然后命众人起身离开，返回那座地宫的边缘。在与古城石门对应的方位，有一个墓道般的洞口，既高且阔，往里看甚是沉寂阴冷，且与戈壁火洲中的酷热截然不同。

考古队打开安装在 Pith Helmet 上的矿灯，缓步走向深处，隧道里空无一物，两侧的洞室里也同样没有任何多余的东西。司马灰感到这里气氛不太对劲，提醒众人多加小心，谁也不要冒进。

通讯班长刘江河心中又开始有些发慌："这地方实在太静了，好像连半个活人也没有。"

罗大舌头冷笑道："这里要突然冒出个活人来，那才真是见着鬼了。奇怪的是连具死尸也没有……"

这时司马灰的矿灯光束照到墙边，那里恰好躺着一具死尸。只见那尸体头颅奇大，仿佛水肿一般，竟大过常人一倍有余，显得枯僵的脸部和脖颈很是细小，有说不出的怪异恐怖。

通讯班长刘江河心理准备不足，看到那具尸体死状奇怪，不由自主地向后退了半步，惊道："死人！"

司马灰借着矿灯看到深处还有不少尸体，也不禁吃惊，就捂住刘江河的嘴，低声道："你给我小点声，万一惊动起几位，咱可就吃不了兜着走了。"

胜香邻见司马灰又在危言耸听，把通讯班长刘江河吓得脸都绿了，她听着也有些心慌，就嗔怪道："司马灰，你别总吓唬人行不行？"

司马灰对胜香邻说："我可真不是吓唬你们。这些年我看过的死人多了，却从没见过这么古怪的尸体。"

胜香邻点头道："大伙务必谨慎些，千万不要轻易触碰这些死尸。"

于是众人小心翼翼地上前察看，凭那些尸体的衣服和随身装备，就知道这是1958年失踪的那支中苏联合考察队。没想到他们也找到了这座古城，并在此遇难身亡。

罗大舌头挨个数了数，一共二十二具尸体。考察队的成员全死在这了，包括照片中的那个"鬼影"。

这些考察队员死状诡异，距离尸体不远处，有一块古老斑斓的石碑倚墙矗立，约一人多高，形似人脸，可仅具轮廓，并没有刻出面目，只在底部雕着一张黑洞洞的大嘴，正在倒吞一条怪蛇。

司马灰用矿灯照视地宫中的"吞蛇碑"，暗觉脊背发凉。似乎是考察队在接触这块石碑的时候，突然间遭遇了不测，竟未能走脱一个。但1958年的这件事事关重大，司马灰虽知这附近必有凶险，也不敢草率了事，只能硬着头皮继续调查。他嘱咐其余三人，在没有得到允许之前，谁都不准擅自接近地宫中的"吞蛇碑"。

众人逐一搜索尸体身上的口袋和背包，找到了一些地图和照片，以及笔记和密码本之类的物品。司马灰按照片挨个比对尸体的身份，但死尸已经枯僵，面部五官很难辨认。这时听身后有些声响，司马灰额上青筋直跳，心想："刚说过不要接近那座古怪的吞蛇碑，怎么一转过头去就忘了？"

司马灰一抬头，就发觉考古队的其余三个成员都在身前。他心中猛然一沉，感觉头发根子都竖了起来："后边的是谁？"

他大着胆子回过头去，同时将矿灯光束投向身后，可灯光所及之处，除了那块石碑，空无一物。司马灰心说："难不成这古碑年深岁久，成了气候？"

第二话

根　源

司马灰见墙下的吞蛇碑沉寂无声，没有任何异状，也不知刚才古怪的声响来自哪里。但他每次看到那块石碑，便全身寒毛发乍。他暗想见怪不怪，其怪自败，就壮了壮胆子，按住矿灯凑到近处仔细打量。

这块吞蛇碑斑斓古朴，形状奇异，说它是座石碑，只是考古队根据其外形做出的称呼，没人知道这东西究竟是个什么。碑体上面的轮廓看上去像是人脸，但没有面目，只在底部有怪嘴吞蛇，显得甚是诡异残忍。

司马灰忽然想起旧时有部驱蛇书，俗称伏蛇咒，多为历代乞丐首领所持，只要展卷一读，群蛇不分巨细，都来听命。乞丐便挑拣其中粗大之蛇剥皮烹煮，做羹果腹，但只有在荒年讨不来饭的时候才敢使用，否则就犯了忌讳。这座古碑是否也能聚蛇？可这地宫里除了考察队留下的二十二具尸体外，并没有发现任何生物存在的迹象。

这时胜香邻告诉司马灰，考察队的尸体虽未腐坏，但脑颅变形，面部枯化严重，很难与照片上的容貌对比，这需要专业的技术鉴定。

司马灰心想，考察队全部二十二具尸体都在这儿，说明照片里的摄影鬼影，确实是偶然的光学折射形成，也许是我们先前太多心了。如今发现了联合考察队的遇难地点，又从尸体身上找到了很多图纸和密码本，收获已经不少，还是尽快离开此地为妙。于是他让众人收拢死尸，用"205型单镜头反光照相机"拍下照片作为记录，然后转身撤离。

众人按原路往回走，可感觉越走越不对劲，地宫里四面都有隧道，中部是有"吞蛇碑"的正殿，每条隧道两边依次藏有数间洞室。进来的时候估测隧道长度在两三百米左右，但走到尽头的时候，却没有找到洞口，只有冰冷坚厚的石壁。

罗大舌头茫然道："咱们这是到哪儿了，怎么跑到死路上来了？"

胜香邻看了看罗盘上的指针，奇道："方位没错，不应该迷路……"

司马灰心想真是怕什么来什么，这座地宫里果然有些古怪，莫非是地底暗藏机栝，能将进来的人活活困死？不过司马灰懂得销器变化，并不将此事放在眼内，告诉众人道："据我看，这鬼地方算不得什么。除非是三岁顽童，只要稍知相生相克之理，如踏平地一般。"说罢上前摸索石壁，可随即发现和他想的完全不一样，那坚硬的凝灰岩砌合紧密，少说也有七八米厚，里面都是实心的，并不存在机栝，即使用大量的定向炸药，也未必能将它破坏。

通讯班长刘江河担心地说："首长，这地底古城里肯定是闹鬼了，那些考察队的死人不想让咱们离开。"

司马灰说："别他娘的自己吓唬自己，我看这事多半与地宫里的吞蛇碑有关。现在已经走不脱了，咱们只能再回去找到那座古怪的石碑。"

考古队正要掉头往回走，忽听隧道深处似乎有什么东西爬了出来，接触到墙壁发出窸窸窣窣的怪异声响。好像是许多节肢类动物，听声音越来越近，而且来势汹涌如潮，实是难计其数。

众人都吃了一惊，不知道地宫深处究竟出现了什么，但见来者不善，"PPS冲锋枪"未必抵挡得住，大家只得退向旁边的洞室，又合力推动圆形石门，将与隧道连接的洞口彻底隔绝。

司马灰贴在石门上听了一阵，隐约听到这些古怪的声音都被挡在了外边，这才松了口气。刚一转身，他发现其余三人都倚着石壁怔住了，好像看到了一些不可思议的东西。司马灰心想，这洞室内能有什么？他抬眼一看，也是吃惊不小，原来洞室墙下，无声无息地坐着一个人。

那人形容枯槁，一脸的皱纹，满头全是白发，两眼如电，他也在盯着司马灰等人看，其装束与死在地底的考察队完全一样。

司马灰转念之间，就已分辨出此人不是绿色坟墓的首脑。因为绿色坟墓就像一个幽灵或行尸，那种阴森诡异的死亡气息很难掩盖。可考察队的二十二具尸体不是都在地宫里吗，这老白毛会是什么人？

那老白毛盯着司马灰等人打量了一阵，忽然冷冷地开口问道："你们……是来找我的？"

司马灰不答，反问道："你是1958年罗布泊望远镜考察队的成员？"

老白毛"哼"了一声，说道："后生，这可是国家机密。谁是你们领导？我要直接跟你们领导讲话。"

司马灰等人面面相觑，都觉得此人身上有种难以言喻的神秘气息。这个人究竟是谁？为什么会出现在地宫中？难道遇上了考察队中一名成员的幽灵？另外，照片上好像没有这个人，莫非他就是那个鬼影？

司马灰感觉情况不明，想先探探虚实，他吩咐通讯班长刘江河守住石门，提防密室里会有变故发生，然后对那老白毛说："我就是队伍里打头的。我跟主席合过影，还跟总理握过手……"

罗大舌头插嘴道："这事我可以作证。司马灰这小子确实跟主席合过影，可那是缅共的主席，跟他握手的是老挝总理。"

那老白毛听了更加疑惑，又问道："这么说你们不知道我是谁了？"

司马灰见其态度不好，就没好气地说："看你这倒霉模样，肯定是位专家。"

老白毛点头道："一般俗人都这么称呼我，我听着也习惯了。"

胜香邻见司马灰和罗大舌头嘴滑，说来说去净兜圈子，这么下去几时才有结果？她就对那白毛专家直言相告，将考古队深入大沙坂，穿越地槽和煤炭森林，找到"地底观测站"，接下来摆脱了"86号房间"的跟踪，又从"时间匣子"中逃脱，最终抵达沙海古城的经过，拣紧要的说了一遍，希望能够取得对方信任。

司马灰心想，这"白毛专家"来历不明，怎么轻易把考古队的事情全告诉他了？可转念一想，考古队现在走进了死路，这些情况也没必要再保密了，因此并未加以阻拦，而在一旁静观其变，看对方究竟会说什么。

白毛专家听得将信将疑，他好像是在猜测胜香邻说的是真是假，沉思了一阵，才承认自己是1958年中苏联合考察队的成员之一。至于他为什么会出现在此，以及当时究竟发生了什么事，说来非同小可，而且都与这山腹里的"吞蛇碑"有关。

他告诉司马灰等人："关于罗布泊望远镜、失踪的苏联潜水艇，乃至绿色坟墓这个地下组织秘密，我不敢说百分之百了解，起码也知道个七八成，但这些事盘根错节，只能从最开始说起，也就是天地构造之时。"

自1543年开始，波兰天体物理学家哥白尼就提出了"日心说"，从此天体演化的讨论被归入了科学范畴，逐渐形成了"星云说"、"遭遇说"等诸多流派。但事实上，所有关于天地起源的学说，到现在为止仍停留在假设阶段，全都无法证明。

苏联科学家在罗布泊望远镜中采集到的岩心样本，其中含有矿物质"锆"。根据它的年龄来推测，地壳与地幔之间的空洞，至少已经存在了四十六亿年。当时在地底发生了陨冰爆炸，才使这个距离地表一万米的深渊中出现了氧气和水。

然而早在四千多年以前，那个洪荒泛滥的时代，人类就已经发现了这个地下空洞。禹王凿开黄河流域的龙门山洞窟，将洪水引注大泽，这是史书上记载的"禹墟"，也就是后世所称的极渊。相传有十万阴兵在地底开凿暗河，才把洪水从龙门山导入禹墟。古人勘测地理的精准程度，以及工程的宏大与难度，即使放在今天也难以想象，只能归结为有鬼神相助。其实是因为年代久远，古书上的真实记载少之又少，许多方法都已经失传了。

司马灰越听越奇，这白毛专家虽然说得头头是道，可是他怎会知道得如此清楚？这些秘密或许在地底古城里有所存留，但夏朝古篆在宋代以后就已经无人能解读，这老家伙究竟是个活人……还是照片中的鬼影显身？

这时，那白毛专家又神秘兮兮地对众人说道："夏朝古篆出现的年代比甲骨文还要早，因为内容古奥，存世不多，并且在千年以前就已经彻底失传了。但绝非夸口，当今世上只有我一个人能看得懂，所以我才能破解这些惊世之谜。至于其中的原因，你们现在不要追问，先听老朽把话说完。"

历史上有个禹王锁蛟的传说，相传夏代有古妖，形若猿猴，金目雪牙，名为巫支祁。禹王在疏通淮河的时候，将巫支祁锁于深不见底的淮井中，也有人认为巫支祁为大蛇，所以才有锁蛟之说。

事实上，当时淮水边有个尊蛇为神的古国，其人穴地而居，不识火性，屡次掘开河道导致洪荒泛滥，在被夏王朝降伏后，就充为奴隶发往此地，在这里挖掘鬼渠。由于合理利用了蕴藏在地壳下的原生洞窟群，才使这条暗河蜿蜒数千里，又埋下诸多重器镇河，禹王铜鼎就是从那个时候起失落到了地底。后来黄河里的大量淤泥沉陷，填塞了龙门山下的暗河，直到千年之后，才逐渐有鬼奴从地底逃出，遁入西域大漠，成为了吐火罗人的祖先。又有一脉分支在秦汉之际迁至缅甸，即是神秘消亡于地底的灭火国。

胜香邻听这白毛专家对几千年前的古老历史了如指掌，所知所识远超寻常，不由得又惊又奇，想不出对方何以知道得如此清楚。罗大舌头和通讯班长刘江河也在旁听得两眼发直。

只有司马灰心中越发怀疑。他不想再听这白毛专家大放厥词，在没有辨明对方身份之前，这些鬼话谁敢相信？

司马灰拿出考察队的照片，借着电石灯对那白毛专家反复打量。这照片中没有一个人的相貌与其相似。即使对方是个死去多年的亡灵，他也绝不会是1958年那支联合考察队里的成员。

罗大舌头埋怨司马灰说："你这人就是太多疑了。谁都不愿意相信，可那照片里不是还有个模糊不清的摄影鬼影吗？你又怎么确认第二十二个人不是这位老同志？"

司马灰说："照片中鬼影的脸部虽然无从辨认，不过我能确定那是个俄国人。而咱们在地宫里遇到的这位白毛专家，却根本不在考察队的照片上。"

第三话
照　片

　　照片中位于二排左一的鬼影，脸上虽然存在光斑无法辨认，可面部之外仍被照相机真实地记录了下来。

　　此时司马灰已经注意到了这一细节。他发现考察队二十二名成员穿着的衣服细节仍有不同，以此特征辨认，照片里的鬼影应该是个苏联人。所以不管鬼影的真实身份如何，至少不是这个躲藏在地下的白毛专家。

　　其余三人听了司马灰提出的质疑，心中同样疑惑大增：对方显然知道许多重要机密，可此人来历不明，怎能相信他说的那些话？

　　那白毛专家看出众人戒备之心未减，就说照片确实是在考察队进入地底之前所拍摄，不过你们要想知道照片里的鬼影究竟是谁，就必须了解绿色坟墓组织的核心秘密。这个地下组织正式成立于1946年，它的结构像是一把雨伞，组织内部以不同的建筑物作为代号，坟墓最高，房间最低，而首脑就是掌握伞柄的那只手。

　　司马灰一直思索着如何从此地脱困，没心思再去理会这老白毛的危言耸听。但对方忽然提到绿色坟墓，并且显然对这个地下组织所知甚深，他也只得沉住气听个究竟，并暗自揣情摩意，猜测这白毛专家的真实身份。

　　白毛专家显然深知"句句警人心，听者自动容"的道理。他先拿话稳住了考古队的四名成员，却不再提及绿色坟墓，而是继续谈先前说到的极渊暗河。鬼奴是西域吐火罗人的祖先之一，吐火罗在印欧语系中有洞窟之意，因此可以将这座失落在地底的古城暂称为吐火罗城。

　　古城中留存着大量壁画和夏朝古篆，记载了禹王探四极度量天地的传说。以现在的观点来看，禹墟就是陨冰爆炸在地底形成的大空洞，它周围的地壳中也产生了近似峡谷的幽深裂隙。古人凿开龙门山洞窟，利用地缝为暗河，终于将处在内陆的洪水引入墟中。

夏朝龙篆里还记载着一个非常神秘的事件——地壳下有处无底深渊般的黑洞，它裂合无常，里面不知存在着什么物体。

古人将此视为禁忌，提都不能提，所以记载描述得十分有限。这些古老的秘密慢慢化作了时间的尘埃，几千年来再也无人提及。

斗换星移，转眼已是 1953 年。冷战初期，一艘隶属于苏联武装力量第 40 独立潜航支队，战术舷号为 615 的 Z 级柴油动力潜水艇，携带两枚曙光潜地火箭出航，在太平洋海域执行既定任务，当下潜至两百米极限深度的时候，突然发生了灾难性的海蚀，从此下落不明。

事实上这艘潜艇失踪之后，就变成了一个到处游弋的幽灵。美国空军和英国舰队都曾在不同的区域内，接收到来自 Z-615 的短波定位信号，可来源都出现在根本不可能抵达的深海或地底，并在持续地移动。

各方都打算抢先一步，找到这艘幽灵潜艇，但经过多次探测搜寻，完全没有任何结果。当时有情报组织提供线索，推测这艘潜艇驶入了接近地心的黑洞，它的通讯信号混在来自地下的电磁微波辐射中反复出现，从而折射到了地表，因此在地底持续移动的并不是 Z-615 潜艇，而是黑洞本身。

这个处于地幔与地心之间的黑洞，就是禹墟中记载的未知区域。因此失踪的苏军潜艇，将会在某个时间内，出现在罗布泊荒漠下的极渊里。至于它为什么会不断移动，至今还无人能够解释。

该情报的来源就是绿色坟墓，它的前身为收集走私军火交易情报的地下组织。其成员秘密渗透于各地，但内部始终保持单线联络，全部由首脑通过电台直接掌控。

在那段特殊时期，冷战中的各种军事竞争已趋于白热化，其中就包括对地心的探测行动。苏联根据这一情报，决定将"地球望远镜计划"移师至罗布泊荒漠，并与中方达成协议，共同挖掘埋藏于地壳下的原生洞窟。经过大地电场透视分析，在地底发现了两个神秘的铁质物体，但不像是失踪的苏军潜艇，又因事先得知距离地表一万多米深的区域，曾是禹墟古迹，便于 1958 年组成一支联合考察队，其中包括地质与考古专家，以及军事观察员，前往极渊进行实地勘测。在正式出发的前几天，考察队共同拍摄了一张合影，也就是出现鬼影的那张照片。

照片中脸部无法辨认的成员，是一位来自苏联 UKB 设计局的军工，在拍摄完照片之后，这名军工就无缘无故地死了，尸检报告被列入机密范畴，具体情况只有苏方了解。

那时绿色坟墓已经逐渐摆脱了冷战势力的控制，该组织的主要目标就是不惜一切代价，找到黑洞中的秘密。苏联的"罗布泊望远镜"计划，也只是它所利用的有效资源之一。在 1958 年前后，各方已察觉到这一情况，并将其排斥在"罗布泊望远镜"计划之外，国内也在历次镇反运动中抓捕了不少潜伏分子。但绿色坟墓这个地下组织不归任何势力，内部又是单线联络，互不相识，如果不挖出首脑，很难将其彻底铲除。

因此也有人怀疑，这名 UKB 设计局的军工，或许是被地下组织的潜伏分子所害。而照片里出现的摄影鬼影，绝不仅仅是个巧合，按迷信的说法可能是被鬼上身了。或许还有别的原因，不过照相机究竟捕捉到了什么，也因缺少进一步的证据，还无法作出肯定的结论。

由于 UKB 设计局的军工意外死亡，考察队里出现了一个空缺。这老白毛就临时接到命令，随队进入"罗布泊望远镜"。不料途中受到沙虫袭击，磁石电话机的线路被截断，短波发射机也出现了故障，从此失去了与后方的联络。考察队在地底沙海中无从辨认方向，为了避开黑雾，只能依靠重磁力探测表，循着导航的陨铁找到了这座古城，苦苦等待搜救分队的到来。然而谁也没有想到，这漆黑死寂的城墟地宫，却是一个让一切生命有来无回的魔窟。

司马灰在旁听了半天，与前事加以印证，觉得这老白毛所言不虚。他和罗大舌头等人，向来对特务组织存有一种深入骨髓的反感。这主要是因为五六十年代确实潜伏着许多特务，那时候民间的谣言很多，一个个说得有鼻子有眼。诸如有个五六岁的小男孩跟爷爷一起生活，他临睡贪嘴，多吃了两块西瓜，半夜被尿憋醒了，睁眼一看，他爷爷正在那儿偷偷摸摸地摆弄一部电台。原来这小孩的爷爷就是个特务，眼见事情败露，就把自己的孙子活活掐死了。还有谣言说"美帝"造的原子弹，都是以人体器官来提炼原料的，男的割卵蛋，女的割子宫，要是谁家有人口失踪，那肯定是被敌特捉去当原材料了。

虽然现在知道这都是源自田间地头的不实传闻，可是对司马灰那一代人潜移默化的影响还是不小，一提到特务组织，就是水火不同炉的敌我关系。但司马灰认为绿色坟墓却不同寻常，这个秘密组织的目标是妄图探测地心黑洞里的秘密，可那里面又能有什么惊世骇俗的东西？莫非想颠覆政权，让三座大山重新压在无产阶级脑袋上，使咱老百姓重受二遍苦，再遭二茬罪？还是想学秦皇汉武，要破解长生不死、超脱轮回之谜？仔细想想，这些可能性都不存在。另外照片中的鬼影虽然已经死了，但考察队仍是二十二名成员的编制，而且全部尸体都在地底，这个老白毛究竟是人还是鬼？他何以对禹墟中记载的秘密如此了解？为什么要说这座吐火罗古城是个魔窟？考察队在古城地宫里遇到了什么恐怖的东西？难道此人……是个躲在匣子中的幽灵？

司马灰寻思不管遇上的是人是鬼，可总算逮着个明白的，此刻有许多疑点必须探个究竟，于是就问对方："禹墟里虽然有些石刻壁画图形，但仍以蝌蚪般的夏代古篆为多。你能对几千年前的事情了解得如此透彻，总不可能是看图猜意，如果解释不出原因，终究不能让人信服。"

那老白毛斜眼看了司马灰一眼，说道："夏朝龙印比甲骨文出现得还要早，内容古奥神秘，近千年来始终无人能够破解，那是因为世人愚昧不明，从一开始就找错了方向。如果你只是对着古篆一个个地辨识，大概再过一千年，也还是认不出来半个。但甲骨文早就不是什么秘密了，只须找到一块同时刻有夏朝龙印与殷商甲骨文的古碑，将两者相互加以参照，要破解夏代古篆岂不易如反掌？"

司马灰与罗大舌头等人根本搞不懂这些名堂，但听起来又似乎不无道理。

胜香邻却知道这种"交叉对比法"。前些年法国考古队曾利用这种方法，成功破解了埃及法老墓中的大量神秘符号，其中就有著名的"死者之书"。

司马灰看到胜香邻点头示意，心知此事已无可疑之处，虽然他仍有无数谜团想要得到解答，但话要一句一句来说，应取其轻重缓急。于是司马灰就先问那白毛专家：是否知道绿色坟墓的真实身份，以及这个地下组织想要寻找的秘密究竟是什么？

那白毛专家说，这件事很难用一两句话解释清楚。据《圣经·列王记》所载，精研神秘学的所罗门王，曾告诫后世不能发掘埋在地底的宝藏，是因为深渊里蛰伏着"古代敌人"。

第四话
魔　窟

　　司马灰等人均是不解其意。《圣经·列王记》中的神秘记载，怎会与接近地心的黑洞有关？古代敌人又是什么？

　　那老白毛解释说，古代敌人应该是指地底黑洞中存在的某种东西。各个古国的文明起源不同，都存在一定的孤立性和局限性，因此对它的认知也不相同。古印度称之为"弥楼山"，是洞悉时间始终的巨眼；巴比伦王朝则认为是"创世之树"。这些古老的传说也从侧面证实了——深渊出现的位置与时间并不确定。

　　早在夏商王朝治世之际，因有禹王碑沉入其中镇鬼，所以古人也将这个黑洞视为神庙。后世所存的禹王碑，都是根据殷商西周以来的青铜器铭文复刻而成。碑上用夏朝龙篆记载了这样一段话，大意是"虽有先贤古圣，也不破此关"。但纵观古往今来，已数不清究竟有多少人妄图窥探神庙里的秘密，绿色坟墓这个地下组织的目标就在于此。

　　司马灰终于听出了一些头绪，原来真正的禹王碑，已被抛进了地底深渊。可碑刻中记载的那段话是什么意思？虽然那白毛专家已经尽量把古奥言词说得通俗，他还是感到很难理解，不知其中藏有什么玄机。

　　胜香邻告诉司马灰："好像是说亘古以来，即使有大圣大贤明了一切的智者，也决不应该揭开神庙里的秘密。"

　　司马灰更觉纳闷："这是出于什么原因？"

　　白毛专家说："原因谁都想问，但原因就是答案。我在吐火罗古城中也没有找到明确记载。禹王探测四极之时，曾将一块巨石填入地底深渊，堵死了洞口，后世称此物为禹王碑。据说巨石两面都刻有古文，正面为夏朝龙印，背面则阴刻秘篆，至于里面究竟记载了什么内容，后世已无人得知。而那艘苏军 Z-615 潜艇，也迷失在了黑洞附近。如果你们能设法找到

潜艇的残骸，就等于找到了入口。"

司马灰知道，先前在沙海中遇到的"间歇泉"，大概也是从地幔深层涌动而出，所以事先才会在那片区域收到 Z-615 的短波信号。他听宋地球讲过，地幔下可能是灼热气体形成的汹涌大海，但漆黑如墨，生物一旦接近，就将化为飞灰，也许那黑洞般的深渊正是随之漂浮移动，因此它出现的位置才会难以确定。而古人似乎掌握了其中的规律，黄金蜘蛛城密室里的幽灵电波，应该就是黑洞的坐标方位，奈何被绿色坟墓抢了先机。现在考古队怎样才能找到那条通道？

那老白毛听司马灰讲述了在黄金蜘蛛城的遭遇，也完全认同这种猜测。不过关于通道的记载，并不是孤本，吐火罗山里同样存有最原始的记录，但必须在破解夏朝龙篆的前提下才能解读，如今这些内容都写在了老白毛的笔记本中。说罢他从怀中掏出一个本子，交给司马灰道："你们当中如果有人能够活着离开此地，可以试着利用这本笔记，寻找前往地心深渊的通道。"

司马灰接过来看了一眼，见里面都是夏朝古篆的解读之法，就将密码本揣进背包。他暗觉这老白毛来历诡秘，所知所识已经远远超出了考察队的范畴，于是又问道："你到底是谁？"

白毛专家有些不耐烦了："我已经对你们说过了，我就是考察队的成员之一。"

众人心中起疑："考察队的人都死了，二十二具死尸全在这地宫里，并没有多余的幸存者。除非我们遇到的是个孤魂野鬼，否则怎么可能现身于此？"

那白毛专家目光犀利，早已看出众人的疑惑，放低了声音说道："其实你们不应该一再追问我的身份，而应该问我现在……究竟是个什么？"

众人闻言惊异至极，仅是这句问话的前提条件，也足以使人毛骨悚然："什么叫究竟是个什么？"

司马灰心知古今成败之数，除了天时、地利、人和之外，还有一个关键因素是神助，也就是所谓的运气。考古队能在沙海深处的古城地宫中，遇到一个掌握着很多秘密的白毛专家，并从此人身上得到了破解夏朝古篆的密码本，虽然付出的代价十分惨重，却终于有了寻找地心通道的线索。

根据这白毛专家吐露的情况，司马灰等人已不难测度出整个事件的前因后果。绿色坟墓曾在 20 世纪 50 年代暗中为苏方提供情报,并渗透到"罗布泊望远镜"内部。这说明从那个时候开始,绿色坟墓已经有机会解开通道之谜。但这个地下组织也认识到,禹墟里埋藏的古迹大都是无法辨读的夏代龙篆,即使找到了谜底,也是一个任何人都看不懂的答案。又因潜伏人员行动泄密,该组织便彻底放弃了"罗布泊望远镜",并将行动目标转移到缅北野人山大裂谷,窥取黄金蜘蛛城中的幽灵电波。如今考古队也已掌握了"通道"的秘密,可见天无绝人之路,但这个秘密的来源,却不得不令人产生怀疑。

因为众人始终无法确定白毛专家的身份,地底古城中又存在着许多令人难以理解的怪异现象,先前怀疑是考古队进入了另一个匣子,才会遇到一个根本不应该出现的人,但种种迹象都表明并非如此,所以他们实在想不出这老白毛究竟是人是鬼,又或者是别的什么东西,一时间谁都没有回应。

那白毛专家见状说道:"还有好多事来不及跟你们讲了,当务之急,你们得赶快想办法离开此地。如果有人能将密码本带出去,我也算闭得上眼了。"

胜香邻问道:"你不跟我们一同走?"

白毛专家脸上一阵抽搐:"我在 1958 年就已经死了,又能……跟你们逃到哪儿去?"

众人闻听此言无不变色。罗大舌头有些沉不住气了,在旁跟司马灰念叨:"这老同志说得在理,咱可不能辜负了他的牺牲,能撤就撤吧!"

司马灰抬手让众人先别发慌。他寻思,不把考察队困死在地宫里的原因搞清楚的话,恐怕谁也逃不出去。不过这世上当真有鬼不成?司马灰遇上的怪事不少,可从没真正见到有鬼。曾听故老相传,人死之后一缕幽魂不散为鬼。除非是阴魂附尸而行,否则鬼在灯下无影。但地底砖壁漆黑,他将电石灯照过去,也完全看不清对方有没有影子,当真是人鬼难辨。

那白毛专家见司马灰用灯光照来,就抬手遮住光亮说道:"你们用不着对我感到恐惧。其实真正可怕的东西,应该是地宫里那块吞蛇碑……"

司马灰心头猛然一沉,果然与吞蛇碑有关。那古碑形同人脸,却没有面目,仅有一张吞噬怪蛇的大口,似乎有某种暗示,其本身又有什么恐怖之处?

罗大舌头猜测道："我瞧那石碑从里到外透着一股邪气，也许古城地宫里有怪蛇，吞蛇碑很可能就是这种暗示……"

司马灰知道蛇在古代多被视为原始神秘生物的象征，因此汉高祖斩白蛇而定天下，吐火罗人的祖先也尊蛇为神。这地底有巨蛇倒是不算奇怪，但什么样的怪蛇才会形如古碑？

白毛专家摇头道："吞蛇碑不是什么怪蛇，也不是任何生物。吐火罗人视蛇为神，不会放置吞蛇的石碑。"

司马灰看地宫内部的石室低矮狭窄，估计里面也应该分为多重结构，四壁间或有秘道石门，于是便吩咐通讯班长刘江河在周围仔细搜寻，这时听那白毛专家说古碑不是怪蛇，便问道："吞蛇碑既然并非怪物，你为何会死在此处？你现在果真是个……死去多年的幽灵？"

白毛专家点头说："据我判断，吞蛇碑暗示着'第六空间'。这个魔窟般的'空间'只有入口，却没有出口。"

司马灰对白毛专家所说的"第六空间"有些耳熟，因为在军事及地理应用上，通常习惯将"空间"分为五个区域：陆地为第一空间；海洋为第二空间；空中为第三空间；宇宙为第四空间；地表三百米以内的空间是第五空间。因为这一区域地形复杂，地物阻隔，雷达发现角的可控度非常有限，对雷达而言，"第五空间"一直都是未被攻破的极地和盲区。

司马灰却不知道还有个"第六空间"。胜香邻也从没听说过，甚至无从想象。莫非1958年的考察队，全部被这个"魔窟"吞噬了？

司马灰正想再问，却发现那白毛专家没了回应。他凑到墙下一看，只有一具枯僵的干尸，看样子已经死了多年。他虽然有些心理准备，仍不免感到心惊肉跳："当真是阴魂附尸？"

胜香邻心头怦怦直跳，大着胆子上前去看那白毛专家的死尸。

通讯班长刘江河被吓得不轻，连忙提醒道："别过去，那是个鬼！"

胜香邻摆手示意无妨。她查明尸体之后，转头问司马灰："古城里为什么会有二十三具尸体？'第六空间'又是什么意思？"

罗大舌头经历了刚才这件事，全身上下都起了一层鸡皮疙瘩。他对胜香邻说："别犯糊涂了，孤魂野鬼专把活人往死路上引。甭管它说什么，都绝对不能相信。咱得赶紧找路离开这鬼地方。"

司马灰暗觉此事十分蹊跷，考古队如今也被困在地宫中，必须想办法搞清楚遇到的幽灵究竟是什么，以及吞蛇碑与1958年那支考察队遇难的真相，否则很难活着离开此地。他无法理解什么是"第六空间"，这多半是那白毛专家根据自身遭遇作出的主观判断，情况未必完全属实。不过将对方这句话和吞蛇碑的诡异形状联系到一起，司马灰也从中受到了一些启发。

这时罗大舌头已发现一处石壁较为松动，四周都有缝隙，应该是道暗墙。他趴在上面听了听，感觉外边没有异状，便招手让司马灰与通讯班长刘江河上前帮忙。

司马灰也急着寻找出路，于是不再多想，当下同其余二人用力去推墙壁，只见那墙后确有一条秘道。他用矿灯照进去，看里面沉寂深邃，静悄悄的没有任何动静，从方位上判断，似乎连接着旁边另一间洞室。

罗大舌头向里边瞧了几眼，扭头对司马灰说："看来各庄的地道已经连成片了。"

司马灰点头道："这地方结构很复杂，得小心别在里面走丢了……"他说着话转过身看了看后面，见胜香邻还在墙下察看那具死尸，就催促说，"阴魂附尸，生人莫近，得赶紧离开这是非之地。"

胜香邻看那白毛专家的死状，虽如死去多年的僵尸一般，但身上的衣服却未腐坏，心中暗觉诧异，听到司马灰的话，就跟上来问道："你们有没有觉得什么地方可疑？"

罗大舌头说："我看这鬼地方处处都很可疑。咱还是先想个办法找到出路吧。再说凡事只凭猜测也没有用，还是得到现场去看，腿到眼到……"

众人越想越觉得心中没底，摸索着墙壁正要往前走，就听身后的死尸发出一阵怪声。司马灰倒吸了一口冷气，按住头顶的矿灯转头照视，光束投在白毛专家的脸上，就见那死尸的脸孔不知何时偏转过来了，嘴部大张，黑洞洞地冲着考古队，喉咙中"咕咕"作响。

第五话

虫　洞

众人在漆黑一片的地下突然听到这种动静，都觉得心惊胆战，想撒腿就跑，可腿底下却像灌了铅似的迈不开步子。

这时只见尸体脑颅忽然膨胀，从七窍里挣扎钻出几十只"尸鲨"，最大的竟有手掌长短，色呈暗青，前端像是泥盆纪时期的鲨虫①，生满了密密层层的牙，尾部生有脊柱形的坚硬肢节，着地爬行，速度奇快，不时发出"咔嚓咔嚓"的刺耳响声。

司马灰用矿灯照过去，眼中已经看得明白，心下更是一片雪亮。1958年那支深入罗布泊望远镜的考察队，都被人在体内下了尸鲨，寄生一段时间就会逐渐潜养成形。这在异方邪术里曾有记载，后世少有人知，只有不想让任何人窥探地底秘密的绿色坟墓，才会有如此手段。

不过此前在地宫里发现的二十二具尸体，都早已被尸鲨啃净了脑髓，而考古队遇到的白毛专家，显然才刚被吸成一具仅剩躯壳的死尸。这件事如何解释？与吞蛇碑到底有什么关系？司马灰想到这里，又觉得如同置身在云里雾中，心头茫然一片。

这时通讯班长刘江河看到从死尸体内钻出的尸鲨，已快速爬到自己近前，用手中的半自动步枪恐难以压制，真吓得魂飞海外去了，只好抬脚去踩，当场踏中一只，耳听"咔"的一声轻响，冒出许多黄绿色的黏液，恶臭刺鼻触脑。而他也随之惨叫一声，跟着跪倒在地，鞋底沾到鲨液的地方，竟被腐蚀出了一个窟窿，转瞬间就洞穿了皮肉，直至骨髓，并且仍在不断深入扩大，丝毫没有停止或减缓的迹象。

---

①　节肢动物，头胸部的甲壳略呈马蹄形，腹部的甲壳呈六角形，尾部呈剑状，生活在浅海中。

胜香邻看到刘江河势危，连忙上前扶住他退向墙角。她用矿灯察看刘江河脚下伤势，发现尸鲨体内含有腐酸，这种强酸连铁板都能腐蚀透了，只消沾上一点就会蚀肌腐骨，身上的血肉也随之变为强酸，不断加快腐蚀速度，救无可救，治无可治，什么时候烂成一摊脓水才算完。胜香邻虽然胆识不凡，但见通讯班长刘江河的惨况凶多吉少，也不禁寒透心底。

司马灰和罗大舌头一看这情形，不敢再轻易使用 PPS 冲锋枪了。二人拔开长柄信号烛，将爬到近处的尸鲨一只只戳在地上烧死。那些从死者身体里爬出来的尸鲨还没蜕变为成虫，数量终归有限，凭着他们眼疾手快，尚能抵挡应付。

罗大舌头唯恐那白毛专家的死尸里还有尸鲨，就将没有烧尽的信号烛扔到尸体上，烟火中尸气弥漫，臭不可闻。

司马灰让罗大舌头继续注意周围的动静，然后反身查看刘江河的伤情，只见他咬牙忍着钻心的剧痛，脸色苍白，额上挂满了黄豆大小的汗珠，脚掌连同鞋子都已被腐蚀出了一个大窟窿，也不见流血，只有黄绿色的液体不断涌出，情况还在持续恶化。照这么烂下去，几分钟之后这条腿就没了。

罗大舌头也关切地回头张望，低声提醒司马灰："这和在缅甸丛林里被五步蛇咬了没什么区别。只能趁着腐酸还没烂到躯干，下狠心截掉肢体，总好过当场丢了性命。伤在胳膊腿上已经是不幸中的万幸了，要是脑袋肚子就彻底没救了，再不动手就来不及了。"

胜香邻忙说："不行，这里没有手术条件。如果没办法止血，断去肢体等于是直接要了性命！"

司马灰快速分析，血肉之躯被尸虫腐蚀，与在丛林里中了蛇毒可不一样，当即按住刘江河的小腿，叮嘱道："你得忍着点……"他心知刻不容缓，说话的同时早已将半截燃烧着的信号烛狠狠按在对方脚底的窟窿上，从里到外将腐化之处都烧了个遍，以此止住溃烂和出血，又敷上一些药物拿绷带扎住。

司马灰等人忙活了一阵，见刘江河这条命算是留下了，然而自始至终也没听见他呼疼挣扎，真没想到这小子竟会如此硬气，正要赞他两句，可一抬头，才发现刘江河早已不省人事。

司马灰伸手试了试通讯班长的鼻息和脉搏，才明白是因为剧烈疼痛突然引发的神经原性晕厥。于是众人就让他平躺在地，保持呼吸通畅。

众人全都清楚，即使身体完好，也未必能从这距离地面一万多米的深渊里逃出去，更何况脚底烧穿了一个大窟窿，通讯班长刘江河多半是回不去了。

正在担忧，却听暗墙后似乎有尸虫爬行，司马灰向前投出信号烛，只见甬道里压山探海般黑压压的一片，都是从石缝里钻出来的尸鳖，数量多得让人心惊。三人心中无不叫苦，一看实在是挡不住了，急忙推合暗墙，拖着通讯班长刘江河退回石室。

虽然暂时安全了，但黑暗而又压抑的地下环境更使人感到绝望。司马灰定了定神，将刚才想到的事对其余二人说了一遍："1958 年那支考察队都是被体内的尸鳖咬死的，可为什么密室里的老白毛没有跟其余队员死在一处？此前接触的幽灵果真是阴魂附尸？"

胜香邻沉思片刻，对司马灰说："这座古城里最大的秘密，也许同样是时间，是一个时间的幽灵。"

司马灰问胜香邻："时间这东西又不是活物儿，怎么会成为幽灵？"

胜香邻说："我感觉这里存在着另一个时间，它与已知的时间坐标不同。"

罗大舌头听得脑袋瓜子发懵，问道："那么咱们遇到的老白毛究竟是人是鬼？"

胜香邻又看了看墙下的死尸，说道："1958 年的科学考察队，也许最终进入罗布泊望远镜的有二十三名成员。毕竟这位老专家还没来得及对咱们说实际人数，不排除咱们先前掌握的情报有误。"

司马灰说："确实有这种可能，但此处距离地表一万多米，在没有光线的深渊里，颜色没有任何意义，一切生物都已白化。这足以说明死者体内的尸鳖都是从地面带下来的。所以考察队的死因，应该是被绿色坟墓事先在脑中藏下了尸虫，直到抵达吐火罗古城方才毙命。而那白毛专家则是临时加入考察队，地下组织的潜伏分子即使想加害于他，也必是在得知此人要跟随考察队出发之后才下手。因此老白毛体内虽有尸鳖，却没有跟其余成员同时死亡，依常理推想，整个事件的前因后果都很清晰。可奇怪的是这个老白毛……为何直到此刻才突然死亡？从 1958 年到 1974 年之间发生了什么？"

胜香邻说："怪就怪在这里了，我觉得地底古城里的这段时间，根本就不曾存在过……"

司马灰和罗大舌头越发觉得不可思议。要照这么想，1958年考察队里的二十二名成员死在吞蛇碑前，直到1974年众人在地底遇到白毛专家，这两个事件之间竟然是一片空白。

空白就是什么都没有，连时间与空间都不曾存在。不过从前到后仔细思量，也唯有如此才解释得通。1958年考察队中的二十二名成员同时遇难，那老白毛并没有当场死亡，为躲避尸鲨，逃到了这间石室里藏身。他当时也已察觉到体内尸虫成形，自知命不长久，而古城里的时间却突然消失了。十几年后司马灰等人找到了吞蛇碑，这里的时间才开始复原。

三人无法想象出现这种事情的具体原因。至少在特斯拉的"匣子猜想"中，没有提到会有此类情况发生，只推测是与那古怪诡异的吞蛇碑有关。或许这古城地宫里存在着某些看不见的东西，如果无法逃离这个魔窟，考古队自身的时间也会消失。那又意味着什么？

胜香邻推想："真实会永远停留在虚无之中，正常的时间坐标，将以螺旋加速度离咱们远去，那就永远也回不去了……"

罗大舌头目瞪口呆："完了完了，那后果实在是不堪设想了，而且何止是不堪设想，根本就没有后果了！"

司马灰说："现在顾不上考虑什么后果了。咱们必须搞清楚为什么会发生这种怪事，也就是要设法解开吞蛇碑的谜团，否则没有活路。"

三人正在低声商议，却听墙根下碎石响动，此时人人都像惊弓之鸟，那动静虽然细微，也不免让大家神经紧绷，当即将PPS冲锋枪和头顶矿灯的光束同时指向声音的来源。

只见地面出现了一个凹陷，原来被通讯班长刘江河踏死的尸鲨，体内流出的腐液酸性奇强，竟然把砖石都烧穿了。地面砖体缝隙处都已松垮，如果受到外力作用，便会立刻坍塌。

罗大舌头按住矿灯向砖缝底下照了照，发觉下边好像还有空间，就提议下去寻找出路，虽然情况不明，但困在石室中等死终究不是办法。

司马灰也有此意。地宫里最恐怖的威胁不是尸鲨，而是时间消失的谜团，说不定在下面能有些新的发现。

二人当即上前动手，用枪托击打塌陷的地面，奈何砖石坚厚，忙活得满头是汗，才捣开一个只能容一人钻下去的窟窿。

司马灰见底下不算太深，就打算当先跳下去探路。他让罗大舌头背上负伤的通讯班长刘江河，由胜香邻断后。

可这时胜香邻想到了一些事情，忙对二人说："还不能急于离开此地，你们仔细想想考察队在1958年遇难的经过……"

不等胜香邻说完，司马灰就已经醒悟过来：那白毛专家没有当场死亡，而是躲到了这间石室中，然后时间就莫名其妙地消失了。在此之前，这老白毛似乎在附近发现了吞蛇碑的某些秘密，也就是说，解开吞蛇碑谜团的关键，应该就在此处。

司马灰想到这里，就让罗大舌头先将通讯班长刘江河放下，仔细在黑暗的石室中搜寻。

罗大舌头很是心焦。他对司马灰和胜香邻说："我可是想什么说什么，你们是不是有点太过于想当然了？怎么能确定是1958那支考察队的时间消失了？也许是咱们已经不在1975年了呢！反正这地方黑灯瞎火的，永远没有昼夜之分，又没有无线电台能收听广播，鬼才知道如今是哪年哪月。"

胜香邻对时间的理解得自宋地球，其根源是论述"匣子猜想"的特斯拉，认为时间应该是呈线性运动，发生过的就是发生过了，永远不可能回到过去，流逝过的时间里发生的一切事件，都已经不复存在。现在的种种迹象又表明这座古城不是匣子，因此绝不可能是众人遇到了1958年的幸存者。此时唯一能想到的解释，就是在那白毛专家死亡之前，地宫里的时间消失了十几年。

罗大舌头仍是满头雾水，他继续追问："时间消失了，到底是什么意思？"

胜香邻只好作出简单的解释："考察队专家体内附有尸虫，这是导致死亡的原因；依照常理而言，他在1958年就应该遇难了，这便是死亡的结果。可这个本该出现在1958年的结果，直到十几年后的今天才发生。所以咱们只能初步判断，是原因与结果之间的时间消失了。"

司马灰知道罗大舌头一脑袋高粱花子，跟他说这些情况也是对牛弹琴。当下他只顾四处搜索，但四壁陡然，不见什么特别之处。而在白毛专家尸体后的墙壁上，却有些极为神秘怪异的图形：当中是一个头上生有肉角的高大人形，苍髯庞眉，形态奇古，双手平伸，面前是只及其一半身高的常人。

司马灰暗觉奇异。他招呼胜香邻和罗大舌头："你们过来瞧瞧，看这壁上刻的是人还是什么妖怪？"

第六话
墙壁里的躯壳

二人闻言走过来，打眼一看也都怔住了。那墙根处都是灰色的火山岩，石刻轮廓里不知是涂有颜料，还是年深岁久生出苍苔，已使壁刻图形模糊不清，却更增神秘诡异之状。

司马灰将矿灯照在当中身材高大的人形上，壁刻勾勒的线条虽然简单古朴，但还能分辨出那人形头顶上生有两个尖状物。

罗大舌头愕然道："天底下哪有脑袋上生角的人？"

司马灰也觉难测其秘。以前他听宋地球说过，曾有考古队在新疆沙漠里的一些古迹内，发现过许多根本无法理解的神秘壁画，其中描绘的内容，似乎是古代先民与天外来物接触的情景。此时司马灰也不免认为，吐火罗古城中的壁刻是某种天外之物。

罗大舌头对司马灰说："这也太邪行了，真能有你说的……那种东西？"

司马灰说："反正我没见过，但没见过不等于没有。当年苏东坡深夜途经金山寺，就亲眼目击过骇人听闻的可怕景象。连他那么大学问的人，都难以理解自己当时究竟看到了什么，只好留诗记载——江心似月炬火明，飞焰照山栖鸟惊。怅然归卧心莫识，非人非鬼竟何物……"

罗大舌头压根儿不知苏东坡是何许人也，问道："我怎么没听说还有这么个事？苏教授是哪个单位的？"

胜香邻对着石壁仔细观察，又取出山海图的拓片加以对照，听司马灰和罗大舌头嘴里说得不着边际，就道："壁刻上描绘的当是上古之人，并非什么天外来物。相传神农氏头上生有肉角，壁刻的内容似乎与之有关。"

罗大舌头说："古时候好像也不应该有头上生着肉角的人，那到底是人还是野兽？"

司马灰则听过有此一说。据闻上古之人，形貌似兽：伏羲和女娲即是人首蛇身；神农氏有角；蚩尤为熊；虽然形如鸟兽，却至淳至朴，有大圣至德。而壁上所刻之人虽然形貌似人，却显露出某些让人难以捉摸的东西。不过这话也就是个比喻，上古之人不太可能在头上生有肉角，毕竟不符合生物演化学的规律。

胜香邻说："这大概与古代图腾是一回事儿，现在没必要多做追究。我看壁刻上描绘的内容，可能只是一个时间和地理的象征，记载着关于抵达地心黑洞的通道之谜。这些内容在禹王铜鼎中也有铸刻。"

司马灰寻思，既然已经有了密码本和山海图的拓片，想找到那条通道并不困难。眼下火烧眉毛的事，是先从这没有出口的地底迷宫里逃出去，其余的都是后话。于是他让胜香邻尽快拍照记录下来，然后继续观察附近的壁刻，不久便发现了一个酷似面口袋的图形，内部都是层层叠叠的洞室，大小不一，纵横相通，左端边缘露出一个缺口，仿佛就是考古队进到地宫的入口，此时从整体上来看，又有几分像只有嘴却没有面目的吞蛇碑。

三人知道，考察队的白毛专家多半就是从其中发现了秘密，当即注目观看。

胜香邻依照密码本解读凿刻在壁上的古篆，但这并非一时半刻之工，她见司马灰脸色阴一阵晴一阵，似乎看出了一些头绪，就问道："你发现什么了？"

司马灰说："咱们恐怕要做最坏的打算了，这里确实没有出口……"

罗大舌头道："你说哪门子丧气话？想当初缅甸野人山那么凶险，咱不照样走个来回！"

司马灰摇头说："跟这吞蛇碑的恐怖之处相比，从野人山里逃出来就像是吃了顿家常便饭。"

罗大舌头闻听此言更是迷惑，心里越发没底。他看着墙上的壁刻，自言自语道："没有出口……这吞蛇碑到底是个什么东西？"

司马灰一时间也吃不太准，他知道凭胜香邻的眼力和见识，倒比须眉男子更胜十倍，就想问些情由加以确认。不料暗墙边缘却忽然从上到下裂开一条缝隙，从中不断涌出浓酸般的液体，滴落在地发出"嗤嗤"的声响，腐蚀出一指多深的坑洞。

三人听到异响，立刻按住矿灯上前察看，原来是被挡在墙后的成群尸鲨，在发疯般的互相咬噬。此物多是老坟古尸里滋生而出，又名噬金，若不彻底歼灭，一能生十，十能生百，百能生千生万，繁殖裂变起来无休无止。它体内血液又含有剧毒，遇到空气即成强酸，铁板都难抵挡，所以很快就将石墙洞穿。先前爬进来的尸鲨肢体都被浓酸侵蚀，随即腹破肠穿，但其生命力格外顽强，只剩上半截身子仍然不断地挣扎攒动，紧随其后的尸鲨就在同类的残骸上蜂拥而入。

司马灰心中骇然，一面提起PPS冲锋枪扫射，一面跟罗大舌头架起通讯班长刘江河，快速向后退避。此时胜香邻已将信号烛扔到地下石窟，三人一同将伤员抬下洞去。罗大舌头顺手从背包里摸出一捆速发雷管，想抛出去炸毁洞口。司马灰心知雷管威力巨大，要是把石室炸垮了，情况将会变得更为不利，于是拦住罗大舌头，从旁边的石门退入甬道。

地官内部分为数层，结构大致相同，每处洞室内都凿绘着大量壁刻，相似的地形给人带来山重水复的错觉。三人怎敢稍有懈怠，趁着尸鲨还没跟过来，拼尽全力推合了石门。

司马灰检查了一遍墙壁间的缝隙，告诉罗大舌头和胜香邻道："以石门的厚度估计，至少在几分钟之内，这条甬道里相对还算安全。"

罗大舌头在生死关头反倒镇定了许多，握着手里的速发雷管说："大不了最后一拉导爆索，咱们一块去见那些老战友。"

胜香邻看了看通讯班长刘江河的伤势，见他仍是昏迷不醒，嘴唇干裂，额头滚烫，脸上好像还挂着一丝古怪的微笑，不禁很是担忧，忙让那二人过来看看是怎么回事。

司马灰看后也觉得有些奇怪："这巴郎子笑什么？"

罗大舌头分析说："可能梦见他老家甜滋滋的哈密瓜，还有香喷喷的手抓饭了……"

司马灰见通讯班长刘江河脸上黑气沉重，猛地醒悟过来："这是中了棺材毒了，得灌白鸭血才能保命。"

罗大舌头叹道："我看生死由命，各有各的造化。这小子也是个军人，当初穿上那二尺半，他就得有把脑袋别到裤腰带里混日子的思想觉悟。"

司马灰说："当兵的也是人。蝼蚁尚且偷生，为人怎不惜命？只要还没咽气，就不能扔下他不管。"

胜香邻对司马灰说："你说得没错，但这甬道里随时都有危险，一直困在此处终归不是善策。"

司马灰心知时间紧迫，就对二人说出了自己的判断："要是我所料不错，吞蛇碑暗示的东西，其实就是这座地宫。它本身即是一个只有入口没有出口的怪物。地底这个不知为何物的东西，被称为'无'。天下万物生于有，而有则生于无。"

罗大舌头对此物闻所未闻，完全搞不懂司马灰所说的话："别说什么有无了，现在就连北在哪边我都快找不着了。"

司马灰说："你仔细瞧瞧周围，就没觉得有点眼熟？"

罗大舌头颇为纳闷儿："在这该死的鬼地方困了这么久，可真没发现周围有什么好看的。"他说着话再次举目四望，发觉地宫甬道和两侧的密室里，满壁都是虫鱼鸟迹般的神秘符号。这冰冷阴森的情形确实似曾相识，那次要命的经历他到死也忘不了，不禁倒吸了一口凉气："占婆王的黄金蜘蛛城！"

胜香邻也听司马灰详细讲述过在缅甸丛林里的遭遇，此时经他一提，才察觉到这座地宫像极了野人山大裂谷下的黄金蜘蛛城。

司马灰说："不是黄金蜘蛛城，而是泥盆纪遗物，是另一个埋藏在罗布泊地底的泥盆纪遗物……"司马灰先前遇到那老白毛，听对方用"第六空间"来形容此地有进无出。可能这只是老白毛在临死前作出的一些主观推测，甚至连老白毛自己都解释不清，难免有许多片面不实之词，因此对其所言不可不信，也不可尽信。

司马灰虽然自知在科学理论上，远不及那些考察队员知道得多，但他毕竟通晓相物识宝之术，隐隐觉得整件事情最古怪的地方，就是从1958年到1974年消失的一段时间。自从随队进入"罗布泊望远镜"以来，最使司马灰感到头疼与恐惧的也是"时间"。

奈何被形势所迫，又不得不绞尽脑汁竭力思索，他看到密室壁刻中的神秘图形，想起相物古术中提到的一种东西。据传在很久以前，有个不知为何物的东西，形状像个口袋，没有五官七窍，博物志中将其命名为"帝江"。它的肚子里是"无"，没有时间与空间，也有种说法认为，盘古即是从其腹中所生，开凿混沌以成天地。

后来司马灰询问宋地球有关泥盆纪遗物之事，得知泥盆纪遗物可能属于早期的鸮螺类始祖化石，其体内散布着"弥漫物质"。司马灰估计这东西多半是相物之术中所说的"帝江"。只不过此事并未从宋地球嘴里得到确认，当时也未作深究，更不知道什么是弥漫物质。如今他只能以古术中的旧理加以揣摩，猜想弥漫物质即是所谓的"无"，这样一来就可以大致理解整个谜团的始末了。

胜香邻不懂相物古术，却清楚司马灰言之有物。"无中生有——天下万物生于有，有生于无"这句话，原本是两千多年以前中国道家鼻祖老子提出的名言，近代又被西方天体物理学家极力推崇，用以解释天地创造的起源，因为他们实在找不出更精确的描述了。这件事在某一阶段一度成为热点，引得举世哗然，争议四起，人们不禁追问："科学与宗教究竟哪一个更真实？"

胜香邻在国内也听说过此事，所以相信司马灰的判断比较符合实际情况。不过当下形势危如累卵，稍有差错，事态就会发展到无可挽回的地步。三人都决定先摸索到地宫边缘，确认石壁中是否真有泥盆纪遗物的躯壳，然后再考虑对策。

众人也不想扔下半死不活的通讯班长刘江河，就上前架起他来要走。刘江河脚部的伤口触到地面，剧痛使他神志有所清醒，迷迷糊糊也不知道自己怎么成了这样，就吃力地问道："司马首长，我这是……怎么了？"

罗大舌头安慰他说："其实没什么大不了的。只不过你从今往后……再也不能听从党和人民的伟大召唤了。"

第七话
恐怖生物

通讯班长刘江河心里发懵，一时没听明白此言何意，但他能从罗大舌头的话里感觉到情况不妙，又发觉身边的步枪和背包都没了，估计自己这回真是死定了，不由得神色惨然。

司马灰示意罗大舌头别再多说了，随即让胜香邻使用重磁力探测表，寻找到禹王青铜鼎存在的大致方位。三人架起刘江河，在漆黑的甬道里一步一挪地往前走。

众人根据支离破碎的线索，推测1958年的中苏联合考察队是迷失在了泥盆纪遗物的腹中。当时除了那白毛专家以外，其余的队员全部死在了吞蛇碑前。随后的时间就消失了，直到司马灰等人来到地底，一切事件才开始继续发生。这说明一旦有活人从外部进入泥盆纪遗物，可能是受人体生物电场作用，地宫里就会有一段正常流逝的时间，大概在几个小时左右，此后又会被泥盆纪遗物体内产生的弥漫物质所吞噬，永远停留在没有时间与空间的"无"中，除非再有外部事件介入。而且根据相物古术中的记载，任何被"无"吞没过的生命，都不可能再次离开，否则将在瞬间化为灰烬。所以即便那白毛专家体内没有尸虫，最终也无法生离此地。

不过这些情况大都是主观臆测，司马灰跟随探险队在缅甸发现的黄金蜘蛛城，只是一个留有大量热剩磁的泥盆纪遗物躯壳。而此番在罗布泊望远镜下的深渊底层，却存在着许多更难以解释的神秘现象。此外，他也不清楚吞噬时间的"弥漫物质"究竟是什么，深感考古队从"无"中生还的希望十分渺茫。

众人尽力克制住恐慌与绝望，沿路摸到甬道尽头的石壁下，耳听墙体内似乎有些声响。黄金蜘蛛城里的泥盆纪遗物，被认为是一个带有生物热剩磁的化石躯壳，可地宫里这个东西，却像是一个完全活着的生物。

众人又惊又奇："这东西似乎还活着，泥盆纪……那么它是从古生代中叶生存至今了，不过只要它有形有质，说不定能用雷管炸个窟窿出来。"

先前没敢用雷管爆破墙壁，主要是考古队里没有人熟悉爆破作业，估算不出要用多少雷管才能炸穿墙体，更不懂得如何选取爆破点。万一在地底引起塌方，麻烦可就更大了，但此时无法可想，只有鱼死网破拼一把了。众人当即横下心来，留下四枚雷管备用，剩下的都拿胶带贴到墙上。

司马灰点了根苏联香烟，猛嘬了几口，用烟头凑在导爆索上引燃了，急忙跟其余三人躲到甬道侧面的洞室里，各自堵住耳朵，心里默数"一、二、三……"

一声巨响，震得众人心酥腿麻，喉咙里都是咸腥味。在迷漫的烟尘中，砖墙被炸毁了半壁，崩得到处都是碎石。爆炸产生的震波在墙体中传导开来，有许多砖石纷纷掉落，塌方持续不断。司马灰暗暗叫苦："坏事了，肯定是雷管用得太多了！"

众人心知应当趁此时机赶紧向外跑，再迟走几步也许就得被活埋在地下了，刚要有所行动，却感到有个庞然大物从崩裂的墙体里爬了过来。最前边的司马灰发觉情况不对，立刻抬手让罗大舌头等人停下。他握着PPS冲锋枪，从洞室中探出半个脑袋向外侦察。

但黑暗中充斥着硝烟和尘土，矿灯的光束根本照不出去。众人只得屏住呼吸，背靠着墙壁不敢行动。

司马灰虽然料到墙壁内肯定有些古怪，但泥盆纪遗物到底是什么模样，他心中也毫无概念，只是结合以前的经历，知道大约在四十六亿年前，地壳刚刚开始凝固，有些混沌时期残留下来的弥漫物质，被封闭在地底。直至泥盆纪晚期，出现了某种以此为食的鸮螺类古生物，它们成为化石后躯壳内仍旧含有大量热剩磁，从而在深山里形成了盲谷般的电磁场。可吐火罗古城中的泥盆纪遗物，还具有一定的生命体征，整个躯体都躲在地宫坚厚的外壁里。显然是由于爆破塌方的影响，它受到了惊动。

这一刻过得分外漫长，甬道里蠕动声渐渐逼近，众人心脏的跳动也在随之加剧。忽然腥风触脑，定睛视之，就见烟尘中有巨物浑浑而至。那模样就像是一个大肉柜子，有其口而无头面手足，在狭窄的甬道内，也辨别不出它的具体形状，可能与吞蛇碑相差无几。被矿灯照到的部位都是皱褶，呈现出洪荒时代的古老苍黄，所过之处都是黑水。

众人看得目瞪口呆，脑瓜皮子都跟着一紧。司马灰知道不能硬碰，又唯恐被堵在洞室里周旋不开，就同胜香邻架住通讯班长刘江河，由罗大舌头殿后掩护，不顾塌方带来的危险，拼命向甬道深处逃窜。

刘江河拖着一条伤腿，刚开始还疼得难以忍耐，可由于步伐加快，他血液里的毒质也就加速扩散，整条腿都彻底没了知觉。要不是有人相助，他早就躺在地上不能动了，想说话时才发觉连舌根子也麻木了。

司马灰和胜香邻都带着沉重的背包，如果刘江河自己能使出些力气，还可以勉强架着他往前走，此时被遍体僵木的刘江河一带，竟也不由自主地跟着跌倒。司马灰借势一滚就已起身，接着索性扔掉背包，在胜香邻的协助下将刘江河负在背上，就这么迟了片刻，"泥盆纪遗物"已蠕动至距众人三五米了。

罗大舌头早红了眼，看情形估计是走不脱了，抬手就将点燃的一捆速发雷管抛向身后。胜香邻刚好回头瞧见，惊呼一声："不好！"司马灰闻声转身一望，也发觉不妙，那雷管引索太短，距离又实在太近，在如此狭窄的甬道里，四枚雷管集束爆炸的威力，足以把众人炸成碎片。眼下是想逃也逃不开了，他只好背着刘江河就地扑倒，躲向墙下。其余二人也都急忙卧倒，等着猛烈的爆炸如约而至。

谁知那捆雷管落在大肉柜子蠢浊的躯体旁，恰被黑洞洞的大口吞落，正好在此时发生了爆炸。只见泥盆纪遗物表面瞬间隆起一个大包，随即平复如初，也没有从中传出任何声响和震动，继续浑然无知地向众人爬来。

众人骇然失色，雷管在泥盆纪遗物体内爆炸，却没有对其造成任何伤害，也许这是因为它蠢浊的躯体里充斥着"无"吧。

可司马灰对"无"只有一个相对模糊的概念，仅知道那是地壳膨胀凝固前的"弥漫物质"，不断发展运动的时间和空间都从其中而来。

这时泥盆纪遗物已近在咫尺，司马灰暗呼糟糕："此前对事态估计不足，不该贸然炸开墙壁，这回算是把娄子捅到天上去了！"他如今也不知该如何应付，只得同其余二人拖拽着通讯班长刘江河，竭力向甬道深处撤去。

甬道尽头的石殿里，梁壁仍在不断崩落，上层那些考察队员的尸体和吞蛇碑，都随着残砖碎石陷了下来。黑暗中到处混杂着尘埃，矿灯光束照不出一两米远，耳朵里听见四面八方都是地震般墙倒屋塌的轰隆声响。

众人头脸手足多处被碎石划破，罗大舌头的脑袋刚好被落石砸中。他虽然戴着 Pith Helmet，也受伤不轻，满脸都是鲜血，混乱当中完全辨认不出方位和周遭状况，心里更是着慌，刚撤到殿心，猛觉堆积如山的砖石瓦砾纷纷晃动，地面裂开一条大缝，似是被庞然大物从底下拱了起来。

司马灰等人脚底倾斜，不由自主地往后倒，心知甬道里回不去了，仗着身手灵便，就抠住两侧断墙，一边躲避滚落的碎石，一边向侧面移动。

此时众人都已察觉到殿底也有泥盆纪遗物，正如先前所料，这座吐火罗地宫与缅甸的黄金蜘蛛城一样，其本体都是泥盆纪遗物的躯壳。只不过黄金蜘蛛城半是生物半是化石，呈僵死状态，而"吐火罗地宫"却还是个活生生的怪物，从甬道以及地下出现的东西都是它的腹足。

从吐火罗人留下的壁刻，以及禹王鼎上的山海图，可以得知地底的泥盆纪遗物形如腹足鸮螺，酷似没有七窍的"帝江"，寄生在地宫外壁的夹层里。那白毛专家生前曾想告诉考古队，此处由于受到"弥漫物质"影响，粒子进入了量子力互相作用的状态，整个地宫都处于时间与空间的曲率半径范围之内，不再属于已知的广漠空间，而是另一个有进无出的空洞。生物从外部接近它的时候，自身电场会使这个空洞出现一个物质通道，但从里往外走时通道就神秘消失了。那吞蛇碑的诡秘形状，大概就是古人对泥盆纪遗物最为直观的认知。怪蛇暗示着生命与时间，一切都从无中出现，也可以被无彻底吞没。

司马灰等人当然理解不到这种深度，但也清楚自己这伙人正置身于泥盆纪遗物的躯壳内部。如果跑不出去，那么多同志用生命为代价换来的秘密，就将永远埋没在地底。但众人身边的速发雷管已经用尽，剩下的 PPS 冲锋枪连自保防身都难以做到，地宫里可供逃窜的空间越来越狭窄，考古队逐渐被逼入了死角。这不是鱼死网破那样还能有一拼，倒像是几条金鱼妄想从密封的鱼缸里逃脱。

第八话
费 城 实 验

泥盆纪遗物在墙体间挣扎欲出，考古队四周全是断壁碎石，众人攀至倾倒的吞蛇碑顶端，就已经无路可走了。

罗大舌头将背负的通讯班长刘江河放下，胡乱抹了一把脸上的尘土和鲜血，气喘吁吁地对其余二人说："这回可真是遇上过不去的坎了！"

司马灰也是深感绝望："要是没用雷管爆破墙壁，说不定能够多活一会儿，如今可妥了，还能再往哪跑？"

胜香邻再次看到吞蛇碑，心里蓦然一颤，忙对司马灰说："1958 年那支科学考察队的时间并没有消失……"

司马灰不知胜香邻想到了什么，但众人性命只在呼吸之间，就算考察队死亡后的时间没有消失，也改变不了现在的处境。

胜香邻思维缜密，她此时觉察到事情并非如先前所想，因为白毛专家是遇到考古队之后才死亡的，所以众人始终有一个先入为主的错位判断，认为从 1958 年到 1974 年之间的时间在地底"消失"了。

其实被泥盆纪遗物躯壳包裹着的空间，其内部并没有任何异常，不管考古队在地宫中停留多久，时间也不会消失。如果白毛专家身边的时间曾经消失过，那么他早就被虚无彻底撕裂成原子粒子了，连尸体都不可能留下。

真正古怪的地方，应该是泥盆纪遗物的躯壳。1943 年美国海军曾根据特斯拉提出的"匣子猜想"，在费城进行过一次机密实验，通过交流电聚集了大量磁云，并将一艘"爱尔德里奇"号驱逐舰投放到另外的空间。这个实验证实了，自然界中确实存在着若干孤立的神秘空间，它们的周围都是不能穿越的"弥漫物质"，也就是司马灰所说的"无"。

因此，泥盆纪遗物躯壳中的地下宫殿，相当于一个被"无"包裹着的匣子，唯有近似虫洞的通道，才能穿过线性的时间坐标。1958 年的科学考察队，以及 1974 年的考古队，都是经过虫洞进入了这个神秘的"匣子"，它使前后两者的时间交错在一起。

在这个危急关头，胜香邻来不及对二人多说，只能形容泥盆纪遗物躯壳上的虫洞是一个客观存在的通道。不过地底浓密的磁云，弯曲了周围的物理空间，所以考古队原路返回的时候，就已经找不到"虫洞"了。

司马灰和罗大舌头面面相觑。他们知道胜香邻不会说些无根无据的言语。如果能找到泥盆纪遗物躯壳上的虫洞，就有机会逃出去。可四周漆黑一团，到处都在塌方，许多区域也已被碎石填埋，众人勉强置身在倾斜的吞蛇碑上，形势岌岌可危，至多还能再支撑一两分钟，怎么去远处寻找"虫洞"？

三人想不出可行之策，实在不知应如何理会。这时只听得"嚓嚓"之声由远而近，用矿灯循声照去，就见密密麻麻的尸鲨正成群结队从断裂崩坏的缝里涌出，迅速从四面八方向着吞蛇碑围拢而来。

罗大舌头叫苦不迭："怎么跟破裤子缠腿似的阴魂不散，都死到临头了，还想着吃人？"

司马灰一边盯着蜂拥而来的尸鲨，一边对罗大舌头说："罗大舌头，还真让你给说着了。尸鲨虽是山坟古尸里的滋生之物，但这玩意儿也有思维意识，不过它只能同时思索一件事。刚才那阵墙倒砖塌，使它受惊之后只顾逃窜，现在遇到活人就立刻把刚才那件事给忘了，意识里只剩下要啃噬人脑和内脏的念头。你就是把它碾得粉身碎骨，它也想不起别的事了。"

罗大舌头也不知司马灰所言是真是假，但想起那些考察队员的死状，不禁心生惧意。与其被尸虫从七窍爬进体内，还不如自己给自己来个痛快的，便对司马灰和胜香邻说："我罗大舌头今天终于革命到底了，先走一步，到下面给你们占地儿去……"

司马灰知道罗大舌头就是嘴皮子上的本事。当初缅共人民军被困在原始丛林里，弹尽粮绝走投无路，剩下的人随时都可能被政府军捉住，处境险恶艰难到了极点，他也没舍得给自己脑袋来上一枪。

不料这时就听身旁"砰"的一声枪响，来得好不突然，顿时把司马灰吓出一身冷汗，急忙回头看去，原来开枪的不是罗大舌头，而是躺在吞蛇碑上的刘江河。他伤势很重，半边身子都已麻木僵硬，脑中却还恍恍惚惚有些意识，也明白自己是没救了，不想再拖累其余三人，趁着右臂还有知觉，拽出了胜香邻背包旁的五四式手枪。

众人自从进了地底古城，长短枪支都是子弹上膛，随时处于可以击发的状态，刚才又都将注意力放在周围，所以没能发现刘江河的举动。不过生死抉择可没那么简单，刘江河扣下扳机的一瞬间，心里终究有些软弱，枪响的同时手中发抖，结果子弹没有射入脑袋，反倒打在了腮部，将自己的脸颊射了个对穿。等到众人反应过来，刘江河已随着惯性滚下了倾斜的吞蛇碑。

胜香邻急忙伸手救援，但在这转瞬之间，刘江河身上已爬满了尸鲨，司马灰和罗大舌头看得心底一寒，忙把胜香邻拽回吞蛇碑。

三人用矿灯照下去，所见实是触目惊心，看到满身是血的刘江河，滚下去的时候压碎了几只尸虫，腐液接触空气迅速变为浓酸，眨眼的工夫整个人就已尸骨无存。周围的尸鲨仍然不顾死活地爬过来，也不免被浓酸化去，酸液从裂开的地面边缘，淌落到泥盆纪遗物的肉壳上，立时化为黑水。

泥盆纪遗物在腐蚀下开始逐渐死亡，它的躯壳由上至下向四周崩裂脱落。司马灰等人见脚底不停塌陷，不得不攀着倒下来的砖墙，一路往高处躲避，所幸是在最为坚固的大殿里，才没被填埋下来的碎砖乱石压住。

这时泥盆纪遗物的躯壳所剩无几，塌毁了半壁的地下宫殿，整个暴露在火山窟里。司马灰等人都没料到会是这么个结果，不管是有意还是无意，这次逃生的机会是通讯班长刘江河拿命换来的。而且他死得十分惨烈，因此谁都没有劫后余生的庆幸，心头像堵了一块千钧巨石，感到透不过气来。

三人强行抑制住悲戚之情，翻过附近堆积如山的乱石，从泥盆纪遗物残存躯壳的通道中，离开了地下宫殿的废墟。他们想摸到洞壁处寻找出口，可四下里深不见底，矿灯的光束越来越暗，头皮子也跟着一阵阵发紧。那黑暗深处仿佛有种巨大无比的吸力，要将众人的灵魂从身体中揪出。

司马灰脸色骤变。考古队的幸存者根本没有脱险，泥盆纪遗物的躯壳虽然已经死亡了，可它的幽灵仍然存在。

胜香邻也意识到泥盆纪遗物的躯壳虽已被毁，但其体内的"无"并不属于任何物质，腐酸对它完全没有作用。

三人没想到通讯班长刘江河死得如此之惨，却没有任何实际意义，很是替这巴郎子感到不值。而此时置身于火山窟底部，周围全是倒斜的山壁，围得跟铁桶似的，除非是肋生双翅，才能摆脱这一困境。而此刻泥盆纪遗物残留下的弥漫物质，摆脱了躯壳的束缚，正在无休无止地迅速扩散，好似一条吞吐千丈妖气的巨蟒，在这黑暗的深渊中苏醒过来。

司马灰脑中嗡嗡作响，记得这火山窟边缘有座大石门，通往绕山而造的地底古城，那道巨门从内向外关闭，两边各有一尊铜人，在外边撼动不了分毫。如今没有其他办法，唯有跑过去设法从内侧推开它，行得通便是一条生路，行不通无非就是一死。

罗大舌头心知那座巨门坚厚无比，重量何止千斤，积年累月布满了苍苔，都快在地底下生根了，只凭考古队剩下来的三个幸存者，多半是推不开它，不过那也无关紧要，大不了冲过去一头撞死，总比留在地狱里慢慢腐烂来得痛快。

三人当即逃向山壁下的石门。司马灰和罗大舌头狠下心来，口里发声呐喊，正要上前动手，胜香邻却忽然拦住二人说："别过去，不能再往那边走了……"

司马灰哪里会不知道轻重，整个地底古城都会被"无"所吞噬，即使逃出火山窟，恐怕最终也难免一死，但困兽犹斗，咱都不缺胳膊不缺腿的，难道还坐以待毙不成？

胜香邻道："你先听我说。如果从这座大石门离开火山窟，咱们三个人都会死。"

罗大舌头闻言满头雾水，如今还拿不准能否推得动这座石门，为什么却说离开火山窟就难逃一死？

司马灰却心念一动，这座孤立在地底的火山是有些不太对劲，它根本就不是火山。

第九话

承 压 层

罗大舌头焦躁起来，觉得司马灰是不是在说胡话？这火山就跟个大烟囱一般，有形有质地矗立在地底古城中，怎能凭空认定它不是火山？

司马灰察觉到情况并非如此。从表面上看，这座烟囱形的高耸山峰，内外都和火山窟无异，但这里没有硫磺沉积物。也许地底火山死亡了上亿年，那些沉积物早已分解消散？不过脚下隐隐传来的震动和异响，却显示出山脉深处蕴涵着活跃的巨大能量。因为空气里没有硫磺的气息，所以绝不会是地下的熔岩。可泥盆纪遗物的躯壳溶化之后，强酸仍在向洞窟底层渗透，根据周围的征兆和迹象判断，沉眠蛰伏的火山很快就会喷发。至于这座不是火山的火山里，究竟会喷涌出什么可怕的东西，司马灰就完全猜不出了。

胜香邻对地质构造的了解程度远比二人要多。她知道没有炙热岩浆的火山窟是泥火山，俗称压力锅，也是地下洞窟里最为危险的所在，要是发生爆炸或能量突然释放出来，后果简直不堪设想。当初负责钻掘罗布泊望远镜的苏联专家，也对地底的压力锅深为恐惧，而且拿它毫无办法，只能尽量避开，并祈求这个巨兽继续长眠，永不苏醒。

极渊空洞里出现的压力和地下水，大多集中向深层传导，在地壳与地幔的裂隙中被加压加热，几乎每一滴水都要渗漏几千米的距离，又受到重量压制，在烈火中熬炼千百年，才会化为气态物质循环向上，成为凝聚在极渊半空的云团。这个过程震荡激烈，鬼哭神愁，它所产生的威力和破坏性难以估量。

地底古城中的山峰，就是个千百万年以前形成的压力锅。类似的地方在极渊深处应该还有许多。可现在地层结构受到破坏，脚下逐渐加剧的震感，显示地脉中的热流已经开始膨胀。由于那座巨门破坏了山壁，所以山峰外部的古城一瞬间就会被其埋没。如果考古队仅想凭两条腿徒步奔逃，必然有死无生。

三人站在巨门前的隧道里，利用矿灯照视四周，想寻个藏身之处暂作躲避。可山腹内的洞窟被围得犹如铁桶，攀上高处的山口也是死路一条。这时洞窟底层忽然塌陷崩裂，无穷无尽的泥浆喷涌而出，泥盆纪遗物残存的躯壳，以及其体内的"弥漫物质"，变成了一个无底黑洞般的旋涡，随即被喷发的泥浆埋没。

这火山窟里除了存在大量菌类植物，还有许多肉眼难以分辨的细小微生物群落，它们能够忍耐高温、地热和强酸，在温度高达100℃的时候仍能生存。那种残酷异常的环境，与三十七亿年前生命诞生时的环境非常相似。另外，此类微生物随着地热的变化，会分别呈现出黄、橙、红、褐等不同颜色，好似极光般炫目耀眼，使得整个漆黑的火山窟里一时间亮如白昼。

司马灰等人看得清楚，均骇异难言。那个大肉柜子的确十分恐怖，即使躯壳彻底坏死，它体内的"弥漫物质"仍可吞噬空间。但仅在一瞬间它就被咆哮的泥浆吞没，无法确定会被带到哪里，从此以后地底就多了一个充斥着"无"的空洞。然而在地幔深处源源不绝的脉动中，它的存在完全可以忽略不计，也许最终只能沦落为一个永远塌缩在岩浆里的幽灵。

三人尚未从震惊中恢复过来，滚滚浊流席卷着泥石已向巨门涌来。司马灰被逼得走投无路，瞥见身旁九尊禹王铜鼎腹深足高，又是用陨铁炼成，耐得住烈焰烧灼，索性就招呼罗大舌头与胜香邻，一同爬上鼎壁，翻身跳入其中。还没等站稳脚跟，灼热的泥浆就流到了近前，以排山倒海之势，将几尊青铜古鼎猛然向前推去，只听耳轮中轰隆一声响，竟将那座巨门撞开了。

众人置身在歪斜晃动的大鼎腹中，一个个都被撞得五脏六腑翻滚颠倒，神志多已恍惚不清，却仍紧紧拽住鼎耳，丝毫不敢放松，唯恐被甩落出去。

过了约莫两分钟，伴随着低沉的怒吼，又听到一声炸雷霹雳般的巨响，然后耳朵就失聪了，再也听不到任何声音。原来最开始涌出的大量泥浆只是火山窟底层的淤积物质，温度并不太高，随后的巨响则是压力锅中的蒸汽涌动。三人冒死探头出去张望，就看见山峰顶部出现了一个白茫茫的蘑菇云柱，已升至两百多米高，内部全是灼热的光雾。

众人的脸被这奇光异雾映照，面色都如同死人一样惨白，此时热风酷烈，视线远端的景物变得模糊。胜香邻知道厉害，热流能使一切生物炽为飞灰，连忙示意司马灰和罗大舌头，不要再看山峰高处的蘑菇云，以免视网膜被灼伤。三人不敢再看，都低下头在铜鼎里蜷成一团，任凭身体在汹涌奔腾的泥石流中颠簸起伏。

这地底下发生了一场大规模的膨胀运动，散发着光雾的蘑菇云出现之时，也有许多滚沸的地下水被带到高处，又像瀑布倒悬，从半空劈头盖脸地洒落下来，随即就是难以估量的泥浆，混合着热雾从洞窟里喷涌而出。压力锅的山体开始崩裂，整座地底古城立刻陷入了滔滔浊流之中。只有无数被高温熔化的石头，还在沿着山坡翻滚而下，极渊上方的地壳受到气压作用，也在整块整块地从高处塌落，声势极其骇人。

司马灰躲在鼎腹中，心想多亏胜香邻发觉了压力锅的异动，倘若众人直接逃入地底古城，此刻都得被泥浆埋住，做了殉葬的活俑。但禹王铜鼎在灼热的泥浆中也随时有可能沉没倾覆，更不知会被带到什么地方，不过事到如今，也只得听天由命了。

正在心神不定之际，铜鼎忽然被狠狠地撞了一下。三人全指望这尊大鼎容身，不得不戴上风镜探身察看，就见翻涌的泥浆里伸出一只大手，似乎是巨门前矗立的持蛇铜人，想来也是被泥石推到此处，竟将鼎身外壁撞开了几道裂纹。

三人心头猛然一沉，拿罗大舌头的话来讲，这时候想哭都找不着调儿了。恰在此时，面前现出一大片黑沉沉的巨岩，铜鼎被汹涌灼热的泥浆推到近前，鼎身缓缓向下沉去。司马灰趁势爬上山岩，伸手将其余二人逐个接应上来。岩体底部的温度在迅速升高，三人虽然戴了手套，仍耐不住高热，呼吸更是艰难，被热流逼得不停向高处攀爬，而且越爬越心惊。这块岩体高得难以估量，说是一座大山也不为过，先前考古队抵达火洲的时候，却并未发现它的存在，仿佛它是突然从地底下冒出来的。

胜香邻看漆黑的岩层断面上满是气孔，分辨出是玄武橄榄岩，极渊里没有这种岩石，推测是刚刚崩陷下来的地壳岩盘。如果是板块规模的沉降，可就不止大如山岳了。玄武岩结构致密，但脆性较高，很容易塌陷碎

裂，因此不能久留。

三个人不顾周身火烧火燎的疼痛，咬紧牙关在倾斜三四十度的岩体上攀爬。几百米高的岩盘尽头，是地壳底部的断裂带，有着千层饼似的皱褶纹理。来自底层深处的膨胀运动，使极渊里的空洞被大幅度抬升，众人身后的岩盘断裂带不停地塌陷，脚下根本不敢停留，只能不断顺着断裂的地脉向前，沿途跌跌撞撞，移动到一处平缓的地床，终于感觉不到深渊里传导上来的热流了。

众人亡命到此，四肢百骸无一不疼，体力精神都已超出负荷，筋疲力尽之余，半句话也说不出来，更顾不上裹扎身上的伤口，躺倒在地喘着粗气，脑中只剩下一片空白。

司马灰喘息了好一阵子，只感到头痛欲裂，但混乱的意识逐渐聚拢，发觉耳中还能隐隐听到岩盘持续沉陷的震动，只要未从这地狱般的深渊里爬出，就谈不上安全。

胜香邻也认为众人虽然置身于地壳底层，但说不准还会有什么变故发生。她帮司马灰和罗大舌头简单地处理了伤口，就想动身出发。

罗大舌头倒在地上，闭着眼一动也不想动。他想起通讯班长刘江河等人没能逃生，心里极为沮丧，万念俱灰，索性对其余二人说道："你们一枪崩了我算了，我罗大舌头可真遭不起这份罪了。何况考古队就剩下咱们仨，活着回去也没法交代啊。与其再去砖瓦场写材料钻热窑……或是到火车上替香港同胞喂猪，那还不如死在地底下，兴许还能混个革命烈士的待遇……"

胜香邻没想到值此生死关头，罗大舌头竟会冒出这种消极念头，可又不能就此抛下他不管，只好上前劝说了几句，对方却充耳不闻。

司马灰知道罗大舌头要是犯起浑来，讲什么道理全都没用，就说："别他娘装死挺尸了，如果这回能够侥幸生还，老子就带你们下馆子去。"

罗大舌头一听这话，忍不住睁开眼问道："下馆子……吃什么？"

司马灰说："咱们前些年在缅甸山区作战，回来就蹲热窑改造思想，然后又跟考古队进了罗布泊荒漠，有多久没吃过正经伙食，连自己都算不清了。要是就这么死掉实在太亏，我看咱们逃出去之后，怎么也得先祭祭五脏庙，到馆子里也不用点那些花里胡哨的南北大菜，直接告诉跑堂的伙计，把那好牛肉，拣大块切十来斤，有酒只管上……"

罗大舌头打断司马灰道："算了吧你，现在的饭馆一年到头就供应那几样，还点什么菜？再说你直接跟服务员这么讲话，人家还不拿大耳刮子抽死你。你得先说'翻身不忘共产党，吃肉感谢毛主席'，然后才能提吃饭的事，这我可比你清楚多了。"

话虽这么说，但人处在绝境之中，最需要的东西就是希望，哪怕对生存持有饥饿感。而在罗大舌头这儿，唯一实际点的希望也就是下回馆子。于是他又强打精神爬起身来，跟随司马灰继续向着地质断裂带的深处行进。

苏联专家留下的探测数据显示，罗布泊荒漠下的地壳，主体都是玄武岩层，平均厚度在八千米左右，地床和岩盘间的断裂带纵横交错，结构比人体内的毛细血管还要发达。这是在密闭环境下，经过三十亿年的一步步演化、组合和破坏，才逐渐形成了今天的面貌，又因地底发生了大规模的膨胀抬升活动，所以才暴露出来。

司马灰等人都有探地钻洞的经验，从深处向地表移动反倒容易得多。因为无须寻找具体的目标，别搞错大致方位就行，只要避过塌方的区域，沿着岩层缝隙里被流水冲刷过的痕迹，便不会迷路。

三人仔细辨别附近的底层结构，从中寻觅路径，迂回向上而行，接连走了十几天，粮食和水早就没了，只能捕捉岩隙里的白蛇充饥。种种艰难困苦不必细表，最后，三人终于从一片干涸的湖床裂缝里爬回了地面。当时天黑，眼前所见只有遍地流沙，充满了荒凉沉寂的气氛，和地底极渊里的情形相差无几。

没过多久，天色破晓，只见风动流沙，一片金黄，四周是无数土墩和岩塔，七零八落地矗立在蓝天和黄沙之间。古西域立国三十六，有大小城池七十二座，几乎全部被黄沙埋没，目前被发现并考证出来历者寥寥无几，没人知道这片神秘怪异的沙漠究竟是什么地方。

三人一个个面目焦黑，身上混合着烟火、泥土、血污，双眼都红得快冒烟了，在地底下也没注意到，出来互相一瞅怎么都成鬼了？更没想到还能活着重见天日，不由得百感交集。可大家还没来得及说什么，胜香邻忽然一头栽倒在了沙漠中。旁边的两个人急忙上前扶住，只见她脸色苍白，口中全是黑血。司马灰感到一阵由内而外的战栗："一路上连遭巨变，早把地压综合征之事抛在了脑后，如今这勾命的东西终于找上门来了。"

进入罗布泊望远镜的考古队员，个个身上血管发青，全受到了地压影

响，在没有减压的情况下返回地表，都可能会血管破裂而死，可是为什么三个逃出来的幸存者当中，却只有胜香邻出现了意外？

其实地壳深处的玄武岩体，在地质结构里属于承压层，等于是一座天然的减压舱，这与岩体内密集的气孔有关。古时候的吐火罗拜蛇人，便是利用玄武岩矿脉逃离了深渊，当然，这些隐情不是众人所能想到的。

司马灰看胜香邻吐出黑血，似乎她是在地底下受了热毒，积郁在肺部，吐出来也就没什么大碍了，可是在大沙漠里无医无药，她未必能保住性命。司马灰不敢耽搁，他有心隐匿行踪，当即将PPS冲锋枪拆解了，连弹药一起埋在沙漠里，又以指北针确认了方位，同罗大舌头轮流背着胜香邻，在沙漠里徒步行进。

走出三五里地，身后便刮起了大风沙，沿途的足迹和标志很快就被流沙掩埋。罗大舌头心里没底，又问司马灰："这得走到什么时候才算一站？"司马灰低头看了看指北针，在风沙弥漫的恶劣情况下，根本没办法确定这东西是不是还能指北。考古队剩下的人员要是走不出去，就会成为埋在沙漠里的三具干尸，即使能走出去，也仍然摆脱不了命运中的死循环，因为想解开这个死循环，还要去寻找地底壁画中那个……头上生有肉角的怪人。

第二卷

大神农架

第一话
长途列车

    考古队幸存下来的三个人，在沙漠里走了整整一天，终于遇到一队乌兰牧骑。互相询问之后，才知道这里是库姆塔克沙漠东北边缘，距离白山已经不远。大漠与白山之间有片人烟稀少的草原，附近草场生产队里的牧民大都是蒙古人。

    罗大舌头颇为吃惊。他没想到从地底下钻出来，竟然到了内蒙古大草原。这一路辗转起伏，行程何止几千里，要不然怎么会有乌兰牧骑？

    司马灰却知道新疆西至塔里木盆地，东至库姆塔克沙漠，凡有草场草原，便多为蒙古族聚居之地。当年土尔扈特摆脱沙皇统治，从伏尔加河流域东归从龙，清朝乾隆皇帝颁布御旨，命其分东西南北四路，共十旗，游牧于珠勒都斯、鹰娑山、白山等地，所以新疆东南的牧民大都是蒙古人。而这队过路的乌兰牧骑，即是流动于各个牧区之间的文艺宣传队，能侥幸遇上这些人，就算是把命捡回来了。

    司马灰没敢承认自己三人是进过罗布泊望远镜的考古队，只说是测绘分队，被派到到沙漠里执行勘测任务。胜香邻身上带的工作证刚好是测绘队员，电台损坏后，又遇到风沙迷了路，已经在沙漠里走了十几天。

    那队乌兰牧骑见司马灰说得真切，又有一名伤员急需救治，自是信而不疑，立刻腾出马匹，将三人带往附近的草场，交由当地牧民照料。

    方圆几十里内，只有两座蒙古包。蒙族人自古民风淳厚，得知司马灰等人是遇难的测绘分队，便竭尽所能相助。

    司马灰见胜香邻的情况趋于稳定，便向牧民借了套齐整衣服换上，前往百里之外的县城，给远在北京的刘坏水发了封电报，让其尽快赶到新疆接应，并嘱咐刘坏水千万不要对外声张，事后少不了有他一些好处。

    胜香邻之父胜天远对刘坏水有救命之恩。他得到消息之后，果然匆匆赶来接应，准备到临近的甘肃境内，搭乘长途列车返回北京。

司马灰想将那块从楼兰黑门里带出来的法国金表留下，以感谢蒙古牧民的相救之德，怎知对方拒不肯收，他只好在临行前悄悄放在蒙古包内。

司马灰在黑屋的时候长期"吃铁道"，对铁路部门的制度十分熟悉。寻思众人身上的伤还没好彻底，受不了长途颠簸之苦，倘若是硬座或站票，这趟下来可真吃不消，于是就拿宋地球留下的介绍信和工作证，私下里稍作篡改，到车站买了四张软卧车票。

刘坏水对此事极为惊讶，要知道，软卧车厢可不是顶个脑袋就能随便坐的，普通人有钱也买不着票。按规定只有十三级以上的高干，才有资格乘坐软卧，票价更是硬卧的两倍。刘坏水虽常乘火车出门，但他连软卧里面是什么样都没见过。他坐进来一看确实不一样，连车窗的窗帘都绣着花，雪白的铺盖一尘不染，单独配送的餐品也更加讲究，感觉真是开眼了。

刘坏水早憋着一肚子话想说，在牧区的时候没敢开口，坐到车厢里关上门才找到机会。他趁罗大舌头去餐车吃饭，突然对司马灰一竖大拇指："八老爷，可真有您的，换作旁人也未必回得来了。"他先是将司马灰捧了一通，说什么"蝎子倒爬城"，古时唤作壁龙功，宋太祖赵匡胤在位时，汴梁城中有名军官，行动轻捷，武功高明，尤其擅长飞檐走壁之类的轻功，脚下穿着吉莫靴，凡有高墙陡壁，都可跃身而上，挺然若飞。某日太祖皇帝在宫中夜观天象，忽见一物如鸟，飞入内宫，转天公主的镂金函枕不翼而飞。太祖查问下去，才知汴梁军中有个异人，翻越城墙易如反掌，还能沿着大殿的佛柱攀到檐头，百尺高的楼阁也视如平地，内府失窃的宝物，必是此辈所盗，奈何没查到真凭实据，无法治罪。太祖皇帝闻言惊奇不已，就传下圣旨说此人绝不可留在京城，应该发配到边疆充军，可等禁军前去抓捕，那人却早已杳无踪迹了。

刘坏水说司马灰不仅得过这路"壁龙倒脱靴"的真传，又通晓相物古术，根基很好，更兼胆略非凡，智勇过人，看命格属土，乃是北宋年间的锦毛鼠白玉堂白五爷转世投胎，今后前程远大，能够安邦定国。

司马灰知道刘坏水的意思，就止住他这番阿谀奉承的话头，直接说明了实际情况。这次跟考古队进入罗布泊，真没想过还能活着回来，可既然没死，那就还得跟绿色坟墓周旋到底。因此，剩下来的三个人必须隐姓埋名，随后的一切行动都要秘密进行，绝不能走漏任何风声，否则无法确保

安全。就当这支考古队全部死在了地底吧。

刘坏水早已看出司马灰有这种打算，所以也没感到十分意外。但胜香邻患了阴寒热毒之症，肺里淤血难清，时常咳出黑血，一度高烧不退。刘坏水感念胜天远的恩德，凭他的社会活动能力，安排胜香邻躲在北京养病不成问题，还能请相熟的医师到家中诊治，却不知司马灰和罗大舌头二人今后如何打算？

司马灰这条命原本就是拣回来的，安顿好了胜香邻，再也没有别的牵挂。考古队在地底下找到了山海图拓片，以及那白毛专家解读夏朝古篆的密码本，接下来自然是要以此为线索，去寻找地心通道。可不管干什么，也得有充足的经费支撑呀。司马灰和罗大舌头当初以卖火龙驹皮袄为名，赚了一笔钱，但大部分都给阿脆老家的祖父苏老义寄去了，剩下的则买了软卧票，现在身上穷得叮当响，连一个大子儿也没剩下。不仅发电报时许给刘坏水的好处无法兑现，现在还打算再借笔款子作为行动经费。

刘坏水一听赶紧摇头，面露难色说道："我在考古队的差事能赚几个钱？您别看我平时做些打小鼓的买卖，可如今这年月都是收货，向来只进不出，钱都压在东西上了。再说您瞧我这也是一把岁数了，不得在手头给自己留俩钱当棺材本儿吗？"

司马灰知道刘坏水这种人把钱都穿在肋骨条上了，用的时候得用钳子往下硬揪，要钱比要命还难，于是就说："刘师傅，瞧把您给吓的。您得容我把话说完不是？咱们两家多少代的交情，我能白要您的钱吗？"

刘坏水俩眼一转："莫非八老爷手上……还有户里留下来的行货？"

司马灰说："行货可真没有了。我要搞来两件西贝货，也瞒不过您的法眼。不过我们这趟去罗布泊，倒是带回几张拓片，您给掌掌眼，看它能值几个银子……"

刘坏水什么没见过？寻思所谓的拓片和摹本能有什么价值，心里很是不以为然。可是等司马灰取出拓片一看，刘坏水的眼珠子落在上面就再也移不开了："这是……禹王鼎上的山海图！"

司马灰点头说："刘师傅你这眼可真毒，也确实是识货之人。您给估估这件东西怎么样？"

刘坏水想了想说道："要往高处说可不得了，想当初混沌合一，不分清浊。盘古开天辟地，清气上升为天，浊气下降为地，此后天地又合，孕育而生万物，再后来苍天裂、玄铁熔，才有女娲补天，禹王治水，铸九鼎划为九州。可以说这九尊大鼎都是无价之宝，一出世就能震动天下。可青铜大鼎不是俗物，一般人绝不敢收，因为国家法度不容，何况普通人家的命再硬，藏在宅中也恐怕镇它不住。另外这铜鼎上的山海图，只是影本拓片，流传出去就可以随意复制，成不了孤本，终究不算宝物，依我看这些拓片，顶多能值一块钱。"

司马灰怒道："到了打小鼓的买卖人嘴里，普天之下就没一件好东西了。我就是能把'汉宫烽火树'带出来，可能也比一筐煤球贵不了多少。这几千年不曾出世的东西，您才给估出一块钱？一块钱够干什么，我干脆去五毛让五毛，白送给您多好？"

刘坏水大喜，忙道："那敢情好，此话当真？"

司马灰说："当什么真？我压根也没打算让给您，我留着它还有用处，现在拿给您看的意思，就是想让您明白——地底下可不是只有矿脉岩层，也埋藏着许多旷世难寻的奇珍异宝。您要是能把经费问题给我们解决了，我这趟好歹给您捎件大货出来。"

刘坏水听得心动。他也知道古物大多埋于地下，不在坟里就在洞里，再往深处更有许多未名之物，这倒不是虚言。他只是担心司马灰等人没命回来，自己把本钱扔出去了，可连个响儿都听不见。但在激烈的思想斗争中，最终还是投机心理占据了主导，刘坏水咬了咬后槽牙，同意了司马灰所提的条件。二人当即在车厢里，当着毛主席像章立誓为证。

随后，刘坏水又恭恭敬敬地将主席像章重新戴上说："这可是真龙天子，咱当着他老人家不敢有半句虚言假语，更不能三心二意。"然后他告诉司马灰，今时不比往日，像什么铜尊铜鼎之类的东西实在太扎眼，瓷器又容易破碎，路上不好夹带，拿回去也不便藏纳，最好的大货就是古玉。古语有云，'玉不琢不成器'，但地底下的玉器，并不是年代越久就越值钱，还需要详加识别。这里面有个秘法，凡是好玉，一定是温润坚硬、细腻沉重，但入土久远，其性其质都会慢慢发生变化。您要是看到玉体发松受沁，那入土的年代大概就在五百年左右了；如果有一千年，玉质会变得有些像石膏；两千年形似枯骨；三千年烂如石灰；年代再久若不出世，则早已朽烂为泥了。夏商周这三代旧玉，质地朽烂，玉性未尽；若是魏晋南北朝时的老玉，质地未变，玉性尚坚，偶有软硬相间的玉器，则是南疆中

的古藏之物。谁要是能找来一件形如枯骨，殷红胜血的千年旧器……

刘坏水絮絮叨叨地说到此处，忽然想起来还不知道司马灰这趟要去什么地方，有没有旧玉还不可知。

司马灰早在旁边听得心不在焉了。他也正想问刘坏水一些事情，就指着山海图拓片上的一件器物相询："刘师傅，您可是晦字行里的老土贼了，见过听过的古物不计其数，能不能看出这件东西到底是什么？"

刘坏水带上老花镜，盯着拓片端详了半晌，奇道："山海图里描绘的这件古物，好像是部机器，一部……很大的机器。"

第二话
秘　　境

　　司马灰知道，山海图中描绘的奇怪物体，早在神农之时就已经有了，它要真是一部机器，至少也有好几千年的历史了，想来不能以常理度测，就递了根香烟，请教刘坏水道："您给好好说说，愿闻其详。"

　　刘坏水嗑着牙花子道："据我所知，这件东西确实是有，可年代太久远了，别说我一个打小鼓的，就算胜老板再世，他也未必解释得明白。我把肚子里的存货抖搂出来不要紧，但这道听途说，却不敢保证是真是假，所以我姑且一说，您也就姑且一听。"

　　司马灰点头同意，他手中的那册密码本，前面逐字录有夏朝古篆的译文，后面还空着多半，便顺手掏出笔来，听刘坏水说到紧要之处，就在本子上详细记下。

　　原来考古队从地底下带回来的山海图拓片，只是其中的1/9。铸刻于这部分的神秘图形，记载着地表以下的各种地形地貌，以及大量古代生物和植物。在接近顶端的区域，描绘了一个头上生有肉角的巨人，面前摆放着一个圆盘状的神秘物体。它分为数层，像塔又不是塔，显得奇形怪状，遍体都有诡秘复杂的纹路，也不知道是金属还是石料，四周有异兽盘踞，上方则是一条缠绕数匝的吞山怪蟒。

　　司马灰等人在地底古城中，也见过与之类似的壁画，根据解读出的夏朝古篆，得知那头上生有肉角的人形，便是上古之时的神农氏，而这个圆盘状的物体，名为"天匦"，是通往地心深渊的关键所在。

　　刘坏水所言与司马灰掌握的线索基本一致，但也有许多他根本不知道的情况。刘坏水讲得十分详尽，他说诸如"燧人取火、有巢筑屋、女娲补天、伏羲结网、仓颉造字"之类，都是上古大圣大德之人的事迹，要是没有他们，咱至今还得茹毛饮血在树上睡觉呢。那上古之人身材高大者居多，其性情极为淳朴，因为处在十分原始的时代，形貌如兽者也多，到了后世，就把这些先贤古圣给图腾化了。所以说到神农氏，在《述异记》里描述他头上生有肉角，腹如水镜，洞见肠胃，不管吃了什么东西，都能直接在外边看到，故此才能尝百草、辨五谷。

不过刘坏水也认为，山海图里描绘的神农应该是个地理坐标，位置大概在一座大山下。据说老君山最高处曰神农架，悬崖峭立，林木蒙茸，自古人迹罕至。此地处于大巴山余脉东端，相传神农氏在此架木为巢，因而得名神农架。1970 年，咱们国家在房县、兴县、巴东三地设置神农架县，这是先有山名，后有县名。

司马灰听到此处，觉得有些搞不懂了，只通过拓片中的图形，怎么就能轻易确定这是个地理坐标？

刘坏水说，这在山海图里记载得再清楚不过了，可要想弄明白地形地势，得先搞清楚上面盘曲起伏的东西是什么。

司马灰莫名其妙地说："那似乎是条栖息在地底的巨蟒，而且体形奇大，能吞山岳，它与地形地势有什么关联？"

刘坏水说："这哪是什么吞山的怪蟒？您再仔细瞧瞧，它还像别的什么东西？"

司马灰又看了看拓片，若说是地底怪蟒，也仅具轮廓，分辨不出蟒头蟒尾，以他的眼力，终究看不出这是个什么物体。

刘坏水说："其实它是条山腹里的隧洞，内部岩层色泽乌青，酷似从死尸体内拽出来的肚肠子。非说像蟒蛇也无不可，反正就是深山里天然造化的盘叠洞窟，古称'尸肠洞'。上边的山形也很特殊，地层里蕴藏的化石特别多。这种罕见的山形地势，只有大神农架的原始森林中才有。听那些早年间的老郎们所言，尸肠洞深不见底，尽头多半通着锁鬼的阴山。"

司马灰说："它不就是一个盘叠形的山洞么，能比罗布泊望远镜还深？深渊在古书中也被称为九重之渊，我要是没记错，庄子有言，'夫千金之珠，必在九重之渊，而骊龙颔下'。可见真正的重器秘宝，都在地下绝深之处，因此地洞越深越好。"

刘坏水点头称是："你们此去如能得手，自是最好不过，我那件'大货'就算有指望了。但庄子这话里也透着十足的凶险，别忘了古人还曾说过，'虽有善烛者，不得照于九重之渊'。可见那地底下有些东西是绝对不能看，也绝对不能知道的，只盼八老爷您千万不要有去无回才好。"

司马灰听得此言，暗觉一阵毛骨悚然。古时候所说的"九重之渊"，应该就是绿色坟墓想找的地方。于是他又问刘坏水，尸肠洞的具体位置所在。那一带都是莽莽林海覆盖的崇山峻岭，峭壁险崖众多，只凭一两个人，怎样才能找到隧洞入口？另外那部几千年前的机器究竟是何物？能否确定它就在隧洞最深处？

刘坏水为了司马灰许下的大货，当然是知无不言、言无不尽。他当即话复前言，接着说道："咱还是一个一个来吧。先说这个所谓的机器，或说是机械，除此之外，我实在想不出别的词来形容这东西了。古书中称其为'天匦'，是度量天地之物，能够自行自动。春秋战国的时候，它还在大神农架隧洞深处，近些年出土的古楚国墓葬壁画和竹简里，也有与之相关的记载，但内容过于神秘离奇，今人多不可解。"

因为当地曾是巫风盛行的古楚国疆域，春秋战国时六十万秦军大举南下灭楚，却出乎意料地未能在楚王宫室里找到大批珍宝和青铜重器。据说它们都被楚幽王埋到尸肠洞里去了，那里常有"飞僵"出没，生人莫近。此后的两千余年，高山为谷，大海生尘，地形地貌发生了显著变化。如今这条深山隧洞的具体位置，可就很难找了。另外尸肠洞是春秋战国时期的地名，之后的县志方志都不再用此称谓，它早已变成了一处不为人知的秘境。所以只要世间确有此物，它就应该还在神农架。

司马灰听完刘坏水的讲述，仍旧难以想象天匦究竟是什么，大概这古老的传说年代久远，内容早已失其真意了。看来只有腿到眼到，真正在深山里找到它，才有机会解开谜团。根据拜蛇人留在地底密室中的古篆记载，好像"天匦"就是抵达深渊的通道。这也是司马灰所知的唯一线索，不管结果如何，他都打定主意要去探个究竟。

于是等罗大舌头返回之后，众人便继续在车厢里低声密谋。司马灰向来胆大包天，又自恃有一身本领，打算凭着一纸私自篡改过的介绍信，与罗大舌头两人冒充考古队员，直接进山探秘，而且要尽量隐踪匿迹，知道的人越少越好，因为明枪易躲、暗箭难防。此时无法确定国内还有没有绿色坟墓的潜伏分子，万一走漏了风声，难保进山后不出意外。

刘坏水并不赞同。他指望司马灰能活着带出几件大货，自然要稳妥起见。大神农架处在鄂西腹地，山区岭高林密，覆盖着终年不见天日的原始

森林，地底隧洞中更是情况不明。只有两人前往，纵然有些个手段，也未免势单力薄，恐怕难以成事，应当先回去从长计议，最好多找几位奇人异士相助。

司马灰也感觉力量有限，可时间上的压力根本不允许他再有迟疑。现在面临的情况是有条件要去，没有条件创造条件也要去。另外，司马灰也不打算让不相干的人卷入此事，前两回死的人已经够多了。

胜香邻上车前刚刚打过吊瓶，身体仍然十分虚弱，但始终在听司马灰等人商议去大神农架的计划。她支撑着坐起身来，低声对司马灰说："我现在已经好多了。你们这次进山寻找天瓯，事关重大，我也必须参加。再说小组中缺少了懂得地质结构的成员，探洞时面临的困难与危险都会成倍增加。咱们在一起多少是个照应，不管遇到任何情况，也能商量着应付。你们可以放心，我绝对不会给你们添麻烦。"

司马灰和罗大舌头两个人，都知道胜香邻的性格看似平和，骨子里却十分有主见，一旦是她认准的事情，就从来不肯听人劝说，即使你不同意，她也会自己随后跟来。况且留下她孤身一人，也确实难以放心。

刘坏水不想让胜香邻冒这么大的风险，但他的话没作用，劝说无果，只得掏出收货用的几百元本钱和两百多斤全国粮票，全部交给了司马灰，嘱咐他一定想办法照顾好胜香邻，大货以后再说不迟，这趟只要活着回来就成。

司马灰等人谋划定了，看天色已然大黑，就想在列车上就寝，但胜香邻对司马灰说："列车在抵达首都之前，一定会有工作人员来软卧车厢检查。咱们四个人，加起来也够不上行政十三级，到时候怕是遮掩不过去了。此外北京站里人多眼杂，出于保密和安全因素考虑，最好在中途下车，直接取道南下。"

谁知罗大舌头坚决不肯，他还发表了一番高见，却是从火车说起。说起火车来，罗大舌头对它可实在是太有感情了。当年跟夏铁东南下缅甸的时候，众人哪里有钱买票，途中好不容易才混上一列火车。那趟破车开得甭提多慢了，走走停停，一路上哐当来哐当去，都快把人给哐当散架了。车上人又多又挤，连下脚的地方都没有，加之天气闷热，老婆哭孩子叫，搞得乌烟瘴气，到处都是乱哄哄的，空气里弥漫着令人窒息的怪味。那种罪遭的，可真是小鼻子他爷爷——老鼻子了。一般像这种超员的火车，列车员大多会偷懒不查票了，因为有心无力，根本挤不进去。可那趟车恰好是红旗乘务组，连续多年被评选为光荣的先进集体，一水儿全是年轻的女列车员。那些姑娘都跟打了鸡血似的，既不怕脏又不怕乱，从人缝里硬挤进来查票，还帮着旅客们搬行李送开水，真要给你做出个样来瞧瞧。这可吓坏了罗大舌头等人，担心被查出来给撵下车去。当时多亏夏铁东急中生智，也不知从哪捡来一张破报纸。他不管旁人愿不愿意听，就主动学习雷锋同志，义务给车厢里那些乘客读报，宣传毛泽东思想和革命路线。当时夏铁东装得颇为投入，读起来声情并茂，估计中央广播电台的播音员也就这水平了。那些女列车员看到此情此景大为感动，觉得这小伙子不仅长得高大英俊，思想觉悟也特别高，坐着火车还自发给群众读报，传播当前的大好形势，有这么高的思想觉悟，上车还能不买票吗？于是隔过去没查这伙人，众人得以躲过一难，但心里甚是自卑，至今留有阴影。等到从缅甸逃回来，罗大舌头又同司马灰在火车上出苦力，留下的记忆全都不堪回首。他做梦也没想到自己还能进一回软卧车厢，并且还能去餐车上吃顿饭，能混到如此地步，这辈子也算没白活，现在屁股还没焐热呢，怎么能半道下车？

刚说到这里，刘坏水突然起身道："听你们说起火车，我倒想起一件要紧的事来。"

罗大舌头正发着牢骚，被刘坏水从中打断，显得颇为不满："瞅您这记性。我不说，你也想不起来，怎么我一说，你就想起来了？我看刘师傅您是有点老年痴呆，长此以往离弹琵琶可就不远了，趁着还明白，回去赶紧买俩铁球，没事儿的时候攥到手里搓搓……"

司马灰使了个眼色，示意罗大舌头等会儿再说，然后问刘坏水："您要说的这件事，是好事还是坏事？"

第三话
林场怪谈

　　司马灰已经听够了坏消息，他那意思是："有好事你尽管说，坏事趁早别提，我听多了闹心。"

　　刘坏水显得没什么把握："按理说应该是好事。怎么说呢，我刚听这位罗爷提到火车上的事，就想起我还有个外甥姓白，以前是工程兵，当年去过朝鲜，还顶着美国飞机扔下来的炸弹在鸭绿江上修过大桥。后来他从部队转业，分配到地方上管铁道了，由于'文革'期间表现突出，又在县里当上了革委会的头头，辖区恰好就在神农架苍柏镇一带。我可以写封信，让他想方设法关照你们，不过……不过我这成分不太好，就怕他现在不认我这个亲娘舅了。"

　　司马灰觉得此事有胜于无，行得通当然最好，行不通也不打紧，便给刘坏水找来纸笔，让他写了一封信，夹在密码本里带在身边。当夜在长途列车中各自安歇，转天别过刘坏水，从半路改道向南。

　　神农架地处鄂西腹地，那深山里头交通闭塞，根本没有铁路。司马灰等人只能先到房县落脚，一连在县城的地矿招待所里住了好几日，一是为了让胜香邻调养身体恢复元气，二来提前为进山做些准备。

　　司马灰担心路上有人检查，就把从罗布泊望远镜里带出来的苏联冲锋枪，全都埋在了沙漠里，如今身边只剩下三套弧刃猎刀、Pith Helmet、鲨鱼鳃式防化呼吸器、风镜、毡筒子，另外还有指北针、防潮火柴、照相机、望远镜、信号烛、驱虫剂、过滤器、胶带、行军水壶、急救包之类的物品。当时命都快没了也没舍得扔掉，如今果然派上了用场。

　　房县县城里物资匮乏，但好多人家到了夜晚，都要用电石灯照明，当地也有矿井，所以矿灯一类的照明器材不难补充。为了防止山里下雨，司马灰便按着缅共游击队里的土方子，用雨具自制了防水袋裹住背包。另外他又准备了一些干粮和烟草，还在供销社买了几双胶鞋和一些长绳，并找铁匠打了个壁虎钩子。

唯独搞不到武器和炸药，司马灰等人还不了解山里的情况，没有武器胆气终究不足。不过这个问题暂时无法解决，也只能走一步看一步了。

临出发之前，司马灰带着罗大舌头和胜香邻去了趟澡堂子。这是县城里仅有的一家浴池，名叫东风浴池，取自东风压倒西风之意。原店几十年前就有，那时到林场里干活的北方人多，所以才盖了这么个澡堂子。

东风浴池的店面格外简陋，陈旧失修，规模也不大，烧着个小锅炉，男部女部加起来，容纳十几个人也就满员了。当时澡堂子里的搓澡、修脚等项目，都被认为是"封、资、修"服务，全部给取消了。当年搓澡的现在改烧锅炉了，不管有没有顾客，他都能按月领工资，搓澡的手艺早已荒废了多时。

司马灰和罗大舌头不知道胜香邻那边怎么洗，反正他们俩央求了半天，好话说了一箩筐，又递了半包烟，才说动烧锅炉的老师傅出来搓澡。

罗大舌头还冒充是考古队的："咱泡澡堂子完全是出于革命工作需要，因为这一出野外，至少也要去个十天半月，条件艰苦的时候连脸都洗不上，必须得先来搞个个人卫生。"他又反复叮嘱那位搓澡的师傅，"使劲搓，褪下两层皮来才好，等到洗白刷净之后，又得往火坑里跳了，下次洗澡……还他娘的不知道等到什么时候呢！"那师傅看这二人满身枪伤刀疤，不免又惊又奇，心中虽有疑惑，可也不敢多问，只盼这两位洗舒服了赶紧走人。

三人从东风浴池里出来，只觉遍体轻松，都有脱胎换骨之感，又走到路边搭了辆拉木料的骡车。神农架尽是海拔两三千米的高山，形势巍峨，林木稠密，此地素有华中屋脊之称。进山路途十分崎岖，颠簸得众人昏昏欲睡，可到山里一看，司马灰等人都傻眼了。

来到此地之前，听说神农架林木覆盖率非常高，遮蔽天空的原始森林随着山势连绵起伏。沿途所见，也确实是山势雄浑，溪泉湍涌，可许多地方都是荒山，有林子的区域多为次生林，漫山遍野都是树桩，显然经过了大规模的常年砍伐，地形地貌受到了严重破坏，山体已变得支离破碎。

司马灰见状就想探听一些山里的情况。他没话找话寻个由头，同那赶骡车的把式搭话："老兵，看你这匹大骡子，个头还真不小。"

那车把式大约五十多岁，解放战争时是某部队里的炊事员，支农支林的时候就脱下军装在此地安家落户了，外表看起来十分木讷，却是个天生的话痨，起了头就停不住。他说这骡子可不行，当年咱解放两湖两广的部队，全是狗皮帽子，带过来那些拉炮的大牲口，除了日本大洋马，就是美国大骡子。那都是从东北缴获的，吃的饲料好，干起活来就是不一般，哪像这畜生拖几根木头也走得这么磨磨蹭蹭。现在大多数林场都停工了，要不然它能享这份清福？前些年大炼钢铁，砍了老鼻子树了，林场子一片挨一片，那木头运的，好多原始森林都是在那几年被砍没了。如今山上长起来的全是稀稀疏疏的二茬树。不过也托这件事的福，山区修了路，要不然连出门都不敢想。以前能到县里走一趟就了不得，算是见过大世面了，回来之后能把这事吹上好几年，到省城相当于出了一回国。谁要是去了外省，估计那人这辈子就回不来了，好多当地人一辈子都没离开过这片大山。

这个情况有些出乎意料，司马灰没想到伐木的规模如此之大。他又问那老兵："现在这片大山全给砍荒了？"

老兵说："神农架这片大山深了去了，有好多地方不能伐木，因为砍倒了大树也运不出来。过了主峰神农顶下的垭口，西北方全是些峭壁深涧，那才是真正人迹难至的深山老林。有许多古杉树也不知道生长几千几万年了，粗得十多个人都抱不过来。那里面常有珍禽异兽出没，像什么金丝猴、独角兽、驴头狼、鸡冠蛇，还有白熊、白獐、豹子……你扳完了手指头再扳脚趾头也数不清。"

司马灰听说那地方至今还在深山里保存着原始状态，心里就踏实了许多，继续探问道："那片老林子安全吗？"

老兵叹道："险呐，我在这儿的年头不算短了，可也就是剿匪那年进去过一回。听我给你们说道说道，传闻神农架有野人，山里好多老乡都看过野人的脚印，真正见过的却几乎没有。咱这地方有个燕子垭，就是野人出没的所在。那个垭口的地形实在太险要了，看着就让人心惊肉跳。前山峭壁最窄处只能飞过一只燕子，后山则是悬崖绝壁，那真是一夫当关、万夫莫开，鬼神见了都得发愁。可你想到山顶，只有垭口这一条险径可攀。解放军南下的时候，有千把土匪退到了山上，他们提前储备好粮食和水，足够维持数年，匪首声称要死守燕子垭天险，让攻上来的解放军尸横遍野。以往历朝历代，凡是遇到官兵征剿，只要土匪退到山上守住垭口，底下的人就没辙了，所以他们才敢这么猖狂。"

司马灰和罗大舌头听这种事格外来神，虽然明知解放军早把土匪消灭了，可这次行动好像比智取华山的难度还大，得用什么出其不意的战术才能攻上天险？

那老兵说土匪就是伙乌合之众，以为当下还是清朝呢。咱就怕土匪散开来，仨一群俩一伙地藏匿到深山老林不容易对付，可都挤到山头上那不是自己找死吗？对付他们根本用不着智取，四野连锦州城和天津卫都打下来了，当然不会把这伙土匪放在眼里。咱炮团那美国 105 榴弹炮也不是吃干饭的，连喊话都省了，直接摆到对面山上开炮轰。那炮打得山摇地动，炮弹落下去砸在人堆里个个开花。刚打了没有两分钟，那山上就举白旗投降了。咱们部队上去搜剿残敌的时候，其中几个战士就在后山悬崖附近遇到了野人。

由于双方相遇十分突然，都给吓得不轻。那野人高大魁伟，比常人高出半截，满身的黑毛，也看不清嘴脸，说是人可更像是猿类。野人受了惊吓，一把抓住一个战士，直接就给扔下了峭壁。另外一名战士来不及开枪，竟跟那野人纠缠在一处，两个一堆儿滚落了山崖。后来侦察排绕路下去搜索，寻了整整一天，也没有找到尸体，兴许都被山里的大兽拖去吃了。

有人猜测当时的情况非常突然，没准在山崖上遇到的是熊，可那玩意儿很是笨拙，怎么可能爬到那么高的峭壁上？还有人认为尸体掉下去之后，就被歪脖子树挂住了，山里野鸟多，用不了多大会儿工夫，便能将死尸啄成骨头架子。反正说法不少，但迄今为止，这也是距离神农架野人最近的一回了，可惜活的没捉着，死的又没发现尸首。

那老兵说到这里，又问司马灰："你们考……考的是什么古？要到那深山野岭去做什么？难不成想捉野人？"

司马灰唯恐露了马脚，赶紧用官词儿解释："考古的定义可太宽泛了，人类的过去仅有 1% 能通过文字记载的史料得知，其余都属于未解之谜，破解这些谜团就是考古工作研究的课题。不过我们去神农架不是想找什么古迹，而是要采集地层下的化石标本。那片原始森林里的化石是不是特别多？"

老兵点头道："没错，一听言语你就是内行人。头些年林场里也来过一位找标本的知识分子，说咱这些大山是什么……远古……远古洪荒时代的备忘录，好像是这么个词儿。可那备忘录不是文书吗，它怎么能是座山呢？"

这老兵并未向下追问，他告诉司马灰等人，神农顶后山的龙骨岭下有好多洞穴，那里面就有各种各样的化石，模样稀奇古怪，当地人管那些东西叫龙骨。有化石的那地方叫阴河谷，入口是条深涧，往底下恶兽很多，还有什么毒虫毒草，解放前又有野人出没，连采药的也不敢冒险下去。1963 年的时候，那林场子里就闹出过人命。

那时林场子的活很累，咱这条件又差，除了有一批部队转业的军人，其余就是些外地来的伐木工人。好处是只要你肯来，就有你一口饭吃，也不查你祖宗八代，所以伐木工人的成分比较复杂，连刑满释放人员都有。场子里偶有歇班的时候，这些人便常到山里去挖草菇、套兔子，用来打打牙祭，改善一下生活。

有那么一回，四个伐木工人绕过燕子垭，直接进到了阴河谷附近，看深涧底下的地缝子里黑气弥漫。其中一个人绰号老瘊子，略懂些旧社会的迷信方术，能够观山望气。他眯缝着俩眼看了一阵，就说那是宝气，山底下多半有宝。

其余的人都不相信，这地方山高林深，自古以来没有人烟，有宝也应该是悬崖峭壁上的千年何首乌，山窟窿里能有什么？别再惊出只大兽来……把你给撕了！

老瘊子斥道："你们懂什么？别看玉料主要来源于昆仑、和田、缅甸等地，但春秋战国时价值连城的和氏璧，却出自神农架阴河谷。凭这话你们就该知道分量了吧？"

可其余那些都是大字不识的粗人，根本不知道和氏璧是个什么东西，那玩意儿能当金还是能当银？

老瘊子只好说："反正我这对眼睛轻易不会看走眼，这里面肯定有些不得了的东西。想富贵的就跟我下去，不管得着什么，咱都是一碗水端得平。"

当时有一个胆大不要命的二癞子愿意同去。他们搓了条长绳缠在腰间，让留在外边的其余同伴牵着。两个人带了支土铳，点起松油火把下了洞子，结果牵扯出一件至今也无法解释的怪事。

第四话
交　换

先说外边的两个人等了半天不见动静，喊话没人回应，扯那根草绳子也扯不动，以为坏事了，正合计着要回去报告，老瘊子却在这时爬了出来，说找着一件不得了的东西，可太沉了挪不动，让其余几个人下去帮忙，此时二癞子正在那儿看着呢。那俩人一听这话就动了心，也没多想，只问了句："洞里安全不安全？"

老瘊子说："是个实底坑，没见有活物儿。"那俩人见财起意，当即壮着胆子跟了下去。刚进去不久，老瘊子便拿土铳撂倒了一个，另一个吓得呆了，还没等明白过来是怎么回事儿，心窝子上也被捅了一刀。

原来这老瘊子是外省人，早知道神农架里埋藏着青铜古器，只要找着一件，逃到境外就能换大钱。苦于不认识路，加上这片原始森林也不那么好闯，他就先在林场子里干了一段时间，让熟悉地形的二癞子等人带他进山，等找着东西之后，立刻下黑手解决掉了那仨倒霉鬼，随即翻山越岭想往南逃，不成想途中就被逮着了，这才交代出此事。但公安进山想寻找遇害者的尸体，却因雨水冲垮了山坡，把几个洞口都埋住了，所以没能找到。

要是就这么结了案，那也没什么说头了，可逮捕老瘊子的地点是在火车上。当时有两个列车员过来检票，见其行迹鬼祟，十分可疑，而且俩眼贼光闪烁，总抱着个大包袱不撒手，便上前盘问了他几句，同时要检查行李。

老瘊子心里有鬼，哆哆嗦嗦地刚把包裹揭开，却突然将里面的一件东西扔到了车窗外边。那时列车正过大桥，桥下是条江，江水好似滚汤一般湍急，那东西抛下去就没处找了。他这一时心慌，毁灭了证据，但列车员和周围的乘客看得很清楚，老瘊子扔出去的东西是一个死掉的小孩，根本

不是什么青铜器，这两样东西差太多了，近视眼也看不错啊。

不过公安人员反复提审，老瘊子认了三条人命，对这件事却死活不肯说实话，一口咬定是列车上那些人看错了。当时全国都在镇反肃反，在那种形势之下，不管老瘊子究竟犯了哪条，他的罪过也小不了，很快便给押赴刑场枪毙了。至于老瘊子到底在山里找到了什么东西，大概只有他自己心里才清楚。

那老兵对司马灰等人说："公安局的同志进山取证，四五个大檐帽就宿在咱林场子里，都是我给做的饭。吃饭时听他们讲了不少情况，所以我知道得比较详细。老瘊子我也认识，那人可不一般，走过南闯过北，天上地下知道的事挺多，可惜坏了心术，有本事没用在正道上，最后把自己搭进去了。"

司马灰和罗大舌头听完，都觉得这件事情可真够邪行。如果老瘊子在火车上抛掉的东西是个死孩子，为什么不肯承认？他身上早已背了三条人命，就算途中再害死个小孩，或者是往南边偷运童男童女的尸体，也都是一死，何苦不说实话？

司马灰听说以前有本游记，作者是个意大利人，名叫马可·波罗。元朝时期，马可·波罗跟着一支商队辗转万里到过中国，还在大都叩见过忽必烈。返回故土之后，他把沿途的种种奇闻轶事，全都记录在自己的游记当中，曾引起了很大的轰动。但马可·波罗临死的时候，声称自己写下来的东西，仅是所见所闻的50%，另外那50%他宁愿全都烂在肚子里，也不会再让任何人知道了，因为即使说出来也肯定没人敢信。那个被枪毙的老瘊子，是不是也在深山里发现了某个……根本不会有人相信的东西？

那老兵见司马灰显得心神不宁，就说道："虽然现在提起来挺让人揪心，可毕竟过去了好多年，如今也就是唠闲嗑儿的时候说说，谁还关心它的究竟呢。而且林场子里这种怪事太多了，以后得空再给你们念叨吧……"他说到这儿，又问司马灰，"你们身边的这位姑娘，看上去气色可不大好。"

此时已是深秋，山里的空气格外清冷。胜香邻周身乏力，裹着毡筒子斜倚在背包上睡得正沉，她脸上白得几乎没有血色，也不知梦到了什么，睡着的时候仍是眉头紧蹙，状况看起来十分不好。

司马灰叹道："不提还好，一提起来就为这事发愁。前不久她在荒漠里受了寒热之毒，时不时地咳出黑血，找大夫治过几次，至今也没见好转，让她别跟着进山偏不听。其实这妮子无非多念了几天书，刚刚晓得地球是圆的，人是从猴子变过来的，就不知道天高地厚了。"

那老兵很是热心，他对司马灰说："这是阴寒热毒之症，当年部队在山里剿匪的时候，整天在山沟子和溶洞里钻进钻出，便有人得过此病。那些地方阴腐潮湿，有时候十天半个月也看不见阳光，空气常年不流通，又要连续不断地在深山里追匪，急行军能把人的肺都跑炸了，很容易把毒火闷在心里。那症状就像打摆子似的，身上忽冷忽热，咳出来的都是黑血，体格稍微差一点就得没命，我们连队里那位指导员就是这么死的。"

司马灰一听这老兵所言之事，还真与胜香邻的情况差不多，按郎中的说法就是伤于寒而表于热。他和罗大舌头早已在缅甸习惯了丛林里的湿热，能够勉强应付地底极端恶劣的环境。胜香邻虽然也常随测绘分队在野外工作，但条件总归好多了。而且在探索地底极渊的过程中，心理上承受的压力和折磨也同环境一样残酷，她能支撑到现在已经算是难能可贵了。

那老兵说："当年由于水土不服，加上作战任务紧急，造成队伍上减员很大，在山里死了不少人，多亏当地郎中给了个土方子，情况才有所好转。这深山野岭间有四宝，分别是——江边一碗水、头顶一颗珠、文王一支笔、七叶一枝花。"

司马灰不知道那都是些什么东西，忙问究竟。原来神农架原始森林里，生长着许多珍异药草，甚至溪水都有药性。每当春雷过后，下到山溪里舀起一碗水，便能治疗跌打、风湿。头顶一颗珠能治头疼；文王一支笔能表热；七叶一枝花更是具有奇效，堪称沉疴奇疾一把抓。

所谓七叶一枝花，顾名思义是一种植物，其特征是有七片叶子，上举一枝黄连，在山里随处可见，诸如阴寒热毒之类的症状药到病除，据说乃是神农老祖所留。山区那些抓不起药的穷苦人，便以此物救命。

那老兵特意绕了段路，亲自下到山沟里挖了两株草药，捣碎了加以溪水调和，唤醒胜香邻让她服下，还说："该着是这姑娘命大，以前这里漫山遍野的药草，如今大部分森林都给砍荒了，这回能挖到两株也算是走了大运，否则还得到燕子垭后山的原始森林里去找。"

那老兵中途要去七号林场，其余三人则要前往苍柏镇，只好分道扬

镞。司马灰见胜香邻服过草药之后果是大有起色，因此对这位热心的老兵甚是感激，拿出 50 斤全国粮票以示谢意。

当时全国粮票完全可以替代大额现金，不管是出差还是探亲，走到哪里都能通用。如果没这东西，出门在外寸步难行，价值远比等值的地方粮票贵重。但那老兵坚持不收，他说："咱那林场子里有工资有口粮，不缺吃不缺喝，一个月下来的伙食尾子还够买上两条经济烟，要你们这些粮票做什么？再说 50 斤全国粮票换两株草药未免太多，你们要是真有心谢我，就给我留下一件别的东西。"

司马灰身上最值钱的就是这些全国粮票了，其余的东西则是进山必备之物，他也不知道这老兵究竟想要什么。

其实那老兵只想要司马灰衣服上佩戴的军星。民间所说的军星，是对一种珍贵像章的通俗称谓。那些年男女老少都要佩戴毛主席像章，进而形成了一种风靡全国的潮流。谁要是能戴上一枚精美罕见的像章，也算是种身份和地位的象征。

司马灰身上佩戴的军星就属于极品中的极品。这是由解放军总政治部设计发行的一枚星形毛主席像章，比拇指盖稍大一点，能与常见的"为人民服务"条形章凑成一套，金边红底十分醒目。由于发行量极少，工艺和质地又非常精致，所以它显得十分特殊，普通人连见都没见过。

司马灰这枚"军星"的来历更不寻常。文化大革命初期，他跟着夏铁东等人去延安参观革命圣地，回来的途中忽然降下鹅毛大雪。众人登高远眺，只见天地皆白，当即齐声高诵主席诗词："北国风光，千里冰封，万里雪飘……"等念到最后一句"俱往矣，数风流人物，还看今朝"，一个个激动得热泪盈眶，忍不住山呼万岁，那时候真把自己当成赛过唐宗宋祖的"今朝风流人物"了。结果司马灰有些得意忘形，竟从山坡上滚了下去，从家里偷他爹的呢子大衣也被剐了一个口子。当时夏铁东见司马灰疼得险些掉下泪来，就将自己衣服上的军星摘下来，给他戴在了胸前。漫天飞雪映衬得金星熠熠生辉，见者无不欣羡。

正因为有了这层特殊意义，司马灰对这枚军星看得比命还重，他平时根本舍不得戴，后来去缅甸的时候，就把像章存在夏芹家里，直到从砖瓦场里释放出来才再次取回。所谓睹物思人，他看见这枚像章就能想起惨死在缅甸的战友们。

　　司马灰是真舍不得把它让给别人，其实那老兵也未必知道这枚像章的价值，只不过是看着稀罕而已，但对方帮了忙，也不好意思直接回绝，当下二话没说，摘下像章交给老兵。

　　那老兵得了像章，自是满心欢喜。他向司马灰等人道过别，赶上骡车进入山道，径自去得远了。

　　胜香邻见司马灰十分珍视那枚像章，心中大为感动，就对他说："今天可真是多谢你了，将来我一定找个一模一样的还给你。"

　　罗大舌头了解内情，他告诉胜香邻说："妹子你是不知道，别看全国上下有大大小小好几亿枚毛主席像章，可都加起来也换不了那枚军星。"他又问司马灰，"当初我找你要了好几回，你小子都没舍得给我戴一小会儿，今天怎么突然变得这么大方了？"

　　司马灰装作不在乎："毕竟是身外之物，何足挂齿。"他说完便拎起背包动身上路，心里却还寻思着，"今后要是能找到什么稀罕物件，还得想办法去趟林场子，再跟那老兵把像章换回来。"

　　这么胡思乱想地在山里走了一程，苍柏镇已近在眼前。可走进镇子里，却发现偌大个地方，竟是空无一人，连鸡鸣犬吠的动静也听不到。只有深山里松涛起伏的声音远远传来，暮色低垂之中，那种声音犹如鬼哭狼嚎一般，显得很是阴郁。

第五话

瞭 望 塔

苍柏镇是神农架要塞，虽然规模比普通的村子还小，却是进山的必经之路。四周群峰耸立，松杉枝繁叶茂，从这里出发再往燕子垭走，全是被原始森林覆盖的危崖险壁，根本不存在常规意义上的"路"。

司马灰三人这趟进山探秘，尽量不与外人接触，免得暴露行踪惹来麻烦。可没有当地向导或详细地图，想进入没有人迹的深山绝非易事，因此要先到镇子上寻访白团长。

那位白团长是刘坏水的亲外甥，以前做过铁道兵的团长，按行政级别来说属于县团级干部，"文革"前转业到了地方，如今是县革委会的"一把手"。只要他肯提供帮助，就能为三人解决很多困难，却没想到镇子上不见一个人影，家家都是关门闭户。

司马灰和罗大舌头都有行军侦察的经验，四处察看了一番，发现地面有积灰，灶头都是冷的，像样的家什也被搬了一空，看来镇上的人在许久以前就已经全部撤离了，原因则不得而知。

此刻天色渐黑，三人只好翻墙跳到一处民房里，抱捆柴火点起灶头，烧了锅热水，胡乱吃了几口干粮准备过夜。

入夜后气温又降低了很多，深山里的镇子也没通电，到处黑咕隆咚，不时有山风掠过，远远能听到镇外松涛之声苍劲沉郁。司马灰等人经历了无数的大惊小险，也不太在乎这种情况。他看胜香邻服过草药后气色已大为好转，更是放心得多了，就同那二人凑在炉火前取暖说话。

罗大舌头算盘打得挺好，还以为找到当地领导，最起码能管顿热乎饭菜。有道是入乡随俗，林区里山货最多，怎么还不给安排个香菇炖土鸡、岩耳炒腊肉、泡菜炖豆腐什么的？没想到扑了个空，只能接着啃干饼子，心里别提多泄气了。可说来也怪，镇子上的人都跑哪去了？

司马灰叨着烟说："早知道就该问问那位赶车的老兵。当时只顾着问他深山林场的情况，谁也没想到镇子里会是这样。不过要是真有大事发生，那老兵肯定也会提醒咱们。"

三人商量了几句，都认为多一事不如少一事，没必要理会镇上发生了什么，明天按照原定计划，直接进山也就是了，随即谈及此行的目标。

司马灰通过在罗布泊望远镜中发现的各条线索，特别是破译夏朝古篆的密码本，了解到有一个失落于史料之外的古代文明。它起源于被禹王锁在地底的鬼奴，后世分支衍于各地，包括古西域吐火罗人，以及缅甸灭火国等等，都具有浓厚孤立的神秘色彩，可以统称为拜蛇人。

拜蛇人将大量神秘离奇的传说，凿刻于地底密室的石壁上。根据司马灰等人的理解，这些传说大致是禹王碑沉入了地下深渊，从此永不出世，拜蛇人却一直妄想将它找出来，奈何天数极高，地数极深，渊渊渺渺，凡人不可通达。

根据拜蛇人留下的记载，想找到深渊里的禹王碑，必须先找一个被称为"天匦"的物体。这个诡异的不明器物，大概从神农时代就已经有了。经过司马灰等人的前期考证，最后一个见过它的人，也许还是春秋战国时期的楚幽王。从那之后的两千多年，这个比古老年代更为古老的谜，便一直沉睡在神农架。

罗大舌头听司马灰说了这些事，抖机灵猜测说，那个七分好像鬼、剩下三分也不怎么像人的……绿色坟墓，会不会是古代的拜蛇人？

司马灰摇头否定，绿色坟墓没有能力直接辨识夏朝古篆，所以不像是早已消亡千年的拜蛇人。眼下这个幽灵的真实身份与面目依然悬而未解，但它即使真是个鬼，也应该有个身份才对。

三人均感此事诡秘叵测，但为了复仇与救赎，只有将生死置之度外，继续追寻谜底，也做好了应对一切变故的心理准备。当晚宿在苍柏镇，第二天天还没亮，司马灰就起身到附近的民宅里走了一遍。他没有找到猎枪，随手顺了些盐和松油，又留了两元钱压在灯台底下，同其余二人收拾齐整，打上绑腿徒步进入深山。

这三个人在没有向导的情况下，大致方向还不至于搞错，首先要翻越海拔最高的主峰神农顶，再经燕子垭进入原始森林，至于怎样才能在阴河谷里找到隧洞，则需要到山里详细勘察。

　　神农架的大山险峻绮丽，辽阔的群山巍峨起伏，重重叠叠约有数十层之多。山上生满了冷杉、箭竹和高山杜鹃，深秋时层林尽染，遍地都是枯枝落叶，溪流瀑布也多，几乎每条山谷里都有清澈碧绿的溪水。过了苍柏镇就是没有人烟的原始森林，那林子越往里走越是深密，渊涧幽深，翁岭郁葱，各类毒物和野兽出没频繁。

　　司马灰在缅甸钻的都是热带丛林，从未进过神农架这种原始森林，他只知道神农顶海拔三千多米，是大巴山脉东端最高的主峰，可进来之后才发现周围的山峰都差不多，形势参差起伏，搞不清哪一座才是神农顶。另外这深山老林里奇峰耸峙，幽壑纵横，许多地方无路可走，明明认准了方向也过不去，绕了半天全在兜圈子。

　　三个人只能凭借以往的经验，循着绵延起伏的山势不断向里走。接连在山沟里钻了两天，也不知绕了多少弯路，终于看到林海深处有座形如屋脊的高峰。环视四周，好像其余的山都没有它高，估计那里就是神农架的主峰了，即便不是，也可以攀到峰顶俯瞰地形。

　　但密林中没有路径，周围全是密密匝匝的大树，海拔低的山沟里是冷杉，高处则是齐刷刷的原始箭竹。那些箭竹粗壮高大，竹节上布满了尖刺，猿人也无从攀援。各种植物在不同的高度间互相依附，交织成了一道接一道的巨网，根本没有容人穿行的缝隙，猎刀的作用完全发挥不出来。如果遇到长得不太高的杉树，还可以从枝干上攀过去，实在无路可走时，也只有扒开低处的灌木或草丛往前爬。人体自身的定位系统很快就乱了套，必须不断依靠指北针校正方位，行进速度变得格外缓慢。

　　这样在密林里走了一段，面前的草丛里突然惊出几只雉鸡，拖着长长的尾翼扑腾起半人多高。司马灰和罗大舌头知道这东西跑得奇快，但飞腾时却较为笨拙。二人眼疾手快，瞅准雉鸡由半空下落的时机，蹿上去分别擒住一只，拎到溪边洗剥干净，让胜香邻就地拢了堆火，穿在树枝上来回翻烤。

　　司马灰等人明知道这样做容易引来深山里的大兽，却实在抵挡不了野味的诱惑，又自恃身边带有信号烛，即使遇到最难对付的豹子或野人，也有把握将其驱退。

　　罗大舌头更是迫不及待，他眼看雉鸡已经滋滋冒油了，也顾不得烫手，连皮带肉撕下来一块就往嘴里塞，结果烫着了舌头，忍不住就想叫疼。

司马灰警惕性较高，忽然察觉到密林深处有阵异响传来，立刻抬手按在罗大舌头嘴上，没让他发出声音。胜香邻也在同时推起泥土，压灭了地上的火堆。

罗大舌头也听到树丛后有"嘎吱嘎吱"踩踏落叶的响声，好像是什么野兽循着气息而来。他忙把烤熟的半只雉鸡塞入怀中，随即探出臂膀拽出弧刃猎刀。

这时从几棵高大的冷杉背后，忽地蹿出一条尖耳长吻的黑背猎犬，体型颀长硕大，神情沉着锐利。它一声不发，蹲在地上紧紧盯着司马灰等人。

司马灰看出这是条训练有素的猎犬，当即站定了脚步，同其余两个同伴交换了一下眼神，都没有轻举妄动。

那树丛后随即又快步走出三个人来。当先一个十五六岁的少年，肤色黑里透红，长得虎头虎脑，手里拎着一杆土铳，腰上挂着药葫芦和柴刀，像是山里的猎户。他身后是个穿着军装的年轻姑娘，看起来也就二十岁出头，乌溜溜的一双大眼颇有神采，背有行李和水壶，腰里扎了武装带，却没佩枪。跟在最后边的瘦弱男子，则是林场里常见的知青模样，看岁数也不大，鼻梁上架着啤酒瓶底似的近视眼镜，衣服洗得都发白了，补丁摞着补丁，也带了打猎用的火铳，身上还背有一部老式无线电。刚才可能走得太急了，他累得双手撑在膝盖上呼呼直喘。

那猎户模样的少年总皱着个小眉头，说话特别冲。他恼怒地打量了司马灰三人一番，转头对女兵说："姐，就是他们在这放火！"

司马灰使个眼神让罗大舌头悄悄将猎刀收回去，然后向对方解释说："别误会，我们都是过路的，看见这林子里冒烟，就赶紧过来把火扑灭了……"

那女兵见罗大舌头嘴里还塞着鸡肉，就已经明白是怎么回事了。她直接询问司马灰："你们是哪个单位的？知道在林区使用明火有多危险吗？"

司马灰还是按先前编好的话来应付，自称是考古队的人，要到大神农架原始森林里找古生物化石，并且出示了工作证和两封信件，表示自己跟县上的领导相识。

那少年猎户还是不依不饶，而女兵看过司马灰的证件，没发现有可疑的地方，也就没再追究点火的事情。她说："这里还是神农架的前山，阴河谷又叫阴峪海，位于主峰西北侧，密林中经常有驴头狼出没。那东西体型和驴子差不多大小，头部也长得像驴，却长着四只狼一般的利爪，尾巴又粗又长，行走如飞，生性凶猛残忍，在找不到食物时就伤害牲畜，甚至吃人。你们没带猎枪防身，想翻过燕子垭去那片原始森林找化石，未免太冒险了。"

司马灰连连点头，心里却很是不以为然。他对这女兵一行人的去向也有些好奇，因为看不出对方是在执行什么任务，但有猎户和当地林场的知青同行，料来不会是机密的军事行动，经过一番探问，才知道这个编制非常特殊的小组，是要前往大神农架主峰神农顶北坡的瞭望塔。那座瞭望塔高约四十米，上面设有防火观察所和通讯站。如果站在塔上向四周眺望，可将千里林海尽收眼底。那是整个神农架的制高点，距离后山的燕子垭也不算太远，可以顺路将考古队带过去。

司马灰当然是求之不得，出发前他向那女兵打听："为什么山底下的镇子里空无一人？"

第六话
深山鬼屋

那个女兵确认了司马灰等人的身份，答应将他们带到瞭望塔，由于要在天黑前赶到宿营地，途中不能耽搁太久，有话只能边走边说，当即由猎犬作为前导，朝着大神农架瞭望塔观察所行进。

女兵在路上告诉司马灰，神农架山高林深，自古以来即是人烟少而野兽多，别看人少，籍贯和成分却很复杂。因为神农架本身就位于三省五县交界之地，所以当地老乡中陕鄂川人皆有，主要以打猎和采药为生。解放后兴建林场，大批部队转业军人落户于此，还有从外地招募来的伐木工人，以及从城里到山区插队的知青。

人多就容易出事，前不久有四个男知青在林场子守夜，刚刚睡下，忽听一个响雷从半空中落下，顿时把四个人都惊醒了。就见有个火球从顶棚的缝隙里钻了进来，转眼就不见了。好像那道雷电正击在屋顶上，随后雷声如炸，一个接着一个，听声音都落在屋顶附近，雷火就绕着屋子打转。四个人吓得脸都白了，全躲到床底下不敢往外跑。

遇上这种事难免往坏处想，更容易疑神疑鬼。有人就说："咱四个人里，肯定有一个做了坏事，恐怕过不去今天晚上了。好汉做事好汉当，干脆自己走出去让雷劈了，可别连累了别的兄弟。"

当时就有一个知青哭了，他说："我家就我一个儿子，老娘有病在身，常年离不开人照顾，所以我瞒着大伙给支书送了两条红牡丹香烟，还有几包义利食品厂生产的巧克力豆，让他给我搞了一个回城的指标，把本该回城的那个人挤掉了。"

这一开了头，其余三人也都跟着说了。毕竟人无完人，谁能真正做到问心无愧？但他们无法判断究竟是谁该遭受天谴，只好决定逐个往外跑，等到最后一个人刚刚跑出来，房屋就被雷电击中了，屋角崩塌了一大片，

砖瓦都被烧得焦煳。房檐里有条擀面杖粗细的大蛇，周身红纹斑斓。

知青们在山里也听说过妖物避雷的传言，这才明白过来是怎么回事，连忙抄起铲锹上前击打。谁知那条蛇断成数段之后，竟像蚯蚓一般，每截都有知觉，还能分别爬行，聚拢起来又成一体。他们只好用火去烧，却意外引起了山火，火借风势，越烧越大，几乎将整个三号林场全部焚毁。

四个知青中有两个当场被烧死了，其余两个在事后被关押送审，可没人相信他们交代的情况，认为只是妄图推卸责任，所以很快就给转送走了，具体是判刑还是枪毙，那就不得而知了。

司马灰知道深山老林里有种千脚蛇，别称"碎蛇"，分开为虫，合则为蛇。没见过的人不可能凭空捏造，看来那些知青所说的经过，应该大部分属实。但引起山火是很大的罪过，说出什么理由都推卸不掉责任。想想先前那少年猎户愤怒的样子，也是在情理之中。这密林中遍地都是枯枝败叶，火头烧起来就没法扑。人家世世代代靠山吃山，当然把森林防火看得很重。

那女兵接着说起山里的情况，三号林场的火灾发生之后，火势险些蔓延到苍柏镇。镇上的老弱妇孺都被临时转移走了，民兵和林场职工则全部进山扑火。

按照上级领导指示，要亡羊补牢，挖掘防火沟。神农架的几处林场，主要集中在西南部的万年坪，现在除了各个林场子里有少数留守人员之外，整个山区为之一空。但工程没有涉及到阴峪海一带的原始森林，所以不会对司马灰等人的行动构成影响。

这个女兵名叫高思扬，籍贯在南京，现在是武汉军区军医学校的学员。该院校连续多年到神农架山区开展三支两军活动，也就是部队支援地方，除了强化军管、军训之类的工作，还包括深入交通闭塞的区域，为山民治病送药。

位于大神农架至高点上的瞭望塔里设有电台，常年驻有护林员，可以进行简易的无线电联络，用于通报林区火情。可是自打三号林场发生火灾之后，那座瞭望塔便与外界失去了一切联络。

上边一发话，地方上就得把全部力量用于挖掘防火沟，实在腾不出多余的人手，而且瞭望塔里的无线电型号陈旧，经常出现故障，隔三差五就坏上一回，因此没有引起足够重视。

当时林场里恰好有个外号"眼镜"的知青，插队前曾学过通讯测量专业，学习起来很刻苦，也懂些无线电维修的技术，但他还没等到毕业，就因为家庭成分问题，被发到这大山里锯木头砍树桩子来了。林场里的人习惯将"眼镜"称为二学生，"二学生"是山里的土语，意指比大学生低了一级，虽然不是很明显的贬义词，却也多少带着些挖苦和嘲讽的意味。

林场里管事的领导看"眼镜"体格单薄，挖防火沟时经常累得像条死狗，就让他背着一部无线电，跟随民兵虎子进山，去瞭望塔对通讯设备进行更换或维修。林场考虑到护林员也有可能染病或受伤，才导致通讯中断，于是又向"三支两军"分队借来高思扬一同前往，以便到时候能采取相应的急救措施。

高思扬先后数次到过神农架，已对当地环境十分熟悉，也具备独立完成任务的经验和能力，于是就成了这个临时小组的组长。猎犬在途中嗅到了生人气息，看方向显然是在密林中瞎走乱碰迷失了路，随即追踪过来。她发现司马灰等人正在使用明火，便立刻加以制止。

高思扬常听当地山民说起，大神农架最恐怖的地方就是阴峪海那片原始森林，即便在带有火铳和猎犬的情况下，也绝少有人胆敢冒险深入，所以劝司马灰慎重考虑，起码要有猎枪和经验丰富的向导才能成行。

司马灰明白高思扬是一番好意，可他们却不能知难而退，就敷衍说："其实我们早有上火线的思想准备，临来的时候还写了遗嘱和入党申请书，要是万一回不去了，就让同事们把我下个月工资取出来，替我交上第一次也是最后一次党费。为什么是下个月的工资呢？因为本月工资已经吃光花净了。"

高思扬暗暗摇头，她觉得司马灰这种人，大概就是典型的"盲目乐观主义"，非得碰了钉子才晓得回头。

司马灰问清了来龙去脉，又寻思要想个什么法子，把虎子那杆火铳借来防身。深山老林里的危险主要来自于野兽，不管是驴头狼还是野人，都有畏惧火光的弱点。打猎用的土铳虽然落后，性能也不太可靠，但那好歹是个冒烟的家伙，震慑效果远比它的杀伤力出色。司马灰低声对罗大舌头耳语了几句，让他一路上找些机会跟虎子闲扯套近乎，免得到时候张不开嘴。

罗大舌头那张嘴虽然口齿不清，但正经起来却赛过千军万马。他上来就对虎子说："我说兄弟，咱哥儿俩商量商量，等我们进阴峪海原始森林的时候，把你这条土铳借我们使几天，将来有机会为兄带你去见见世面。我爹是少将，我们家住楼房，上厕所茅房从来不用出屋……"

虎子是土生土长的山里娃，长这么大连趟县城都没到过，头脑比较简单，说好听点是爱憎分明，说不好听就是个一根筋的直肠子。他本来非常痛恨司马灰等人在林区点火的行为，认为对付这种人就应该直接抓起来，因此带着先入为主的成见。此刻他一听罗大舌头的话就觉得是在吹牛，不免更是气愤："世上哪有去茅房不出屋的人家？你那屋连狗窝都不如。"

罗大舌头自认为参加过波澜壮阔的世界革命，是见过大场面的人物，而虎子则是个不开眼的山区土八路，思想觉悟根本不在一个层面上。俩人话不投机，越说越不对劲，干脆谁也不理谁了。

这一行人分做前后两组，沿途翻山越岭，直至第二天日落，才抵达大神农架主峰。那山上松竹蔽空、林海茫茫，一派与世隔绝的原始风光。北坡的密林中矗立着一座瞭望塔，下边有间木屋，那就是设有无线电的防火通讯所，除了大雪封山的数九隆冬，平时都会有一名护林员在此驻守。

护林员的职责十分重要，以往都是由年老的猎户担当，同时还要负责巡山。后来设立了无线电通讯所，便改由林场里派遣民兵轮流执勤，因为大山深处交通闭塞，受过简易通信训练的民兵总共也没几个人，通常个把月才能轮换一次，比戍边还要艰苦。

众人走到通讯所门前的时候，密林深处已是风声如潮，木屋里面黑漆漆的没有灯光。那条猎犬似乎嗅到了危险的气息，突然对着通讯所狂吠了几声，好像是在警告主人不要接近。

民兵虎子向来胆壮，他想也不想就上前推动屋门，却发现从里面闩住了。

为了防备野兽和防风保暖，通讯所的建筑材料全部使用直径半米多粗的冷杉，虽属木质结构，却极为坚固，只有前边一道门，窗子也都钉着木栅，如果里面没人，绝不可能从内部将门闩住。

虎子大声招呼着守林员的名字，又去用力叩门，门窗紧闭的通讯所里却是沉寂无声。

司马灰心想："没准那个守林员猝死在了通讯所里，无线电才会失去联络。"他当即把脸凑到窗口上，拿手电筒往屋内照视，试图看清里面的情况。

那木屋里漆黑一团，手电筒勉强照进去一米左右，能见到的范围也非常模糊。司马灰刚接近窗口，竟看到屋里有个全是黑毛的怪脸，猩红的两眼充满了邪气，也在隔着窗户往外窥探。

司马灰心中突地一跳，忙向后闪身。他再定睛去看，那张脸已经消失不见了。

罗大舌头见司马灰神情古怪，也凑过来往通讯所里看了两眼，黑沉沉的什么也没有。他问司马灰："你瞧见什么了？这里边有人没有？"

司马灰到神农架以来，没少听到有关野人之谜的传闻。普遍认为野人是秦始皇修长城的时候，逃到深山里避难的民夫。早在春秋战国时期，楚国的屈原就曾在他的辞赋中，将神农架野人描绘得栩栩如生，应该算是最早的记录了。近代目击遭遇野人的事件更是层出不穷，都形容那是一种近似古猿的高大生物，出没于阴峪海原始森林，至少要翻过燕子垭才有机会遇到，神农架主峰上甚至留有它们的踪迹。

司马灰怀疑自己看到的东西有可能是个野人，于是提醒众人多加防备，通讯所里的守林员也许遭遇了不测，应该破门进去看个究竟。

高思扬点头同意。她虽然知道在这片与世隔绝的深山老林中，任何意想不到的情况都有可能发生，但凭着人多势众，又有猎犬和两杆土铳，就算突然遇到什么大兽也不至于有失。

众人打量通讯所，整个建筑结构坚固，屋顶的烟道过于狭窄，谁也钻不进去。司马灰便用力将木门推开一条缝隙，拿刀子拨掉门闩。

民兵虎子提着土铳就想进去。司马灰经验老到，瞧这情形就觉得有些反常，不想让这土八路莽撞有失，抬手将他拽了回来，随后举着手电筒探身进去看了看。通讯所好像空置了很久，四壁一片冰冷，铺盖卷仍在床上，长柄猎枪和装火药的牛角壶也都挂在墙边，显然没被动过。但那守林员却是活不见人，死不见尸。如果通讯所里没人，封闭的木屋怎么可能从内部闩住？刚才隔着窗户向外窥视的东西会是什么？司马灰还发觉这狭窄的空间里，飘浮着一种令人寒毛直竖的怪异气味，可又找不到是从哪里发出来的。

随着山风灌进木屋，那阵古怪的气味迅速减弱，人类的鼻子已经嗅不到了，不过跟在司马灰身后的几个人，也都察觉到了这种怪味。

高思扬突然说："这像是……死人身上才有的气味！"

罗大舌头说："死人我见得多了，那又能有什么特别的气味？你找筐咸鱼放太阳底下晒两个小时，那气味就和死人身上的差不多一样，无非是腐烂发臭，跟通讯所里的这种气味可完全不一样。"

司马灰也觉得确实不像死尸发出的气味，不明白高思扬为什么会这样形容。

胜香邻判断说："应该是某种化学药水的气味，很像用来防腐的药液。"

其实在正常情况下，谁也不会经常同腐烂发臭的尸体打交道。高思扬以往在军医学院里见过的死尸，都被浸泡在装满福尔马林溶液的水泥池子里，用来让学员进行解剖练习。因此她形成了条件反射，一闻到这股气味，脑子里最先出现的信号就是死人。

如果准确地加以形容，通讯所里出现的强烈刺鼻气味，近似于甲醛在空气中挥发时产生的味道。甲醛的水溶液，就是制作尸体标本时常用的福尔马林。

司马灰把他先前在窗口看到的情形告知其余几人：刚才若不是看花了眼，就一定有东西躲在通讯所里，但那分明是个活物，不知道为什么会出现"死尸标本"的气味。

罗大舌头等人听了此事，只是各自提高警惕，倒也没觉得怎样，还准备到通讯所里进行搜查。

唯独当地林场的知青二学生和民兵虎子，脸上同时流露出一抹恐惧的神情。他们十分肯定地告诉司马灰："你看到鬼了！"

第七话
采药的人

　　大神农架地僻林深，充满了各种离奇恐怖的传说，听得多了也难免让人心里发毛。一般没人敢在深山老林里说鬼，可高思扬是军医学院的学员，没些胆量的人学不了医，她又是队伍里唯一穿军装的，因此并不相信唯心主义言论："黑灯瞎火的没准看错了，通讯所里怎么可能有鬼？"

　　胜香邻也问民兵和二学生："我读过一本资料，那上面说古时候将野人叫做山鬼，你们说的鬼是不是指野人？"

　　司马灰一看那俩人的反应，就感到事有蹊跷。民兵虎子祖上数代都是神农架的猎户，从没离开过这片大山。那个懂得维修无线电的二学生，也在林场插队好几年了，可以算是半个本地人。他们或许知道些外人不了解的情况。但不论刚才看到的那张脸是山鬼还是野人，都不可能在众目睽睽之下逃离通讯所，于是问那二学生究竟是怎么回事，为何会认定木屋里有鬼？

　　二学生见问到自己头上，就原原本本地说明了情况。他打 1968 年起就到林场插队了，平时除了看书也没别的爱好。这鄂西腹地山岭崎岖，人烟稀少，条件非常艰苦落后。他记得刚来的时候，这林场里最宝贝的东西就是一部春风牌收音机，开关还有故障。后来二学生把收音机修好了，林场为此还特意开了个会，搞得很隆重，不仅特意在桌子上铺了一块红布，把收音机摆在当中，甚至还在后面挂了毛主席和林副统帅的画像。许多老乡和附近林场的职工闻讯赶来，都想看看这个会说话的黑匣子。收音机的信号非常不好，一打开里面全是"刺啦刺啦"的噪音，女播音员的声音根本听不清楚。但大伙还是非常高兴，纷纷夸奖二学生技术高明。老乡们都说，真没想到这收音机里还有个娘们儿，商量着要把她给抠出来看看长什么模样。

二学生从没受过这份重视，感觉很光荣。他正兴奋着呢，忽然闻到人群里有股很不寻常的味道，就像从死尸标本上散发出来的刺鼻气味。

记得在学校生物教室里看到的野兽标本，也有这种刺鼻的化学药水味。二学生起身向四周打量，发现后排有个巴头探脑的人，那人脸上蒙了块破布，故意掩盖着面孔，仅露出两只白多黑少的眼珠子，身上一股浓烈的福尔马林气味。

当时人多事杂，二学生见无人见怪，也没顾得上继续追究，第二天向林场里的几位老职工打听，才得以知道详情。原来那人以前是个采药的，本家姓佘，大号没人知道，当地山民都习惯称其为"老蛇"。他四十来岁的年纪，生得虎背熊腰，进山打猎从不走空，还有一身"哨鹿"的绝技。

在深山老林里采药的人，大多善识药草物性，能够攀爬峭壁危崖，但这只是末等手艺。要想找到罕见的珍贵草药，除了胆大不要命，还得有足够的运气，而上等采药人皆有独门秘术，哨鹿便是其中一项几近失传的特殊本领。

阴峪海那片原始森林中生存着成群结队的麇鹿。为首的鹿王生性奇淫，每逢春末夏初，它都要在一天之内先后同百余头母鹿交配，最后精尽垂死，卧倒在地哀哀长鸣。这种鹿鸣相当于一个求救信号，深山里的母鹿听到之后，便会立刻衔着灵芝赶来。别看采药的人寻觅不到千年灵芝，鹿群却总能找着。那鹿王吞下灵芝，用不了多少时间就能腾奔窜跃恢复如初了。

哨鹿的人需头戴鹿角帽，身穿鹿皮袄伪装，躲到原始森林中模仿鹿鸣，引得母鹿衔来灵芝，然后打闷棍放倒母鹿，剥皮割肉再取走灵芝草。不过学这种声音得有天赋，一万个人里未必有一个人能模仿得出。

60年代老蛇进山哨鹿，刚拿铁棍子砸碎一头母鹿的脑壳，没想到那体型比牯牛还要壮大的鹿王，竟突然从后边蹿了出来。那鹿王生有骨钉般的鹿角，枝杈纵横，锋利坚硬，山里的大兽见了它也得避让三分。老蛇猝不及防，肚子上当场就被戳了个大窟窿。他凭经验拼命逃向林木茂密之处。据说鹿角最怕密林，倘若被藤萝缠住动弹不得，那就只有任人宰割的份儿了，但老蛇逃得太急不辨方位，一脚踏烂了横倒的古树躯干，那是个腐烂的枯树壳子，里面生有数丛毒菌。他扑在上面溅了一脸汁液，为了不让毒性入脑，便自己忍痛用刀剥掉了脸皮，总算拾回了这条性命。老蛇精通药草习性和各种土郎中的方子，回来后弄死一只老金丝猴，把兽皮粘在自己脸上，不知他用了什么药物，毛茸茸的脸皮逐渐变黑，从此身上总有股挥之不去的怪异气味，再也不能到山里哨鹿了。

司马灰等人听二学生描述了大略经过，均是不胜讶异。想不到这世上还真有如此狠人，自己把自己脸皮割下来得是什么滋味？

另外从形貌特征与气味上判断，司马灰在木屋窗子中看到的怪脸，多半是那个常在深山里哨鹿的老蛇。不知道对方鬼鬼祟祟地躲在通讯所里意欲何为，只怕其中有些不可告人的秘密。可木屋里空间有限，那么个大活人能躲到什么地方？

二学生却对司马灰说："你看见的不可能是活人，因为那个人早就死了。"

民兵虎子证实了二学生所说情况完全属实。60 年代后期，部队在神农架山区开展"三支两军"运动，林场子一度实行军管，民兵的编制以及训练逐渐正规化，军队还提供无线电设备，并支援地方上建设了森林防火通讯所，瞭望塔就是那时候搭的。而这座木屋则是解放以前便有，当时有人举报老蛇偷取林场里的收音机，每天深夜都要收听敌台，还经常到通讯所附近转悠，东挖西刨地好像在找什么东西。但因为一直缺乏足够的证据，所以只把他抓起来审讯了几次，最终也没得出什么结论。

去年老蛇跟几个山民前往燕子垭，垂了长绳攀在绝壁间采药，不成想被一群金丝猴啃断了绳索，他当场坠下深涧。那些采药人都说死在老蛇手里的野兽实在太多，而且他手段太狠，时常生吃猴脑，捉到蛇就活着剜出蛇胆吞下，脸上那张兽皮也是一只老猴的。这山里的金丝猴都特别记仇，袭击人的情况在早些年时有发生，尤其看见他就格外眼红了，趁其不备便来报复。可见深山老林里的生物都有灵性，不能随便伤害。

后来民兵们从深涧下的水潭里，把老蛇的尸首打捞出来，埋在林场附近的乱坟中了。这件事是好多人亲眼所见，如今尸骨大概都已腐烂了，当然不可能出现在通讯所。

司马灰事先并不知道还有这些内情。他听完民兵和二学生的述说，就寻思那个老蛇不像普通的采药人，毕竟死人不可能再从坟里爬出来。但先前看到的那张脸孔，还有木屋里残留的古怪气味，又是怎么回事？这些怪事为什么早不来晚不来，偏偏会出现在这个节骨眼儿上？

司马灰打定主意要探明究竟，便说："老子平生杀人如捻虱蚁，还怕

有鬼不成？等我先仔细搜搜这地方，然后……"刚说到这，就被胜香邻在身后轻轻扯了一把。他自知失言，赶紧住口。

高思扬警觉地盯着司马灰问道："你刚才说什么？"

司马灰遮掩道："我是怕撞见不干净的东西，说句狠话给自己壮壮胆子。"

罗大舌头也说："这事我可以作证。他看见宰鸡都会吓得腿肚子转筋，哪有胆子杀人啊？"

高思扬听司马灰承认是在胡吹海侃，也没再追究下去。她不相信这深山通讯所里有鬼，但守林员不会无缘无故地失踪，很可能遇到了意外。这不是小事，现在外边已经黑透了，无法再去瞭望塔上发出告急信号。她是队伍里唯一的军人，自然要站出来拿个主张，于是让二学生动手调试无线电对讲机，争取尽快与林场取得联系，又命民兵虎子把猎犬牵进来协助搜索。

二学生家庭出身不好，被人呼来喝去的早就习惯了。他从林场里背来的那部无线电，本身无法正常工作，仅能用于更换零部件。被分工后他见通讯所里的无线电也存在故障，便立刻着手忙活起来。

民兵虎子虽然胆壮，可山里人免不得有些迷信思想。鄂西山区有个风俗，最忌讳让黑狗见鬼，看见死人也不行，因此坚决不同意让猎犬进屋。高思扬见说服不了他，便让它暂时守在外边，其余几个人打亮手电筒，彻查通讯所里的每个角落。

司马灰当先搜索过去。他眼尖目明，瞥见铺板似乎有被挪动过的痕迹，心念一动："这木屋里有地道？"立即招呼罗大舌头帮忙揭起铺板，眼前暴露出一个竖井般的方形洞穴，里面有股腐烂的潮气。但洞口的位置并不十分隐蔽，如果不被铺板遮住，进到屋里就能瞧见。看起来这应该是用于存放食物的菜窖。守林的民兵在山上一住就是一两个月，这里海拔甚高，酷暑时节会较为炎热，需要这种地窖储备粮食蔬菜。

这地窖内部很宽阔，但垂直深度仅在两三米左右，里面充斥着阴冷潮湿的腐气。用手电筒照下去，角落处有具皮肉残缺不全的尸骸，似是被什么大兽啃过，胸腔的肋骨裸露在外，尸身也已经变色，要不是在阴冷的地窖里，大概早就腐烂发臭了。然而封闭的通讯所木屋和地窖内部，除了这具死尸以外，并没有其他生物存在的迹象。

第八话
地　窖

通讯所地窖里有种湿腐的土腥气，完全遮盖了其他一切气味。司马灰分辨不出是否混有那种近似福尔马林的气息，但这具尸体脸颊还算完整，不像先前在木屋窗子里看到的老蛇，其身份应该是遇难的护林员。

众人用手电照到护林员尸体的惨状，都不禁暗暗皱眉。这通讯所里门窗从内紧闭，也没有其余的出口，因此导致护林员死亡以及啃噬死尸的东西，可能仍然躲在这个地窖里。

高思扬感觉到了事态的严重性。她身边没有武器，就拿了二学生从林场里带来的土铳，想下到地窖里探明情况。

司马灰怕她会有闪失，便打手势让胜香邻和罗大舌头留在原地接应，然后戴上 Pith Helmet，打开装在头顶的矿灯跟了下去。

高思扬有司马灰跟在身后，心里踏实了不少。两人分别借着手电筒和矿灯，在地窖中到处察看。

司马灰见那守林员尸体上的齿痕断面粗大，不像是虫鼠所咬，倒像被体型很大的猿类啃噬。他心里冒出一个不好的念头："听说深山里有成了精怪的僵尸，不仅要吃人脑髓内脏，还能够埋形灭影出没无常。难道那个早已入土的老蛇……果真从坟里爬出来了？"

司马灰觉得，那个死掉的采药人生前一定有很多不能说出来的秘密，说不定真就阴魂不散，变成了昼伏夜出的飞尸行骸。而且从已经发现的各种迹象来看，此时此刻他很可能还躲在通讯所木屋里没有离开。可是坟地距离林场子很近，僵尸怎么会出现在人迹罕至的大神农架主峰？

司马灰又想起二学生讲过的情形，那老蛇曾被人举报与特务组织有联系，还说他在深夜里暗中收听敌台，又经常偷偷溜到通讯所附近刨地，像是在挖掘什么东西。这通讯所无非就是个守林人居住的木屋，除了一部总

出故障的无线电，以及那座四十来米高的瞭望塔，能有什么特别的物事？就算想挖老坟抠宝，也不该到这海拔两千多米的山峰顶部来动手。

这时高思扬在地窖边缘，发现了一个绑有绳索的大箩筐，里面装满了泥土，推开箩筐，发现墙根处有个倾斜向下的洞口，里面黑沉沉的很是幽深。她有些吃惊地对司马灰说："你看这下面还有条地道！"

司马灰上前一看，发觉洞中空气不畅，就起身让罗大舌头把电石灯递下来，然后猫腰钻了进去。这条地洞曲折狭窄，估计垂直深度不下数十米，尽头被挖出了一个土窟窿，满地都是烂泥碎土，还戳着一把短柄铁锹，好像还没挖到底。

地洞至此而止，由于空气并不流通，电石灯呈现出蓝幽幽的微弱光芒。司马灰四下摸索了一遍，见没有什么发现，便从地道里退了回来。他和高思扬爬出地窖，向其余几人说明了情况："看情形是有人想从地窖里挖掘某些东西，守林员也因此被杀害，那箩筐就是用来往外运土的工具。"

高思扬看二学生还没把无线电修好，焦虑地说："这会不会是敌特在进行破坏活动？可通讯所位于大神农架主峰北坡，周围地僻林深，又能埋着什么东西？那个挖掘地洞的人躲到哪里去了？"

司马灰说："怪就怪在这了。除了咱们几个之外，我感觉不到通讯所和地窖里还有多余的活人气息。刚发现地洞的时候，我曾怀疑是有盗墓的土贼，企图挖开老坟抠宝，可海拔这么高的山峰上不该有古墓，想从此处挖至山腹也绝非人力可为。如果洞子打得太深，首先供氧问题就解决不了；另外我仔细察看过地道作业面上的泥土，全是从未被翻动过的天然土层。"

胜香邻听司马灰说完，就在笔记本上画了一个山峰的形状，代表大神农架的主峰，峰顶是瞭望塔，背阴的北坡是通讯所。她又在通讯所下描了两条角度狭窄的虚线说："山峰里的地质结构以岩层为主，岩脉岩层之间必定存在断裂带。通讯所下的地窖里都是泥土，还可以挖出几十米深的地洞，说明此地恰好位于岩层交界处，最深不会超过百米，再往下就全是坚固的岩石了。假如岩层交界的地方存在着某个物体，也许它距离地道尽头已经很近了，所以那里才会被掏成了一个大窟窿。"

高思扬见司马灰等人说的都在点子上，并且很有效率，心想也多亏遇到这个进山搜集化石的考古小组，否则只凭通讯组的三个人，遇上这种情况真不知该如何处理。看来无线电通讯暂时无法恢复，等林场派来援兵，则至少需要两天时间，很容易事迟生变、夜长梦多。她思索片刻，决定请考古组继续协助，连夜挖开地洞，探明通讯所下的秘密，同时设法搜寻敌踪。

二学生和民兵虎子还是第一次遇到这种情况，不免都有些紧张和兴奋，觉得有立大功的机会了，当下反复念了几遍："下定决心，不怕牺牲……"

司马灰暗觉此事很可能与绿色坟墓有关，自己当然不会置之不理，但他清楚高思扬这个小组，太缺少相应的经验和必要的思想准备，所以得在事先告诉这三人："最后不管在地洞里挖出什么，它都一定是个极其危险、极其可怕的东西，所以大伙都得打起十二分的精神，否则稍有闪失就得出大事。"

民兵虎子认为司马灰是考古队里的坏头头，根本不信他的话："这洞子还没挖到底，你又不是能掐会算的神仙，怎就知道那里面的东西一定有危险？"

司马灰说："你个民兵土八路不懂科学，都什么年代了还用掐算？我说有危险它就有危险，因为这是'墨菲定律'。"

民兵虎子气呼呼地说："我真是信了你的邪，以为有头驴就是科学了？"

二学生对他说："这可不是什么驴子，而是一个混沌定律，基本上可以分为三个部分。事物发展运行的轨迹好像是多元化的，存在着无数种可能性，不管你预先布置得如何周密，事到临头也总会出现意料之外的情况，所谓计划赶不上变化，是对第一定律的最好概括。第二定律说白了就是'怕什么来什么'，你越是不想让它发生的事，它发生的概率就越大。比方说我有块面包，正面抹满了黄油，又不小心失手把它掉在了名贵的地毯上，面包正反两面朝下的概率看起来似乎差不多，其实不管面包掉落多少次，抹了黄油的那一面都会永远朝下，因为事情总是会往咱们最不想看到的方向发展。这就是墨菲原理——宿命的重力。另外还有第三定律……"

民兵虎子紧皱眉头，插言问道："面包黄油还有土豆牛肉都是'苏修'才吃的东西，难道你也吃过？"

二学生就怕说话上纲上线，尴尬地摇了摇头："没吃过，我这不就是

给你举个例子吗……"

司马灰刚才无非是拿话压人，告诉大伙不要抱有侥幸心理，得做好应付最坏情况的准备。但真要让他解释墨菲定律，也说不了如此详细，没想到二学生还真有两下子，看来书本没白啃。

高思扬听后也嘱咐虎子道："司马灰说得没错，你应该听他的话。"

民兵虎子说："你是我姐，我就听你一个人的话。"

高思扬道："真胡闹，党中央和毛主席的话你都不想听了？"

司马灰心想："这土八路才多大年纪，就想拍婆子了？看这小子心里憋着股火，脑子里只有一根筋，行事莽撞冒失，早晚得栽大跟头。反正该说的话我也都说了，说不说在我，听不听在你，你就好自为之吧。"

罗大舌头则不怀好意地问道："虎子兄弟，你光听你姐一个人的哪成？将来你姐夫说句话你听不听？"

民兵虎子涨得满面通红，恨不得当场扑过去跟罗大舌头掐上一架。

胜香邻见状提醒众人还要挖掘地洞，眼下两个组应当同舟共济，别再为些鸡毛蒜皮的小事争来斗去了。

此时已是夜里十点多钟了。众人先吃了些东西，下到地窖里裹起守林员的尸体，暂时放置在铺板上。然后是罗大舌头顶着矿灯钻进去掏洞子，司马灰利用留下的箩筐装填泥土，推至地道里，再由胜香邻和高思扬、二学生三个人以绳索拖拽出来，民兵虎子则负责往通讯所外边铲土。

人多氧气消耗就快，由于没有供氧设备，只能挖一阵土就爬出来透气。但流水作业进展极快，用了两个小时不到，就将地洞尽头的土窟扩大了数米见方，再往下全是岩层，铁锹已经挖不动了。

司马灰心想："怎么什么东西都没找出来就挖到岩脉了？"他用手抚摸从泥土下露出来的岩层，除了坚硬冰冷的触感，竟十分齐整，不像天然形成，再往边上一划拉，手指触到几根支出来的大铁钉子。

司马灰和罗大舌头越看越惊奇，在电石灯下端详了足有半分钟，脑子里接连划过几个巨大的问号。这地洞尽头存在的东西太过出人意料，看来"墨菲第一定律"开始发挥作用了。

第九话
探　洞

　　地洞深处氧气稀薄，电石灯比坟地里的鬼火还要微弱。司马灰摸到那几枚竖起的铁钉，有常人手指粗细，在岩层中像生了根似的很是坚固，用灯光凑近了照视，黑漆漆的没有丝毫光泽。

　　司马灰和罗大舌头盯着它瞧了半天，都觉得有些眼熟。这东西应该不是铁钉，它更像是钢筋。而从地洞子里挖出的平整岩层，则是一道混凝土浇筑的屋顶，墙体边缘处有受到张力作用产生的撕裂，所以那几根钢筋才会裸露出来。不过，大神农架主峰里怎么会有一座房屋？

　　这幢诡异坚固的房屋，正好处于岩脉交界的缝隙里，距离海拔两千多米的高峰山顶足有几十米深。地面上完全没有动过土的痕迹，甚至连当地民兵都不知道它的存在。但钢筋混凝土构造的建筑，年代一定不会太久远，顶多是几十年前留下来的。

　　罗大舌头说："以前鄂西湘西都是土匪盘踞的地方，这会不会是土匪当年留下的巢穴？"

　　司马灰摇头说："土匪都是利用山里的天然洞穴藏身，凭那些乌合之众，可造不出这种工程。"

　　罗大舌头又说："你一提到工程我就想起来了，这肯定是个防空洞啊。那些年提出一个口号——深挖洞、广积粮、不称霸，备战备荒为人民。当时地下人防工程挖得可多了，听说比万里长城的土方总量还要多出好几倍。"

　　司马灰仍然觉得不像三防设施。大神农架人烟稀少，再往里走就是阴峪海原始森林了，而且山上多的是奇洞异穴，根本用不着挖防空洞。何况也没有把防空洞设在这种地方的道理，难不成有朝一日打起仗来拉响空袭警报，人们却要走两天山路到此避难？

罗大舌头说："那他娘的可就怪了，干脆钻进去瞧瞧里面有什么。"

司马灰见混凝土墙体断裂的地方有条很大的口子，将上面的泥土挖开，可以容人爬进去，那裂缝中空气阴冷，电石灯的照明效果得以恢复，也说明里面极为幽深，便让罗大舌头先别急着进去，回去做好准备以保安全。

俩人一前一后钻出地洞，把发现的情况告诉了其余四人：地下有座钢筋混凝土结构的墙体，看里面还挺深，也不像平战两用的人防工事，不知道会是个什么所在。

司马灰打算带自己这个小组下去探个究竟，留下通讯组在上边接应，由于情况不明，所以要把背包和矿灯都带上。

高思扬清楚自身职责所在，执意与司马灰等人同去；民兵虎子立功心切，自然不愿落于人后；二学生一看这深山木屋里黑灯瞎火，自己可没胆子留下来守着尸体，连忙恳求要跟随大伙一起行动。

司马灰不能反客为主指挥通讯组，况且那三个人也没打算听他的，又考虑到这座木屋和地洞里，很有可能还隐藏着一个"看不见的僵尸"，对方还没来得及把洞子挖到尽头就被迫躲了起来，虽然察觉不到周围存在活人气息，却不敢掉以轻心。如果让高思扬等人跟在身边，万一有事发生，至少还能及时救应，也就没再阻拦。

不料民兵虎子突然急匆匆拎着土铳钻进了地洞，司马灰见状忍不住骂道："这个土八路，真是鸡巴毛成精气死老鹰！"

司马灰虽然恼火，却又担心民兵虎子会有闪失，只好带上背包紧紧跟了进去。其余几人也一个接一个钻入地洞，摸索到尽头的缺口处，便鱼贯而入。

司马灰快步赶上当先的虎子，一把将他拽住说："你小子不要命了，赶着投胎去啊？"

民兵虎子挣开司马灰的手臂，固执地说："我就是要看看你那'科学的驴'准不准。可这里面黑咕隆咚的什么都没有，危险在哪呢？"

司马灰说："什么他妈科学的驴，那是墨……"他说话的同时用矿灯向周围照视，发现从钢筋水泥结构的屋顶上下来，脚下又是一道与之相同的厚重地面，两道结构平行的墙体之间，有大约一米五高的夹层，矿灯光束能照到将近二十米处。在这个范围内空荡荡的，什么东西也没有，与之前的推测大相径庭。司马灰深觉古怪，后半句话也就没说出口。

这时另外四个人也提着电石灯钻了下来，看到下面又是一层钢筋混凝土结构的墙体，同样十分诧异。

胜香邻说："这里纵深宽阔，高度极低，不会是房屋内部，是不是有两层屋顶？不过夹层的跨度很大，根本不像普通的房屋或地堡。"

司马灰想起在缅甸的时候，见过英国皇家空军的机库，那库房就是钢筋水泥结构，顶部呈宽弧形，但机库也不是双层外壁。

此时二学生非常有把握地告诉众人说，这不是双层墙壁，而是双胆式结构，就像有两个瓶胆的暖水瓶，具有耐冲击的防御效果，所以应该是座人防工事。在备战备荒那几年，各个单位和部队都有三防任务，防空洞、防空壕挖得很多。可这种特殊结构还是比较少见的，大概只有部队才能造，不过它为什么会造在海拔这么高的大山里？

司马灰等人都是头一次听说双胆式结构，没想到二学生在林场里语不惊人，貌不出众，干活时就数他不行，可知道的东西还真不少。

司马灰问他："你虽然是从大城市来山区插队的知青，但从来没当过兵，怎么会对军事设施了解得如此清楚？"

原来二学生家庭成分不好，家里解放前是上海的资本家，到他这代不管是上学还是进工厂都很困难，更别提去部队参军了。他家里最有出息的一个堂哥，曾到北大荒参加生产建设兵团，那就已经觉得很光荣了。一开始去兵团虽然艰苦，但配发武器，还能穿军装，出身有问题的人根本不让去。二学生的堂哥也是托了不少关系才被分到兵团的，军装虽没穿上，却真能荷枪实弹。因为中苏关系急剧恶化，1969年的时候，双方在乌苏里江主航道珍宝岛，发生了激烈的武装冲突，随着冲突持续升级，苏联已在边境线上陈兵百万，中国则全面进入了紧急战备状态。

二学生堂哥所在的生产建设兵团农机连，距离边境线很近，能切实感受到战争的阴云就笼罩在自己头顶。有一天晚上，刚训练完回来睡下，被窝都还没焐热，就忽然拉响了警报。随后电台里说苏联已经出兵了，牡丹江和齐齐哈尔都遭到了轰炸。

大伙听到这个消息都感到极为震惊，情绪更是无比悲壮。老毛子都是机械化部队，这工夫说不定坦克集群都打到沈阳了，咱们已是孤悬敌后，只能先撤到山里打游击了。于是众人不顾冰天雪地，全副武装拼命往山

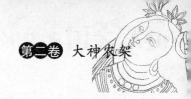

上跑。

农机连连夜进山，个个都累得精疲力竭，可刚到地方，就接到通知说是场演习。二学生的堂哥发了句牢骚：哪有这么折腾人的？没想到当场被人揭发检举了。还好连长手下留情，没有把事情继续扩大，结果他被兵团开除撵回了老家。他回来后给二学生讲过在边境上修造三防工事的情况，其中便有这类双胆式结构的重型库房，可以抵挡轰炸和炮击。当然这也不算什么军事机密，因为《民兵训练手册》上就有图例，只是很少有人认真看过。

司马灰等人都经历过那个特殊时期，听二学生所言也确实有几分道理，看来这座双胆式地下仓库，应该是备战备荒那几年，由某支工程兵部队在深山里秘密修建而成的。但它的位置还是太特殊了，想象不出具体用途，更猜不透这里面到底有什么东西。

高思扬提醒众人说："咱们未经批准，不能随便去看里面的东西。"

胜香邻推测说，看样子这里已经废弃了。它虽然巧妙利用了岩脉交界处形成的天然洞穴，但其自身的结构却存在着重大缺陷。即使是坚固的钢筋混凝土，也抵挡不住山体内部岩隙间产生的巨大张力，所以外部才会出现断裂。也许里面是个空腔子。

可那个从山坟里爬出来的老蛇，为什么会盯上这座废弃的地下仓库？他为何会在封闭的深山木屋里消失了？地底下是不是储藏着某些重要物资？这究竟是敌特的破坏活动，还是与阴峪海的古老秘密有关？

众人急于探明真相，商量几句之后，便以矿灯和手电筒照明，循着地面裂痕的延伸方向，在狭窄的夹层间逐步移动。

司马灰转过身，低声告诉罗大舌头和胜香邻，通讯组的人员没有应变经验，又属临时拼凑，缺少必要的协同能力，如果突然遇到意外，肯定是一触即溃，所以得把他们盯紧点，千万别让队伍分散，只盼这件事情尽快告一段落，中间别再出现什么差错才好，到时候两个小组自然会分道扬镳，咱们也就该前往大神农架原始森林了。

不过司马灰说这些话的同时，又不免想到了墨菲定律——任何计划不管考虑得如何周密，在进行的时候，都一定会出现意外因素和错误。计划最后能否成功，完全取决于错误的大小是否会影响到结果，也就是所谓的人算不如天算。

司马灰越想越觉得世事难料，算盘打得虽好，到头来却未必如愿，如今也只能走一步看一步了。于是他收敛心神，紧跟在通讯组后边，密切注意着周围的动静。

众人搜寻了一阵，终于找到了底层的裂缝。司马灰率先投石问路，听声音就知道下面没有多深，便让其余几人先别妄动，他随即纵身跃下。但矿灯用得时间久了，此时受到震动和颠簸，导致因接触不良而熄灭，眼前立刻变得漆黑如墨，除了自己的呼吸和心跳声，周围静得连根针掉在地上也能听见。

司马灰正待检查灯头松紧，使之恢复照明，一抬手却摸到身前横着根冷冰冰、沉甸甸的大铁管子，不知道是什么物体。他伸开手臂往两端摸索，也都探不到尽头。这种触觉让司马灰心里直打哆嗦："真是怕什么有什么。"

第三卷

潘多拉的盒子

第一话
双胆式军炮库

司马灰在黑暗中摸到那堆冰冷的钢铁，凭触感似乎是一门火炮，他脑海里立时浮现出从死人七窍中"咕咚咕咚"冒出黑血的情形，都是在缅甸那些战友被政府军重炮震破五脏的惨状。他想到这些事，心里就像被狠狠揪了一把。但倘若是重炮，这炮管子未免也太长了？

司马灰急于看个究竟，他用手拧紧了松动的矿灯，将光束照向身前，不禁低声惊呼道："佛祖啊！"

这时罗大舌头等人见司马灰好半天没有动静，就跟着从裂缝中爬了下来，借着矿灯看到横卧在眼前的物体，也都当场呆住了。

其实司马灰先前的感觉没错，这就是一门大口径重炮，体积很大，形状也十分特殊。尤其是炮管子长得吓人，而且炮管角度几乎与地面平行，跟常见的山炮截然不同，在这狭窄有限的空间内，给人以极强的压迫感。

这种形状奇特的火炮，很像司马灰和罗大舌头在越南见过的苏联 D-20 式 152 毫米加榴炮。它同时具备加农炮与榴弹炮的特性，既可以进行远程火力压制，也能够直瞄射击。不过眼下发现的这门加榴炮，应该是中国仿照苏联生产的 66 式，口径规格与苏联完全一致。只不过谁也没想到在大神农架主峰里，竟然隐蔽着一座双胆式军炮库。

高思扬虽是军医学院的学员，但毕竟不在野战部队，再说当兵的也未必各种枪炮都认识。她从没见过 66 式 152 毫米加榴炮，甚至连听都没听过，这时不免对司马灰等人的身份产生了一些怀疑。普通人谁能准确识别出火炮型号和具体口径？

还好司马灰等人先前胡吹的时候打过埋伏。罗大舌头声称他老子是少将，他家在军区里住楼房，上厕所都不用出门，那见识过炮兵装备也就不算什么了。

众人四下环顾，发现周围除了另外几门重炮，还堆积着一箱箱炮弹，墙壁上涂有"建设强大的人民炮兵"语录。仔细观察这座双胆式军炮库的结构，应该是整体隐藏在山腹洞穴内部，洞中浇筑了双重钢筋混凝土掩体，夹层能够有效抵御轰炸造成的冲击，中间设有通道连接，南北两端宽阔，分别布置四门 66 式加农榴弹炮。它们可以居高临下，从南坡和北坡的洞口向外射击。此处射界开阔，位置隐蔽，从战术角度而言十分理想。

60 年代末期，中央领导人感受到了战争的威胁，开始进行大规模战略调整。湘鄂云贵川藏等地被部署为战略纵深区域，各个单位和驻地基层部队，都接到了具有针对性的施工任务和训练项目，更有许多专门的军用设施对外严格保密。这座大山深处的"双胆式军炮库"就在此范畴之内，工程大概是从山腰处展开的，而 66 式加榴炮的部件也是拆散了再运进来组装的，所以连当地民兵都不知道山里还有这么个地方。

此时南北两侧的洞口已经堵死，使"双胆式军炮库"完全封闭在了山腹中，想来是因为时局变迁，以及构造不合理导致壁壳崩裂，它才被临时放弃的。但 66 式加榴炮移动不便，所以当时没有撤走，而是留在山里备用。

这是司马灰所能想到的唯一合理解释了，不过现在还有个更深的疑问，那采药者老蛇为何知道山峰里面有军事设施？要是想引爆弹药库进行破坏，在这没有人烟的深山腹地，也无法造成太大的效果。如果不是这个原因，那就应该与山洞本身有关了。

众人推测双胆式军炮库废弃不过数年，这个洞穴却是年代古老得不可追溯，掩体边缘处多有崩裂，可以通往山腹深处。正要继续寻找线索……这时，众人蓦然嗅到阴冷的空气里有股福尔马林的气味。

司马灰循着气息抬头一看，只见弹药箱后的墙体裂缝里，无声无息地探出半个身子。那人体格粗壮，细腰阔背，脸部似是某种早已灭绝的古猿，两个眼珠子白多黑少，浑身上下沾满了泥土，竟像是刚从坟里爬出来的僵尸。

司马灰一看那人的身材面目，就知道是民兵所说的采药者老蛇。对方先前应该是把自己埋在地洞子里，才遮掩了身上的怪异气息，并且成功躲过了搜索。但此人去年就已经死了，而且活人也不可能把自己埋在地洞的泥土中。以司马灰之敏锐，只要对方稍微吐口大气，都不至于察觉不到。

而此刻近距离对峙，他却感觉不到这个人身上存在丝毫生气，但这种感觉又与绿色坟墓那个幽灵不同。

另外几人也没料到对方会忽然出现，心里都打了个突，而且看到老蛇手里拎着一盏点燃的煤油灯，还带着一捆开山用的土制炸药。倘若炸药落在地上引起爆炸，那可不是响一声就完的事，因此众人都怔在原地无法采取行动，但民兵虎子已将土铳的枪口瞄准了对方。

老蛇声音嘶哑地说："那民兵伢子，你把土铳端稳了，要是走火打错了地方，可就别想从这儿走出去了。"

高思扬并不示弱，也举起土铳质问道："你以为你又能跑到哪儿去？"

司马灰知道对方是有备而来，就对胜香邻和罗大舌头使了个眼色，示意他们："见机行事，不要贸然上前。"

这时老蛇又对高思扬说："我一个换六个，也不算亏本。不过咱们何苦要斗个两败俱伤？"

老蛇说他自己这些事情，其实也没什么可隐瞒的秘密，以前凭着一身绝技，在大神农架原始森林中哨鹿打猎，不管是珍禽异兽，还是成了形的何首乌、千年灵芝，只要他出手就从来没有走空的时候。可自从遇难毁了面容，他没处寻找人皮，只能剥了猴脸补上，又不得不敷药防止溃烂，从此身上多了股怪味，日子过得人不像人，鬼不像鬼，人人避之唯恐不及，自己也觉得真是生不如死，不免动了邪念，对周围的人怀恨在心，打算找机会下手弄死几个，带两件"大货"，越境潜逃到南洋去。

关于"大货"的来源，还得从民国初期说起。那时有一个美国地质生物学家塔宁夫，多次来到神农架进行考察，发现阴峪海是中纬度地区罕见的原始森林群落，栖息着很多早已灭绝的古生物。他组织了一支狩猎探险队，到高山密林中围捕罕见的野兽，并且搜集了大量的植物和昆虫标本。

老蛇当年的师傅，在解放前是个挖坟抠宝的土贼，曾给塔宁夫做过向导。那山里的土贼眼孔窄、见识浅，看到塔宁夫身上带有金条，就对探险队下了毒手，把那些人全给弄死了，总共就为了三根手指粗细的金条。

后来，老蛇的师傅得了场重病。他临死前把当年下黑手坏掉塔宁夫性命的经过，以及将探险队尸体和装备都藏在山腹里的事，全部告诉了自己的徒弟。不过他不是出于忏悔而是后悔，后悔那时候眼界太低，就以为真金白银是钱，而且当时做贼心虚，别的东西都没顾得上掏。

师傅告诉徒弟说："为师做了一辈子土贼，又有哨鹿采药的绝技，可到头来也就是个没见过世面的土鳖。塔宁夫要去寻找的那个地底洞穴，就在阴峪海原始森林下面，最深处通着阴山地脉。以往老郎们常说人死为鬼，若是生前德行败坏，死后便会被锁在阴山背后，万劫不得超生，多半就是指那个地方了。塔宁夫不信鬼神，他事先准备得很充分，地图武器一应俱全，探险队里的成员也都是好手。可惜那时候为师看见金条就心里动了大火，根本按捺不住贪念，否则等到塔宁夫从地底下抠出几件"大货"再把他们弄死，然后将东西带到南洋出手，那如今得是什么光景？"

师傅说完便死不瞑目地蹬腿儿归西了。从那时候起，老蛇就开始惦记上这件事了，可始终没找到机会下手。后来他发现工程兵在山腹里修筑双胆式军炮库，更加难以接近。直到他哨鹿时失了手，在林场子里混不下去了，便打定主意要找几件大货逃到南洋，于是着手准备，先是通过关系摸清了"双胆式军炮库"的结构，知道外壳出现了崩裂，可以从山上岩脉交界的地方打洞钻进去。

另外他还从林场的知青嘴里探听一些消息。知青里有不少人在大串联的时候去过广东沿海，据那些人讲："从海上越境潜逃到香港是最常见的方式，不用担心风大浪急，更不会被边防军的巡逻快艇撞死。你稍微给渔民一点好处，他们就敢在深夜里带你出海。如果赶上天气好，即使不会游泳，抱个充气枕头漂也能直接漂到香港。那海面非常开阔，哪就这么倒霉被巡逻艇撞上？有很多家里受到冲击的'右派'子弟，都从这条途径跑到香港去了，说是打算到那边组织武装起义，推翻殖民统治。可过去了不少人，却始终没见动静，大概是躲了起来，悄悄等待世界革命的高潮到来吧。"

老蛇不敢轻易相信，既然跑到香港不是什么难事，当地那些渔民怎么不去？

林场子里山高皇帝远，那些知青也就毫不避讳地告诉他实际情况："马克思早已指出——资本主义的本质是人吃人。你是打鱼的，到了那边仍是打鱼的，扛大包的去到那里也照旧扛大包，没钱没势的人在哪活着都不容易，唯一的区别就是有的人过去之后运气好一些。可普通平民百姓到哪不是过日子？所以除非到了走投无路的地步，大多数人还是愿意选择安于现状。"

　　老蛇毕竟没离开过山区，心里仍是觉得没底。他又听说深夜时分会有敌台广播，想事先听听那边的情况，不料被人发现检举了。虽然没有直接证据，可他还是受到了严密控制，便诈死脱身躲到山里。直至三号林场发生火情，人们都被调去挖防火沟了，他便趁机摸到通讯所。里面守林的民兵以前整过他，他对此怀恨已久，下手毫不留情，随后立刻开始掏洞子。但一个人做这种大活确实有些力不从心，时间不免拖得久了些，眼看就快得手了，但前来恢复无线电联络的通讯组也到了门口。他在窗口看见有人到了，只好暂时躲在地洞里，没想到这组人头脑清醒，行事异常严谨，眼看着再搜索下去，随时都可能发现埋藏塔宁夫探险队尸骨的洞穴，所以他再也沉不住气了，便试图跟通讯组谈个条件。

　　老蛇把话说得很清楚，如果通讯组放不过他，他就当场引爆炮弹，大伙一同命赴黄泉，若肯睁一只眼闭一只眼，让他将塔宁夫探险队的地图带走，通讯组就可以立刻原路退出去，双方只当是谁也没见过谁……

　　可这番话早惹得民兵虎子气炸了胸膛。他仗着自己猎户出身，有一手打狍子的好枪法，不等对方把话说完，就出其不意扣下了扳机。双方本就离得不远，那老蛇正在土铳轰击范围之内，只听一声枪响，电光石火之际又哪里躲得开，当时就被贯胸射倒，煤油灯摔在弹药箱上打得粉碎，火苗子呼地蹿起半人多高。

第二话
塔宁夫探险队

司马灰一时想不明白那老蛇怎么能够死而复生，对方早在众目睽睽之下被当成尸体埋到坟里，此刻竟又出现在深山通讯所中，并且躲藏在地洞泥土中完全没有呼吸，这可都不是活人应有的迹象。

司马灰也看出老蛇只是个在深山里的土贼，虽然同他师傅一样残忍阴狠，平日不知坏过多少人的性命，却没什么心机谋略，完全可以先把对方稳住再动手。

但司马灰没考虑到附近还有别的不稳定因素。那民兵虎子便是性情急躁，像是一团烈火，半句话说得不合心意，略触着他的性子，便会暴跳如雷，恨不得扑上去咬几口才肯罢休。虎子此时再也忍耐不住，突然端起土铳轰击，老蛇被当场撂倒在地。摔碎的煤油灯引燃了弹药箱，那里面装的全是 66 式 152 毫米加榴炮弹。煤油灯里的燃料虽然不多，迸溅开来也搞得四处是火。那土炸药同时掉落在地，纸捻子引信碰到火星就开始急速燃烧，"哧哧"冒出白烟。

司马灰眼见情况危急，抢身蹿过去抱住那捆土制炸药，就地一滚避开火势，随即掐灭了捻信，再看那捻信只剩半寸就引爆了，不禁出了一层冷汗。这地方如果发生了爆炸，几百发炮弹就得在山腹里来个天女散花。

罗大舌头等人分别上前扑火。而那民兵虎子却红了眼直奔老蛇，一看死尸胸前都被土铳打烂了，便狠狠踢了一脚："我真是信了你的邪……"但他忽觉脚脖子一紧，似被铁钳牢牢箍住，疼得直入骨髓，竟是被地上的死尸伸手抓住了。

民兵虎子以前就知道老蛇手上都是又粗又硬的老茧，这层茧足有一指多厚，都是在深山老林里磨出来的，平时爬树上山有助攀援，指甲也是奇长无比，更有一股怪力，往常能够徒手剥掉鹿皮。眼下他见对方被土铳放倒才敢上前，没想到老蛇突起发难，不禁骇得面无人色，当时就被捏碎了踝骨，疼得他一声惨叫向前栽倒。

对方不等民兵虎子倒地，又将五指攒成蛇首之形，对准他心窝子猛戳过去，来如影，去如风，动作快得难以想象。民兵虎子顿觉胸口像被铁锤击中，眼前一阵发黑，因踝骨碎裂发出的惨叫戛然而止，嘴里再也发不出半点声音。老蛇又趁势一口咬在他的脸颊上，连着皮活生生扯下手掌般大的一块肉来，嚼在嘴里"吧唧吧唧"地咂着血水。

这些情况与司马灰扑灭土制炸药，以及其余几人上前扑火，全都发生在一瞬之间。等到众人发觉时，那老蛇已拖着全身血淋淋的虎子，快速向双胆式军炮库地面的裂缝中退去。

众人见老蛇身上没有半分活人气息，被土铳击中后仍然行动自如，实不知是什么精怪，都着实吃了一惊，可事到如今，也只得壮着胆子上前抢人。

谁知民兵虎子本已昏死过去，脸上撕裂的剧痛又使他醒转过来，感觉自己脸上黏黏糊糊，眼前一片漆黑，且身体后仰，被人不断拖动。他心中恐惧无比，但完全丧失了抵抗能力，只能伸着两只手四处乱抓，揪住了身边一门 66 式加榴炮的拉火索。

世上的事往往是越怕什么越有什么，这门 66 式 152 毫米加榴炮的膛子里，居然安装了引火管，还顶着实弹。这座地下双胆式军炮库是 60 年代末期所建，当时部队完全按照战备值班的要求，每天都要反复装填拆卸实弹训练。也许是在掩体内部发生了崩塌，人员撤离的时候由于疏忽，竟没打开炮栓检查，导致 66 式加榴炮处于随时都能发射的战斗状态。

司马灰等人置身在黑暗当中，并没有看见民兵虎子拽动了拉火索，蓦然间一声巨响，66 式 152 毫米加榴炮从后边炸了膛，弹药在阴冷的空间里长期暴露，难免有些发潮，使爆炸并不充分，但威力同样惊人，在近乎全封闭的双胆式军炮库中听来格外沉闷，无异于震地雷鸣。众人猝不及防，都被气浪掼倒在地，眼前金星飞舞，牙花子麻酥酥的，脑子里嗡嗡轰响。

等众人摇摇晃晃地爬起身来，用矿灯和手电筒向前照视，只见那门数千斤的 66 式 152 毫米加榴炮，已被膛子里的爆炸掀动，斜着躺倒在墙边，后边整个给炸豁了嘴，而四周并没有老蛇和民兵的踪影，估计是在爆炸的时候，都滚落到裂缝深处去了。

这座双胆式军炮库虽是钢筋混凝土结构，但位置设计很不合理，岩脉交界处的天然张力不断施压，使它内部产生了很多崩裂，此时被五千多公斤的重炮一撞，破碎的墙体纷纷塌落。司马灰两耳嗡鸣，也能听到头顶钢筋发出断裂般的异常声响，心想："糟糕，再不撤离就得被活埋在山里了。"

司马灰这个念头刚在脑中出现，忽闻乱糟糟一片响声，那动静非同小可，眼看整片墙体向下沉陷，急忙打手势让其余四人躲进66式加榴炮旁的地缝里避难。大量的钢筋混凝土随即砸下来，霎时间尘埃四起，把地裂堵了个严丝合缝。

从虎子用土铳击倒老蛇，引燃了土制炸药，到无意间拽开拉火索，再到双胆式军炮库发生崩塌，只不过短短的一分多钟，众人却已由生到死走了几个来回。那浓密的烟尘中不能见物，也无法停下来喘气，众人不得不摸索着两侧的岩壁继续向下移动。

众人发现双胆式军炮库下面是个岩层间的大豁子，也就是山腹里的一道深涧，越向下越是宽阔，其中淤积着泥土，生满了潮湿深厚的苍苔，形成了多重悬空的土台，把两侧的洞穴都掩盖住了。司马灰听到不远处有些响动，将矿灯光束照过去的时候，恰好看到老蛇正拖着生死不明的虎子爬进一个洞口，距离众人还不到十米远。

高思扬救人心切，端起土铳往空中放了一枪。老蛇似乎没料到司马灰等人这么快就跟了过来，听得枪响也是心慌，急忙往旁一躲，不料踩塌了岩缝间的土壳，连同虎子一同坠向了山腹深处。

众人心头也都跟着一沉，往下俯视山腹里的裂缝，山涧中冷风凄然，黑茫茫的幽深莫测。这大神农架主峰海拔两千多米，如果山体内的缝隙直通到底，即使是铜皮铁骨，也得摔成一堆烂泥了。塔宁夫探险队当年选择从这里出发，说明此处很可能通着原始森林下面的地底洞穴。

高思扬心急如焚，当时就想觅路下去，但四周黑得好像抹了锅底灰，连东西南北都辨认不出。

司马灰见地势险要，忙拦住高思扬说："我可不是给你泼冷水，你觉得从这摔下去还能活吗？"

罗大舌头也道："我看就是不摔下去，那人也没救了……"

胜香邻说："总不能视而不见吧，得想法子下去仔细搜寻，活要见人，死要见尸。"她说完又向高思扬和二学生询问情况，如今上面的洞口已被彻底填死了，林场子几时才能派人来实施救援呢？

高思扬和二学生两个人冷静下来想想，眼下面对着另一个极其残酷又不能回避的事实——深山里的无线电联络至今未能恢复。等林场子发现通讯组失踪，再派人过来察看的话，那一来一回至少需要五天时间，就算能动员部队前来救援，等挖到这地方起码也需要一两个月。这还是尽量往好处想呢，因为"文革"时期各个行政部门名存实亡，最大的可能就是认为通讯组在山里遇难了，而不采取任何措施。留在这等待救援和等死没什么区别，自己找办法脱困的可能性又几乎为零。

胜香邻不忍看通讯组的两个幸存者在此送命，便询问司马灰，是否能带这两个人一同行动？

司马灰寻思高思扬是军医学院的学员，担任卫生员绰绰有余，她本身胆大心细，行事果决，值得信任；别看那个二学生体格单薄，却懂得无线电通讯技术，书本啃得多了，纸上谈兵的理论非常丰富，说不准什么时候还用得着他。带上这两个成员倒也不算累赘，只是三人自身携带的食物和装备不多，仅能维持最低限度的生存所需。总之，可以说是利弊均衡，于是司马灰直接告诉高思扬："你和二学生除了留下来等候救援，还有一个选择，那就是跟着考古队一起走。但我们除了设法搜寻老蛇和民兵虎子的尸体之外，还有一个更为重要的任务——要设法穿过山腹，深入阴峪海原始森林下的地底世界。不过具体情况不便透露，生还的希望也很渺茫。所以咱得把话说在头里，选择走这条路你们就必须把恐惧、疑虑这些东西统统抛在脑后，凡事听我指挥，尽量别给我添麻烦。我这什么都缺，就是不缺麻烦。"

高思扬十分清楚现在的处境，救援是指望不上了。虎子也是有死无生了，可那个老蛇却很难用生死两字揣摩，只凭自己和二学生未必对付得了。与其活活困死在山腹中，倒不如冒险跟着考古队一同行动，还可顺便搜捕"老蛇"，便当即点头应允。但她不满司马灰言语冷酷，显得不近人情，就说："还不知道谁拖累谁呢。"

二学生更是个薦大胆，他原本就对自己的前途不抱希望了，又觉得这事比在林场子里干活刺激多了，何况组长都已做出决定，他还能有什么意见？

众人说话的时候，罗大舌头已爬进被那个老蛇扒开的洞穴探察，不久便爬回来报告情况："没想到除了塔宁夫探险队的十几具枯骨，还有一件大货！"

第三话
潘多拉的盒子

司马灰心想，塔宁夫探险队刚集结到出发地点就遇害了，哪来的什么大货？但老蛇想找的地图，应该还在某具尸骨身上，于是就跟着进去看个究竟。

那洞窟里面很狭窄，缝隙中栖息着很多岩鼠，受到惊动便四处乱窜。地上横倒竖卧着十几具枯骨，头上都戴着类似于 Pith Helmet 的软木凉盔。

司马灰知道，民国年间来自英美沙俄等地的冒险家，经常打着地理考察的名义，到处搜掠古物或是捕捉珍禽异兽，运气不好客死异乡的也大有人在。神农架原始森林中蕴藏着大量罕见的野生动植物，如果能逮到活生生的"野人、驴头狼、鸡冠蛇、棺材兽"，回归本国之后，名声财富自然唾手可得，哪怕是制成标本卖给博物馆，也足够发上一笔横财。塔宁夫这伙人大概就是干这行的，但没想到却被向导所害，不明不白地屈死在了山腹之中。

罗大舌头从枯骨旁拖出一个沉重的帆布口袋，原来这就是他刚才所说的"大货"。

司马灰看那帆布口袋的形状和分量，就明白里面装着枪械，打开一看，果然都是油布包裹的枪支，还有几个大铁盒子，里面装满了子弹。两人急于看清都是些什么洋货，迫不及待地解开捆扎的绳子，就见其中有几支枪的形状非常奇怪。枪托像是普通步枪或猎枪，但枪身却短了1/3，扳机下部还有个剪刀形的手柄套环。司马灰毕竟在被称为"万国牌武器陈列馆"的缅甸混了多年，认得这是装填 12 号口径弹药的温彻斯特—1887 型拉杆式连发枪。这种枪的生产年代较久远，但便于携带，构造简单，易于分解，足以适应各种恶劣环境。它利用杠杆原理退弹上弹，能装填六发 12 号口径猎枪霰弹，射速和杀伤力颇为理想。袋子里还有一支打熊用的大口径双筒后膛猎枪，使用 8 号弹药，是加拿大生产的重型猎枪，另有一支德国造瓦尔特—P38 手枪。

司马灰暗觉侥幸，这也算是天公开眼，要是被老蛇抢先一步找到塔宁夫的尸骨，他们全要变成枪下亡魂了。他先捡了两顶软木盔，让高思扬和二学生戴上，又告诉众人要各自带上枪支弹药防身。事实上，塔宁夫探险队就是一伙强盗，和山里的土贼没什么区别，这装备不捡白不捡，跟他们没必要客气。

罗大舌头早已挑了后膛猎熊枪，又将 P38 手枪挎在身边备用。司马灰和高思扬、胜香邻三人则选取了轻便的 1887 型拉杆式连发猎枪。二学生也想跟着拿支拉杆式连发枪，司马灰看他是个高度近视，从握枪的架势来看也是个生手，搞不好再把自己人给去了，就吩咐他仍旧用那条从林场子里带来的土铳："能给你自己壮胆就足够了。咱是有多大锅下多少米，千万别有多余的想法。"

塔宁夫探险队的枯骨旁还有若干背囊，里面大多数东西都已不能使用。司马灰逐个翻了一遍，让高思扬看看有没有能用的急救品，好装在她的军用挎包里带走。司马灰又找出几捆火把，那是些事先削好的木棍，粗细长短相近，顶端缠着混有固体鱼脂油膏的布条，外边缠着胶皮套筒，使用的时候摘下套筒就可以点燃，燃烧时间很长，也不用担心挥发受潮。这东西在洞穴里不仅能够照明，更可用于防身，于是他就捡了个破背囊装进去，还多塞了两大盒子弹，让二学生背在身上。

胜香邻见高思扬身边只有一支手电筒，也没有备用的电池，便给了她一盏电石灯用来照明。

高思扬谢过接在手里，急着问司马灰："现在有了枪支和火把，是不是该下到山腹深处搜捕老蛇了？"

司马灰说："且慢，那土贼要真是个成了气候的尸怪，拉杆式连发枪也未必能对付它。"

高思扬道："你究竟是不是在考古队工作？怎么满脑子迷信思想？这世上哪会有能说人言的僵尸？"

司马灰说："我刚想起旧时挖坟抠宝的土贼们有种绝技，叫做僵尸功。练就了之后是半人半尸，可以不呼不吸地蛰伏在地下许多天，即使被活埋了，还能自行挖洞爬出来，但这种人只能昼伏夜出。据说这种绝技早已失传了上百年，也不知道是真是假。我寻思那老蛇身怀妖术，常年在深山老林里采药哨鹿，没少吃过野鹿衔来的灵芝肉芝，说不定就习练过这路邪法。而且此人本性孤僻，手段凶残，被土铳轰击后浑然不觉，更是不合常理。如果他掉在深涧下都没摔死，就肯定是找地方躲了起来。这山豁子里深不见底，咱们总共只有五个人，根本没机会找到他，何况拉网式的分散搜索过于冒险，若是在落单的情况下碰上点子，只怕谁也讨不到半分便宜。不过主动权还是在咱们手里。这个老蛇打算找到探险队留下的地图，到地底下抠件'大货'潜逃境外，否则唯有死路一条。只要咱们先把地图拿到手，就等于断了他的生路，不愁那土贼不自投罗网。"

众人均觉司马灰所言在理。老蛇身上那股子酷似福尔马林的味道，正是其最大的弱点，除非埋在土里，否则根本遮掩不住。倘若对方主动接近，便很容易暴露目标，到时候乱枪齐发，即使真是铜皮铁骨，也能把他射成筛子。当下众人就在洞穴里逐个检查那一具具枯骨，终于找出一个两只烟盒大小的羊皮本子，历年既久，纸张都已泛黄，其中绘满了各种生物植物的图形，还有一些山脉森林的标记。

司马灰等人仔细翻看记事本。他们不懂那一串串英文注释是何意思，但看图猜意，却能明白一多半。记事本里的素描，多是探险队在深山里发现的各种野兽和植物。末页是一幅简易地图，还夹着几张模糊不清的黑白照片，好像是拍摄的某些古墓里的壁画。

照片里的壁画，应该就是这幅地图的主要依据。地图起始于一座山峰，路线穿过山腹下幽深曲折的地谷，每隔一段就标有一个黑点，尽头是地脉交汇形成的盆地。那地方大概就是塔宁夫想去寻找的地底洞穴，地形和山海图上的记载如出一辙，只是抹去了浓重的神异色彩，加入由外围勘测获得的坐标，使得地图更具实用性。

不过有个标记很令众人费解。这是一个绘有大骷髅的盒子，虽只是简单勾勒，却显得鬼气森然，看上去有种不祥之感。

高思扬问司马灰："地图中的这个标志是什么意思？"

司马灰没有头绪，乱猜说："八成是装着古尸的棺椁。"

胜香邻摇头道："不像是棺椁。西方人习惯用这种符号代指黑盒子，也就是潘多拉的盒子。它预示着一旦揭开秘密，就会出现灾祸和死亡。"

司马灰觉得潘多拉的盒子这种假设应该没错，综合记事本里的各种线索来看，也许塔宁夫探险队发现了古楚国遗留下来的壁画，拍成照片后经过分析考证，绘制成了这幅地图，并想以此作为依据，去寻找这个不为人知的秘境。民间传说那地方是锁鬼的阴山，也有楚幽王时期埋下的重宝，至少两千年没人进去过了。塔宁夫探险队自恃装备精良，但也感到此行吉凶难料，难免会心生畏惧。在地图中标注了潘多拉的盒子，可能正是他们对未知危险的一种评估。

司马灰原想翻过燕子垭到阴峪海，再设法由隧洞进入地下，探寻山海图上记载的天匦，可途中出现了很多意外，最后被闷在了山豁子里，不得不临时调整计划，改为依照塔宁夫探险队留下的地图行进，也许天匦就在潘多拉的盒子中。

司马灰将羊皮记事本和照片装进防水袋，与从罗布泊望远镜带回的笔记放在一起。他推测塔宁夫能够得到地图，并组织探险队来到神农架，并不是一个孤立的事件。另外，肯定还有不少抱有各种目的的亡命徒来此冒险，只不过始终没人成功。或许那潘多拉的盒子里真有诅咒存在，此行的凶险可想而知，只怕又是一趟"签字活儿"。

众人眼见再无所获，就经岩层间的裂隙攀援下行。那幽壑里谷深壁陡，云雾压着云雾，忽而狭窄忽而宽阔，黑洞洞、湿漉漉的不知深浅，连下脚处都不好找。山腹底部是条往西北延伸的地谷，司马灰等到此已是一昼夜未曾合眼，在附近搜寻了半天，也不见老蛇和民兵的尸体，只得先找个稳妥的所在宿营，但没人能睡得踏实。随后他们再利用指北针和地图辨别方位而行，又走了整整一天，最终在地谷边缘的岩壁间，找到了一条狭窄的三角形缝隙，里面都已经被苍苔和泥土堵塞了。如果没有地图上标出的记号，在一片漆黑的山腹里，谁也不会注意到这里有条通道。

罗大舌头扒开苍苔开路，五个人一个接一个穿过深达数百米的裂缝，地势越行越低，随后才逐渐开阔起来。再向前行，空气里潮气更加浓重，地上腐败枯萎的落叶深得可以埋住小腿。齐腰粗的朽木一踏上去就会完全碎裂，周围密密匝匝，尽是近二十米粗的大树。它们挺拔如箭，与深山老林里的任何树木都不同。据目测，它们少说也有近百米高，外貌则像西方的圣诞树，树叶呈大而宽阔的长矛形，树身上遍布苔痕，十米以下绝少旁枝侧叶，常有枯藤绕树而上。也有些倒伏的大树，有的依然枝繁叶茂，有的已经死了，上面长满了菌类和湿苔，使地表形成了又深又厚的腐殖层，踩在上面像海绵一样，不时散发出幽蓝色的微光。

高思扬又惊又奇："山腹深处哪来这么粗的古树？"

二学生也看得目瞪口呆。他在林场里整天伐木，砍过不少生长了成百上千年的参天大树，可是跟这些古树相比，却不值一提了。这才是真正的神农古杉，材积大得无法想象，人在它的面前犹如虫蚁般渺小，在矿灯照明范围里的所观所见，无非一隅而已。

胜香邻用猎刀剥落一片树皮察看，推测说："大神农架在几亿年前处在海底，后来由于板块抬升才形成了高山，所以地下蕴藏着丰富的古生物化石。看这情形，应该是密布森林的岛屿发生过沉降，那时候气候温暖，地貌和植物与现在完全不同。这些早该灭绝的远古树木密度很大，虽然埋在地下上亿年，早已停止生长，但躯干里仍有养分存留，因此不朽不枯，能像僵尸一样保持原貌。"

司马灰第一次听说古树还能以僵尸的状态存在，正想走上前去看个究竟，却听旁边的罗大舌头突然叫道："娘爷，什么鸟东西在此？"

第四话
史 前 孑 遗

这片史前森林，在地底遗存了亿年之久，那时的动物和植物多数由于体型过大而灭绝，因此眼前所有的一切都像被显微镜放大了几十上百倍。

二学生初来此地，两只眼睛都不够用了，不免既亢奋又紧张。他冷不丁听罗大舌头来了这么一嗓子，还以为是有危险情况发生，当即端起土铳转身就打。

司马灰忽见二学生那黑洞洞的铳口直对着自己，急忙挥手阻挡，就听"砰"的一声硝烟弥漫，铅丸铁沙擦着 Pith Helmet 打到了上方。

众人看司马灰差点被走火的土铳打死，心里都是"扑通"乱跳。幸好土铳击发步骤迟缓，司马灰又是反应机敏，要不然脑袋就得被当场轰没了。

二学生见状吓得脸色发白，十分尴尬地说："对不起，对不起，这地方实在太黑了，我这眼神也真该死……"

司马灰长时间在缅甸打仗，经验丰富，早看出二学生根本不是用枪的料，此时责怪他也没意义，就说："得亏没让你拿那条 1887 型连发快枪，否则我现在已经横尸此地了。你眼神不好就在脑袋里上道保险，发现目标之后先数一二三，不数到三不许开火。"

罗大舌头对司马灰说："行了行了。咱这队伍里都是国家和人民的人，你死谁手里不是死呀，反正也没便宜外人。"

司马灰骂道："罗大舌头我日你先人，要不是你一惊一乍的，老子刚才也不至于挨这下。你到底瞧见什么了？"

罗大舌头瞪目道："我这好心好意劝你们几句，倒被反咬一口！我瞧见什么了……我瞧见我后脑勺了行不行？"

胜香邻用矿灯照向罗大舌头身后，低声说道："先别斗嘴皮子了，这附近确实有些东西……"

众人循着光束望去，只见附近几片枯叶奇大如床，叶脉经络皆有一握粗细，枯叶和各种怪异奇特的菌苔丛中，半遮半掩一个黑糊糊的物体。那物似人非人，有眼、有眉、有翅，身下还有只趴伏的硕大蟾蜍。

高思扬不知道这是何物，惊道："这是人还是山鬼？"

二学生也吃惊地说："我从没听说神农架原始森林里有这种异兽出没。"

罗大舌头端着猎枪说："这事你们得问司马灰。他是生物专家，熟悉鸟兽习性，连甲虫脑子里想什么都知道。"

司马灰上前抚去泥土，发现是尊玉俑，看质地近乎枯骨，表面金彩已然剥落，纹路也都模糊不清，存世至少在两千年以上了，便告诉众人道："我在考古队混了这么多年，铲子底下刮出的泥都能堆成山了，自然识得此物。这不过是个瓦爷，也就是俑，有玉、金、石、铜、木之分。可地下的这尊玉俑形状古怪，辨不清它究竟是人还是禽鸟，但其来历绝不寻常。据说春秋时的楚国最崇信巫鬼之事，认为阴间之神皆为鸟首而人面，可将死人的魂魄带往阴间，依靠在地下吃死人脑为生。古时候曾说阴峪海底下锁着厉鬼，楚人在周围放置"玉俑"镇邪，以防阴魂从中逃脱，所以在附近发现玉俑不足为奇。随着逐步接近塔宁夫探险队在地图上标有潘多拉盒子的区域，这类东西将会越来越多，用不着少见多怪，反正是死物。"

此时罗大舌头大概也瞧清楚了，奇道："咦……我刚才怎么看到这尊玉俑活了？"

司马灰不信："你就别给自己找台阶下了，刚才已经让大伙虚惊了一场，现在还敢谎报军情？"

罗大舌头叫道："天地良心啊！你让大伙评评，我罗大舌头是那号人吗？我真瞧见这边有东西在动……"他边说边用猎枪在枯叶丛中乱戳，就看那腐苔里有株形状酷似皂荚的植物。罗大舌头说："这八成是会动的食人草！"

二学生凑近看了看说："这是一种半菌类、半浆果的史前孑遗植物，专在地下生长，林场子附近的山洞里也有，不过体型可要小得多了，扒开外皮后，里面的果实可以食用，有的味如鱼髓蟹脂，有的内瓤清脆柔滑，吃起来就像黄瓜一样。"说着他上前揪了下来，想要尝尝味道。

罗大舌头一听这东西还能吃，连忙抢过来往自己嘴里塞，嚼得汁水淋漓，还批评二学生说："话可不敢乱讲。别忘了'破四旧'的时候，就因为黄瓜占了个'黄'字，被改名为青瓜了。我看凭你这没心没肺的模样，大概万万没有想到——原来一根小小的黄瓜里面也会有阶级斗争。所以今后千万别再整这词儿了。咱是迷途知返，为时不晚，顽固到底，死路一条啊。"

这时司马灰同胜香邻、高思扬三个人，开始用矿灯照着地图辨认位置，推测图中黑点是条隐秘曲折的路线。而此处已是阴峪海地下，高约百米的古树，多为水杉、洪桐、水松、秃杉、银杏、红豆杉、香果树、鹅掌楸等孑遗植物之祖。冠盖相互支撑依附，结成了洞窟顶壁，内部看似无边无际，到处充满了阴郁潮腐的气息。一层覆盖着一层的腐烂枯叶下尽是死水泡子，人陷下去就别想再爬出来。在阴峪海的深山密林中，至今还栖息着许多早已灭绝的大型古代生物，地下看似沉寂，却也是危机暗伏，说不定途中会遇到什么意想不到的东西。如果没有地图中以黑点标注的路线作为引导，根本无法穿越这片规模惊人的史前植物群落，但这幅地图并没有实地勘验，因此未必够精确，也只能作为参照。

高思扬问司马灰："你怎么只顾着往深处走？不去搜捕老蛇了？"

司马灰说："那土贼坠落到山腹里之后，就他娘的譬如云中鸟，一去无踪迹了，活不见人，死不见尸，如今又能上哪找去？不过只要对方还能行动，就一定会紧紧尾随着考古队不放，迟早还得露头。咱们提高警惕，随机应变就是。"他见路途艰险，更不知要在地下穿行多久，才能开启潘多拉的盒子，心中也有些忐忑难安，当即招呼罗大舌头和二学生准备动身。

二学生接连在枯叶下找到几枚浆果，却都被罗大舌头抢去吃了，他心有不甘，还在继续找寻，忽听旁边有些细微的声响，听起来竟像是那尊玉俑在动。二学生心里纳闷，推了推架在鼻梁上的眼镜，站起身来仔细打量玉俑。

此时司马灰也察觉到了异动。他看二学生站在玉俑跟前，心知要坏，可是已经来不及出声提醒了，借着矿灯光束，只见玉俑口中忽然喷出一道黑气。二学生大骇，"啊"的一声惊呼，那缕黑气快如鬼魅，直接钻进了他的嘴中。

谁都没看清楚玉俑里出现的东西是什么，二学生更是吓得怔在当场，半天才回过神来，觉得腐气难当，接连咳了几声。

高思扬见状上前将他拽离玉俑，问道："你没事吧？"

二学生摆了摆手，表示没觉得身体有什么异常。

胜香邻也对二学生说："我好像看到有东西钻到你嘴里去了，你真不要紧吗？"

二学生有点紧张："你们别吓我了，真的没什么，就是被那玉俑里积的尘土呛了一下而已……"半句话还没说完，他竟觉得两腿无力，周身寒战不可忍耐，不由自主跪在了地上。

司马灰见二学生脸色越来越苍白，身上青筋凸显，整个人气息奄奄，知道一定是被异物钻进了腹中。刚才罗大舌头发现玉俑身上有东西在动，可能正是此物，不过到底是什么还很难说。若不想办法尽快取出来，这条性命就保不住了。

罗大舌头想起当年被除柬埔寨食人水蛭的情形，可阴峪海地下好像没有巨蟒，再说这二学生说不行就不行了，跟在缅甸野人山遇上的情况不太一样。自己明明瞧见有个黑乎乎的东西钻到二学生嘴里去了，记得东北那边有种虫叫蚰蜒，类似蜈蚣，夜里等人睡着了，就会钻进人耳食人脑髓。大概是玉俑里的蚰蜒钻到他腹中去了，遇到这种情况得立刻灌猫尿。

这地方哪会有猫？何况玉俑里那道黑气似乎有形有质，能走五官通七窍，怎么看也不像蚰蜒。但那异物钻入体内的时间很短，抢救及时或许还能保命。司马灰眉头一皱，计上心来，当下不由分说，像拖死狗似的拖上二学生，径往地势低洼的区域行去。

高思扬阻拦不及，只得拎起二学生掉下的帆布背囊，加快脚步在后跟随。

司马灰看前边的参天古树盘根错节，几条枯藤在树根间横空而过，就让胜香邻帮忙照明，他和罗大舌头用绳子将二学生倒悬起来，并把各窍闭塞，仅留嘴巴。

高思扬见状就要解开绳索："通讯组的三个人已经没了一个，再这么折腾下去还得出人命。"

司马灰拦住高思扬说："前些年我迷路走进了一片坟地，听那老坟里有些响动，大着胆子走过去一看，你猜瞧见什么了？原来是只狐狸在坟包子上打洞。它从棺材里抠出一本古书，然后对着月光逐页翻看，一面看还一面挤眉弄眼地嘿嘿发笑，我那头发根子当时就竖起来了，寻思这不是撞上妖怪了吗？可咱傻小子睡凉炕——全凭火力壮，火壮胆就粗，哪能让它给唬住了？我拿块石头扔过去把狐狸打跑了，然后捡起书来一看，里面都是些起死回生的金石方术，从那以后我就自学成材了……"

高思扬听出司马灰说这些是为了稳住自己，喝止道："你还有心思胡说？快给我把人放下来！"

这时胜香邻已把矿灯摘下来握在手里，照着二学生的脸部观察动静。她提醒众人道："快看，有东西要出来了……"

司马灰等人定睛看去，就见二学生被绑住手脚倒挂在枯藤上，全身血液倒流，原本苍白的脸孔憋涨得通红，只能张大了嘴透气。有一物莫辨其形，正从其喉咙中缓缓探出，看上去血艳血艳的极其骇人。罗大舌头急欲提取，却因为太滑，一时措手不及，它忽又缩回腹中。

第五话
微 观 世 界

罗大舌头意外失手，心说糟糕透顶，看来二学生腹内确实吸入了异物，又生养于血中未死，此刻人体内血气渐枯，且倒悬已久，那东西一旦缩回去，必定不肯再出，只有开膛破肚才能取出了。

司马灰应变迅速，抬手直戳二学生的肋骨，两肋处有皮无肉，最是敏感不过。那二学生又被蒙着眼倒吊起来，忽然被手指戳中，顿时一声惊叫，又将刚缩进喉咙里的东西吐了出来，这回被罗大舌头死死钳住，顺手抛在地上。

司马灰按住矿灯跟踪照视，就见那物仅有一指来长，半指来粗，身体扁平，两侧生有六个短肢，肢上生满吸盘，满身是血，口吐黑雾，发出近似木质螺旋桨的声音，生性极是活泼，滑溜无比，落地后行动急速，一晃就爬到枯叶缝隙间没影了。

罗大舌头以为刚才就把它捏死了，没想到还活着，再想用脚去踩，那物却早已经倏然远遁。他暗觉纳闷，问司马灰道："那是个什么玩意儿？麻蛇子？"

司马灰觉得不像麻蛇子，栖息在丛林里的麻蛇子只有四肢，更不能凌空而动，而玉俑中的生物更接近旋龙。那是大荒里的一种原始生物，能短距离飞行，习惯寄身于潮湿阴暗之地，最大的只不过身如银针，据说灭绝已久，晋代之后便不再有相关记载，可刚才所见竟是手指粗细的古种。阴峪海地下与世隔绝，特殊的环境亘古不变，还不知究竟隐匿着多少罕见罕闻的可怕物种。

高思扬见司马灰手段精绝，心下暗自惊叹。她和胜香邻两人上前动手，把二学生从古藤上放了下来，解开绑缚，活动血脉。

司马灰心知二学生能捡回性命实属侥幸，虽然伤了元气，但还不至于留下什么隐患。也多亏那异物是雄性，若是雌物散卵于血中，就算华佗扁鹊在世，也找不到解救之术了。他看二学生手脚发软，土铳也丢了，就捡起一段坚韧粗大的松枝，用猎刀削出矛尖，缠上绳索，交给二学生用以探路防身，又叫他跟紧了队伍，下次可不见得还能这么走运了。

众人从地图上看不出距离潘多拉的盒子还有多远，也不敢在危机四伏的环境中多做停留，稍事整顿便按图中标出的方位前行，可刚走出不远，前路却被几株缠抱在一起的古树遮挡。周围怪异的树根，像章鱼触手似的穿过其他树木底部，周围五颜六色形态各异的云芝菌类植物，就像层层叠叠堆砌的伞盖，从古树躯干上顺着地面绵延铺展，挤得密不透风。

阴峪海底下的树木直径最小也有二十米，人行其间，无异于以蝼蚁之躯观测大千世界。如果从两侧迂回过去，那就偏离了路线，不知道会转去什么地方，也很容易陷入枯枝败叶下的淤泥。

司马灰只好打个手势，让众人先停下脚步，取出罗盘反复对照地图。

这时高思扬迅速把 1887 型拉杆式连发枪从肩上摘下，提醒司马灰道："这附近有人……有很多人……"

司马灰没听到周围有什么动静，心想你瞧见鬼了不成，这亿万年不见天日的地底下，哪来的很多人？

跟在高思扬身后的二学生问道："又发现玉俑了吗？还是离那些东西远一点为好，凡事安全第一啊！"

高思扬没有立刻回答。她一手端着枪支，一手提着电石灯照向身侧的地面，示意众人过来观看。

司马灰等人围拢上前，向高思扬所照之处望去，果然看到一个十分清晰的脚印，是赤着脚踩到苍苔上留下的足印。

阴峪海地下渗水严重，寄附在树木上的植物非常密集，闷热潮湿而无风，总是显得雾气蒸腾。而地面潮湿的树叶层下，尽是又滑又软的泥浆和腐烂的木头，无论发生过什么，丛林很快就会把留下的痕迹掩盖掉，所以这脚印应该是刚留下不久。

众人知道在地底发现一个脚印并不奇怪，毕竟这里除了考古队，很可能还有那个行尸般下落不明的老蛇存在。但腐苔上的足印不止一个，将电石灯举高了照向周围，就会发现附近还有更多。那都是一串串的印痕，要么全是左足，要么全是右足，一个足迹紧挨着一个足迹，好像步履极小。

罗大舌头低头看了看自己的两条腿，实在琢磨不出究竟要怎么迈步，才能留下这样的脚印，因为常人行走时留下的脚印，必然是左右交替才合理。

高思扬更不敢放松警惕："林场应该不可能这么快就知道通讯组出事了，阴峪海地下怎么会突然出现这么多人？"

胜香邻对众人道："你们看……"她说着用枪托戳下去，表面留下足印的苍苔，立刻向下陷进一个窟窿。原来苔层覆盖的是段朽木，半点也受不住力。这说明如果有人抬脚踏上去，只会因体重踩穿朽木，绝不可能只留下一个足印。

司马灰半蹲在地上仔细观察，足印的脚趾、脚弓、前后脚掌都清晰可见，但分布得太诡异了，也许根本就不是人类的足迹。

众人皆感到不寒而栗，连口大气也不敢出，只盼趁着还未发生变故，尽快离开此地为妙。

司马灰拿过塔宁夫探险队的地图，继续寻找附近的参照物，以期尽快找到路径离开。不过，地图是根据楚幽王时期的古墓壁画绘制的，神农架是数亿年前的大海，阴峪海深林下这片茂密的史前植物群落，则是一处发生沉陷的古岛。岛中某个区域被标注为潘多拉的盒子，估计也是放置天瞡的地方，具体的历史还无从考证。现在唯一的指引，就只有这幅古老的地图而已。奈何地底环境复杂恶劣，如果不按路线前进，最终只会迷失在死亡的深渊，可是时移物换，滋生的腐苔和地菌，早已改变了原本的地貌。

司马灰虽是备感焦躁，一时间却也无计可施，不得不带着其余几人，踩踏着松软的大型云芝菌向上攀爬，扒开那一团团的藤蔓和乱七八糟匍匐的植物，尽量接近在图中标有记号的地点。

司马灰刚接应同伴攀上一段树藤，忽感阵阵阴风袭来，不觉打了一个寒战，浑身上下起了层鸡皮疙瘩，心想地下空气潮湿而又沉闷，怎么会有风？

他这念头一动，已知是有东西接近，立即调整安装在 Pith Helmet 上的矿灯，往高处照。地底虽然潮湿闷热，许多地方又有雾，但也存在着苔藓产生的微光，并不是绝对黑暗，因为光线质量还算理想，矿灯照明范围能达到二十米开外。

司马灰将光圈投到身后的虚空中，隐约见到有几片枯叶飘落而至，暗道真是邪门了。这里尽是古木巨树，枯萎的树叶幅宽也将近一米，要有多大的气流才能把它卷起来？他发觉情况不对，低声提醒其余几人："留神！"

罗大舌头也已察觉到恶风不善，抬眼观瞧的工夫，那些枯叶又近了数米。他忙端起手中的大口径后膛霰弹枪，左手如托满月，右手似揽婴儿，朝着距离最近的一团枯叶扣下了扳机。这支猎枪发射的是 8 号，所谓 8 号，是一个铅块制成枪弹时要分解成八颗铅珠，12 号即是能够分解成十二颗铅珠，标号越小杀伤力越大。一般说来，装有 8 号的枪支就属于重型猎枪了，杀伤力非同小可。此枪由加拿大制造，枪托上刻着一个狰狞的熊头，可能是专门为了在落基山脉中猎杀巨熊而设计的。此刻"砰"的一枪击出，那团枯叶顿时翻滚坠下，直接摔落在众人身前。

司马灰等人俯身察看，发现那是一只体长过米的枯叶蝶，应该属于天蛾当中的一种，躯体像层斑驳晦暗的外衣，和横七竖八的朽木简直一模一样，连眼睛的颜色也完全相同。通过如此伪装，它与周围环境完全融为一体，只有在近距离仔细观察，才能看出这团枯叶是有生之物。而这掉落在地的枯叶蝶，几乎被 8 号霰弹撕成了两半，身体内流出大量黄色的汁液，但还没有彻底死亡，仍在不停地蠕动，躯干上密密麻麻的触毛比钢针还要锋利，碰上了足以致人死地。

罗大舌头又开枪射杀了另一只枯叶蝶，其余几只扑落到密集的云芝丛里看不见了。但高处阴风飒然，显然还有更多的同类在附近盘旋。

司马灰让高思扬先把电石灯灭掉："有道是飞蛾扑火，我估计这些枯叶蝶，多半是奔着灯光扑过来的……"

二学生看得心里发毛，问司马灰："组长同志，你说这些东西会伤人吗？"

司马灰认为这种事很难讲，大神农架历来以奇洞异穴、白化生物、奇花异草、珍禽异兽闻名。作为北纬 30 度地带唯一遗留至今的原始森林，那些深厚茂密的植被涵养着充足的水分，像是一座多重的大型供氧舱，因此空气里的含氧量高得惊人。阴峪海地下洞穴中的史前植物群落，虽然已经彻底死亡，但是受环境影响，还如同僵尸一般保持着原貌，使得依附其表面的腐质层中生长出无数木菌和云芝。有些尚未灭绝的冷血生物，躲过了天翻地覆的劫难，逐渐适应了地底的生存环境，并以某种奇特而又神秘的方式，一直维系着脆弱的平衡。所以他告诉众人："这地底下的古老物种大多没人见过，即使见识过，也只是与之类似的分支异脉，无法用常识去判断。为了确保安全，当然是宁可信其有，不可信其无，应该尽量避免接触才是。"

司马灰说到这里，隐约听到附近飞扑过来的枯叶蝶已经越来越多，而在远处好像还有另一种极其异常的声响，似乎是密集迅速的脚步声。

第六话
围　捕

　　司马灰脸上微微变色，那脚步声密集杂沓，何止是几千几万条腿。阴峪海地下近乎与外界隔绝，当然不可能突然出现这么多人，什么东西能有这么多腿？会不会是蛰伏在地底的大蜈蚣？司马灰脑子里浮现出一条长满了人腿的蜈蚣，可他很快就打消了这种恐怖的念头，因为在苍苔上留下足迹的生物不止一个，应该是某种成群出没的东西。从足迹推想，这种生物的体型不小，而且轻捷如飞，所以才不至于踏碎朽木，现在听动静离得还远，但来者不善，预计过不了多久就会迫近到跟前。

　　其余几人也陆续察觉到了那阵声响，心里都有种莫名的压迫感。罗大舌头焦躁起来，一边给双管猎枪装填弹药，一边对司马灰说："那死蛾子有什么好看？瞧见它我就浑身不舒服，咱们赶紧走吧……"

　　司马灰看附近木菌丛生，形状就像山里的灵芝，只不过都生长在朽木中，团团簇簇绵延紧密，高度参差错落，最低矮的也在半米左右，高的能达到三五米。厚大的云团形芝盖色彩斑斓，可以经得住数人同时踩踏。地图上标出的路线，也许就在这片云芝丛林覆盖下的古树树干中，但具体位置不详。如果在木菌和粗藤层层纠缠下逐步搜寻，也不是一时半刻就能找到的。如今形势危急，也只能先找个树窟窿躲起来，然后再作打算。于是司马灰就带众人避过不断扑下来的枯叶蝶，尽快向木菌茂密处移动。

　　面前的云芝木菌高低落差很大，众人负重不轻，难以直接逾越，司马灰只好率先攀上去，然后由罗大舌头在底下做人梯，将其余几人一一接应上来。

　　司马灰刚把二学生拽到芝盘顶部，正要俯身接应最后的罗大舌头，不想一只枯叶蝶无声无息地落下，正扑在罗大舌头背上。众人都在高处惊呼一声："小心！"

罗大舌头感觉到枯叶蝶的栉状触须直往脖子里钻，却怎么甩也甩不开。他哪里还敢回头，奈何双管猎枪调转不开，急忙间只好拔出备用的瓦尔特—P38手枪，在大腿上蹭开套筒，对准身后连开数枪，子弹却像射在了败絮之中。那枯叶蝶受了惊，急欲抖翅起身，但腹下触刺戳进了背包里分离不开，情急之下竟把身高体壮的罗大舌头向后拖动。两个缠做一团，滚向芝盘边缘。

司马灰眼看罗大舌头势危，也来不及爬起身拿枪，倒蹿下去正待出手救援，忽听"砰"的一声枪响，罗大舌头身后的枯叶蝶已被1887型拉杆式连发枪射翻在地。罗大舌头也吓得一缩脖子，赶紧伸手摸了摸自己脑袋，所幸没被12号霰弹打个窟窿出来。

司马灰大喝声彩，他知道在如此混乱紧急的情况之下，能做到一枪命中目标，那真是说得容易做着难，除了射术出众和敏锐的反应神经，还必须有极其稳定的心理素质。胜香邻从来都不擅长使用枪械，二学生更不是那块料，谁还有这本事？

司马灰回头一望，只见高思扬正在扳动杠杆推弹上膛，双眼始终不离地上的目标。温彻斯特—1887属于轻型猎枪。那枯叶蝶躯体甚大，她担心伤了罗大舌头，所以第一发弹药并没有击中要害，还不足以致其死命。转眼间，枯叶蝶已再次扑飞起来。此时高思扬迅速压上子弹，举枪瞄准的同时抠下扳机，枯叶蝶腹部被射穿了一个窟窿，翻滚着坠下芝盘。

司马灰和罗大舌头、胜香邻三人极为惊诧，眼见高思扬推膛举枪到瞄准射击之间，绝没有半点拖泥带水的多余动作，而且枪法精准，想那军医学院又不是野战部队，她怎么会有如此快捷稳健的射术？

胜香邻把手伸下来接应。高思扬则收枪对司马灰说道："还不快上来，傻愣着看什么？你要是胆敢骗我，我下次就一枪崩了你的狗头！"

司马灰攀回上层云芝处，心想："我几时骗过你？"随即醒悟过来——这次进山受通讯所里的突发事件影响，临时改为由地下穿越阴峪海，先前在途中遇到死而复生的采药人老蛇，那座双胆式军炮库发生坍塌，直至发现塔宁夫探险队的遗骨，又找到标有潘多拉的盒子记号的地图，这些全都是意料之外的变故。随后，通讯组的高思扬和二学生被困在山腹中，不论原地等待救援还是自行寻找出路，最后生还的几率都极渺茫。司马灰寻思可以带上这二人同行，毕竟在那个代号为潘多拉的盒子的地底洞穴附近，应该还有一条通往神农架原始森林的隧洞。这条路线虽然危险，但只要能支撑下来，也不失为一条生路。可高思扬身为军人，必然要受组织纪律约束，如果跟她实话实说，断然不会跟随司马灰等人同去。所以司马灰只好声称自己肩负着特殊使命，是受上级直接委派，要到潘多拉的盒子中完成一项光荣而又艰巨的任务。高思扬始终对此事将信将疑，所以才冒出刚才这么一句。

此刻，远处绵密迅捷的脚步声已越来越近，司马灰顾不得再同高思扬多做解释，等罗大舌头爬上来，便带队又向前行。

二学生紧跟在司马灰身后，气喘吁吁地说："高思扬生在军人世家，其父是 1955 年授衔的大校。别看高思扬是个姑娘，但很有射击天赋，经常到靶场上练枪。跟随三支两军分队到山区的时候，找机会就借支运动步枪进山打猎，林场子附近的猎户都没她枪法好，谁提起来不得翘大拇指称赞啊。而我呢，我是用不惯土铳，但前两年参加民兵训练的时候也摸过六三式，你看我这还有照片为证。能不能发给我一把手枪，我也可以作战，不会当累赘……"说着他掏出一张四寸大小的照片，那还是他回城探亲时，找个熟人借了全副武装，手握六三式在江边拍摄的照片，一直贴身收着，颇为珍视。

司马灰没料到高思扬还有这么一层背景。他向照片上瞥了一眼，为难地说："二学生同志，你考虑自身安全没错，可也得想想大伙的安全啊。我看你还是凑合用这根……这根'扎枪'好了。那罗大舌头是隋唐年间好汉罗成之后，回来我让他传授你几招枪法防身。"

罗大舌头问二学生道："隋唐年间总共有一十八条好汉，你知道姓罗的排第几吗？"

二学生还没来得及回答，只听一片踩踏朽木的密集脚步声频率快得几无间隙，刚听到的时候还在百米开外，转瞬间就到跟前了。

此时众人置身之处，已距那几株被云芝遮盖的古树很近，仅剩三五步了，忽听动静不对，立刻举枪回身，就见云芝丛里出现了一只奇形蜘蛛，蛛身大如脸盆，躯体扁平，背上顶着数个单眼，六对附肢和螯足不停蠕动，两侧的八条步足长度惊人，与其身体几乎不成比例，足底酷似脚掌，生有肉垫和倒刺，以不同角度，甚至可以倒悬着任意爬动。它爬行起来轻捷如飞，细长的腿和脚趾很容易支撑身体，虽不至于像水蛭一样蹬萍渡水，但足以在沼泽上快速行动，这时踏在木菌上，不断发出奇妙的轻微声响，听得人心里头都跟着发慌。

那长脚蜘蛛越行越快，在高低错落的木菌上爬动如履平地，飞也似的直奔众人扑来。

司马灰等人吃了一惊，发声呐喊，乱枪齐射。那温彻斯特—1887型连发快枪并非真正意义上的连发，每打出一颗子弹，就需要扳动杠杆手柄完成退壳上膛，接着才能再次击发，射速与普通步枪相当，即使在熟练稳定的操控下，也必然会出现射击间隙。但三支1887型连发快枪，加上罗大舌头的双筒猎熊枪，相互弥补了空当，交织成了一道火网，顿时将那长脚蜘蛛打得支离破碎，但死而不僵，肚腹朝天，各足乱蹬乱挠，几只螯牙也仍然在不停伸动。

胜香邻用矿灯照到这蜘蛛脚下的奇异形状，低声惊呼道："是鬼步蜘蛛！"

罗大舌头问胜香邻："我只知道丛林里有种捷足捕鸟蛛，那玩意儿连犀牛都能咬死，可什么……什么是鬼步蜘蛛？"

司马灰也想起曾在山海图中看到，地底有种长脚蜘蛛，图形旁边用夏朝龙印注着"鬼步"二字，但当时并不知道那是什么意思，还以为只是蜘蛛的古老称谓，看图中身圆足长的外形，倒很像缅甸和越南丛林里的捷足捕鸟蛛。顾名思义，所谓捷足捕鸟蛛体型甚大，腿长身短，爬行速度快捷无比，更可张网捕捉飞鸟为食，毒性很强，非常凶悍好斗，就连热带丛林里横行霸道的巨蟒见了它，都得灰溜溜地赶快逃走。阴峪海下的鬼步蜘蛛，或许是捷足捕鸟蛛的异种，但此物不会吐网，也并非独来独往，听那涨潮般的脚步声，当是成群结队围捕猎物。

众人手中虽有枪支，却也只能勉强对付一两只鬼步蜘蛛，耳听黑暗深处踏动朽木之声异常密集，不知后面还有多少正围拢过来，哪里还敢停留，立即攀着枯树躯干里生出的云芝，竭力往高处攀爬，如今逃开一步算一步了。

不出司马灰所料，这成百上千的鬼步蜘蛛自木菌丛下快速迫近，遇到落地的枯叶蝶，就扑上去用螯牙将其麻痹，然后缓缓吸吮汁液，直到仅剩一片枯叶般的躯体才肯罢休。那些枯叶蝶被追得逃遁至此，早已筋疲力尽，除了少数还能稍作挣扎，大多无力反抗，唯有任凭宰割，这也使鬼步蜘蛛从四面八方围拢的速度有所减缓。

众人趁机攀到一片较高的芝台上，这是几块从树身横向凸起的云芝。此时上下左右几个方位，都有催命般的脚步声在疾速逼近，四周已被"鬼步蜘蛛"合围。

司马灰和罗大舌头眼见走投无路，一边装填弹药，一边咬牙切齿地纷纷抱怨道："咱这两条腿的活人，哪跑得过八条腿的蜘蛛啊？早知道出门的时候……就该在屁股后面装部发动机。"

第七话

眩　晕

　　司马灰等人耳听周围脚步声纷至而来，料是鬼步蜘蛛已将枯叶蝶消灭殆尽。此物生性凶悍冷血，追捕猎物时不死不休，为了自身生存以及保持种群数量均衡，同类之间也往往相互残杀。而且其螯牙里的毒素极其霸道，即使熊狮虎豹一类的大兽被其咬中，都会立即全身麻痹。这种麻痹只是肌肉僵硬，体内神经却仍有知觉，甚至变得加倍敏感，也就是说会在头脑完全清醒的情况下，被鬼步蜘蛛活生生吸成一具干尸，死前要受尽惨痛折磨。如果真落到那个地步，肯定会后悔没给自己来个痛快了断。

　　高思扬对司马灰说："现在后悔有什么用？与其负隅顽抗，不如想个法子突围。"

　　二学生闻听此言连连点头。他正要开口说话，忽然让司马灰拽住了衣领，立时被扯得扑倒在地。

　　二学生心中大骇，认为司马灰要把自己推下云芝，以便将围拢上来的鬼步蜘蛛引开，便颤声道："你……你可真是太没人性了！"这时却听枪声响于耳侧，一只从自己身后悄然抵近的鬼步蜘蛛腿部中弹失去重心，翻滚着落到树下。这才知是司马灰在千钧一发之际将自己救了，想爬起来的时候，竟一脚踏空，手忙脚乱地好半天挣扎不起。

　　此刻其余的几只鬼步蜘蛛同时围了上来。众人高声呼喝，听到哪个方向的脚步声接近，就举枪朝哪个方向射击，枪声此起彼伏响成了一片。

　　那些逼近的鬼步蜘蛛虽在几乎垂直的树干上爬行，但轻捷如飞，移动速度丝毫不减。众人只能以矿灯照明，各自为战，黑暗中放了不少空枪，1887型拉杆式连发快枪容弹量低的缺点也暴露无遗。这时是垂死挣扎，每个人都在不停地上弹射击，根本无暇喘息。

　　司马灰背后紧贴树干，半蹲着单手持枪射击，另一手揪住扑倒在地的二学生，将他从芝盘边缘拽了起来，无意间触到二学生身后的背囊，猛然想起里面除了装有两大盒12号弹药，还有数捆应急用的火把。

那些火把都是塔宁夫为地下探险行动特制而成的，顶端涂有一层硝磷，受到剧烈摩擦就会立刻燃烧。鱼油燃点极低，持续照明时间很长，不需要的时候拿套筒压灭，以后仍可再次使用。

司马灰连忙抽出一根，扯掉胶皮套筒，将火把在二学生的软木盔上用力擦过，火焰轰然亮起，将身前照得亮如白昼。

这时有只鬼步蜘蛛正爬到近前，司马灰挥手将火把直捅出去，重重戳在蜘蛛腹眼上。五行之中以火最为无情，凡是有生之物，无不畏惧。那一片红霞烈焰，上能烧开天关，下可燎彻地户，蛰伏于地底的冷血生物从未遇过如此灼热，顿时缩成一团落下枯树。其余的鬼步蜘蛛也似退潮般向后移动，躲到火把照不到的黑暗处伺机而动。

司马灰等人见火把虽然暂时将鬼步蜘蛛逼退，但它们仍围在附近不散，待火势稍微减弱，便会再次一拥而上。想到火把熄灭后将要面临的局面，任你再英雄豪杰，也不禁为之胆寒色变。

司马灰又抽出一根火把，点燃了交给胜香邻，以确保火光能够维持众人安全，其余的则不敢多用。

胜香邻道："咱们现在有了火把防身，应该找机会脱险。如果塔宁夫探险队留下的地图准确无误，也许那条通往潘多拉的盒子的秘径，就隐藏在这株古树里。"

众人点头称是，立即用矿灯和火把四处探照，按地图上标注的特征在附近寻觅路径。地底枯树直径都在二十米以上，峭立如壁。那些生长于树身上的木菌，则似一条条蜿蜒交错的栈道。

司马灰举着火把走在前头，发现高处有片黑影，在生满阴郁苍苔的树身上，显得颜色幽深，有些与众不同，仿佛一大块黑蒙蒙的凹痕。他攀上去，见是枯树躯干中的一个窟窿，里面矗立着两尊鸟首人身的玉俑。他心下恍然，这才知道先前找错了方向。原来地图中所指的通道，并非位于古树底部，而是就在这枯木躯干当中。

司马灰接应其余几人进了树洞，然后举着火把钻了进去，又从背包里取出那罐松油，全部倾在洞口点燃，以阻止鬼步蜘蛛跟随而来。怎奈树洞里腐朽潮湿，松油难以充分燃烧，火势微弱暗淡。但这树窟窿里阴暗压抑，狭窄的地形却颇为有利，众人有了地势依托，悬着的心终于落下一半。在松油燃尽之前，尽量利用地底复杂潮湿的环境，应当可以摆脱通过振动捕捉猎物的鬼步蜘蛛。

可二学生却边走边对司马灰说："咱们即使穿过这个树洞，恐怕也难以活命。我以前经常制作昆虫标本，也读过生物演化学，所以我大概了解那些家伙的习性。我刚才观察过被枪弹打碎的蜘蛛残骸，发现这蜘蛛头上生有白斑。那东西应该是个味囊，相当于一个化学通讯感应器。"

罗大舌头很是不以为然，从来只听说世界上有物理通讯，哪会有什么"化学通讯"？心里说，看你小子鬼头蛤蟆眼可真是够傻的，搞得清这两者之间的区别吗？

高思扬心中暗怒，本想指责罗大舌头态度恶劣，但她也清楚这罗大舌头嘴不饶人，平时净捡些鸡毛蒜皮的事来讲，谁要跟这家伙对上，那就算没个完了。况且现在生死攸关，哪有心思与之纠缠不清，还是少招惹此人为妙。她只好装作没听见刚才那番话，说道："别管有没有道理，你们先让二学生把话说完。"

二学生得到高思扬的指示，继续向众人解释。原来所谓化学通讯是以气味为信号，通过空气来传导接收。就像蚂蚁用触角相互交流，这种集群行动的鬼步蜘蛛生有味囊，可以通过自身分泌的气味进行联络，对其他生物的气味也非常敏感，所以才能够适应如此恶劣的生存环境。除非咱们可以在一瞬间逃出几公里，否则永远别想摆脱追击。当然，我说的几公里只是推测，至于这种气味感应的范围究竟有多远就很难讲了，直径或许是一两公里，或许还会更远。不过以咱们的移动速度来看，无论这段距离有多长，在理论上都不可能将鬼步蜘蛛甩掉。待到火把用尽，咱们的末日也就到了。

胜香邻问道："有没有法子消除或伪装气味？"

二学生无可奈何地摇了摇头："昆虫的感应比人类灵敏百倍，怎么也逃不掉的。"

司马灰刚才察看过树窟里的玉俑，寻思二学生所言不假。楚人留在阴峪海下的玉俑，完全与地图中标注的路线对应。这些鸟首人身的镇鬼玉俑，除了自身某种令人难以理解的神秘意义之外，玉俑内部中空，还可以放置药石，驱退鬼步蜘蛛，使这条秘径不遭其害。但过了两千多年，药石的气息早已消散，玉俑也沦为了旋龙栖身的洞穴。树窟的纵深不过几十米，穿过去之后仍然无法摆脱鬼步蜘蛛的围捕，附近难以逾越的沼泽对它们来说也不是障碍。五个人携带的枪支弹药和火把数量有限，总有用完的时候。

这时，罗大舌头看到身后燃烧的松油逐渐暗淡下来，提醒司马灰得赶紧挪个地方了。

胜香邻举着火把往前边照了照，惊见树洞尽头也有快速爬动的黑影，只是畏惧火光不敢凑近。

众人知道一旦离开树洞，就将再次被鬼步蜘蛛合围。另外也不能指望火把一直有效，等它们习惯了火光，随时都会扑上来把人撕成碎片。眼下唯一能想到的途径只有上攀到古树顶端。

司马灰摸得头顶有水滴落，于是率领四人，相继从树身躯干内部裂开的缝隙往上攀爬。这些近百米高的参天古木，冠盖压覆重叠，层层交织如网，落差起伏巨大。最细的枝杈也有几十厘米，大多粗如梁柱，表面生满了苔藓和木菌，走在上面只觉脚下枯木发颤，一步一滑，很是危险。高处有从洞顶渗落的地下水，使得湿气更重，火光也变得微弱，往下看黑咕隆咚，林雾滚滚。

司马灰虽是艺高胆大，到此也觉得头晕目眩，知道掉下去就没个好。那古树苍郁，偃盖虬结，菌苔生长得深密繁厚，险要胜过蚕丛鸟道。只有大致方向，没有明确路标，不用猎刀劈斩几乎寸步难行，使顺着树干爬上来的鬼步蜘蛛无法轻易接近，全都倒悬在树枝底层紧随不舍。

众人慌不择路，举步维艰，还要不时提防从空隙里钻过来的鬼步蜘蛛。而塔宁夫探险队绘制的地图，是以从地底穿越阴峪海的路线为主体。阴峪海下的这座古岛，从深海崛起前就已存在，当时此地湖泊星罗棋布，森林茂密，生长着许多古代生物。亿万年来几经浮沉，地形却始终保持着原貌，但是地图路线以外的大部分区域，由古至今从未经任何勘测，所以谁都预计不出下一步会碰到什么。

如此提心吊胆地在高处穿行，体力消耗极大，不多时大家都已感觉腿软脚麻，渐渐难以支撑，被迫停下来喘歇。

司马灰举着火把在前探路，看这古树冠偃盖低垂，周围树枝纵横，藤蔓交错，遍布奇形怪状的木菌。深处阴沉沉的迷雾缭绕，底下不知是什么

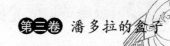

东西的腐烂气息直撞人脑，料来不是善处，岂敢冒险停留？于是便让众人咬牙坚持，等找到稳妥之处再做打算。

司马灰看二学生又累得实在不像样了，走在树枝上摇摇晃晃，便穿过树隙，挪动身体过去接应。

二学生等司马灰走到近前，上气不接下气地说道："我……我知道……潘多拉的盒子里有什么了！"

第八话
北纬 30 度地带

　　司马灰还以为自己听错了，奇怪地打量了一眼二学生。那潘多拉的盒子源于古希腊神话，大意是指人类抑制不住好奇心，打开了天神留下的盒子，从中释放出了无边的邪恶，因此它在西方喻示着带有诅咒的秘密。作为地图中标注的记号，它只是塔宁夫探险队给目标设置的一个代称。对司马灰来讲，潘多拉的盒子除了是阴峪海原始森林下的洞穴，还是春秋战国时代楚幽王锁鬼的背阴山。另外根据山海图中的记载，这个地底洞穴中还有某种更加惊人的秘密，找到它就相当于揭开了谜底。所以在这层意义上，潘多拉的盒子暗含的隐喻，倒是非常符合司马灰等人的行动。可二学生不过是在神农架林场插队的知青，又怎会知道潘多拉的盒子里有什么东西？

　　二学生显得有点激动，喘着粗气告诉司马灰等人："潘多拉的盒子一定与北纬 30 度之谜有关……"他以前在图书馆看过几本地理方面的书，北纬 30 度地带被称作世界上最神秘的轨迹。环绕北纬 30 度上下各 5 度的范围内，怪异迭出，存在着许多地质地貌奇观——从海拔最高的珠穆朗玛峰，到最深的马里亚纳海沟，有死亡旋涡之称的百慕大三角，还有神农架和黑竹沟。该纬度不仅是地震最频繁最集中的区域，也是飞机舰船失踪最多的区域，此外还有众多扑朔迷离的古迹。这些怪事是巧合还是冥冥之中的定数？似乎在这条纬度中，隐藏着一种神秘强大而又看不见的力量。世上有那么多神学家、哲学家和科学家，却没有一个人能彻底解答北纬 30 度之谜。虽然提出了无数种假设，但假设并不等于真相。

　　二学生跟着司马灰一路走来，深感所见所遇皆是平生未有之奇。这条谜一般的纬度怪异虽多，但从未涉及神农架的地下洞穴，所以这里是北纬

30度线上失落的地带，一定有许多不为人知的秘密。他猜测司马灰等人是来神农架探寻北纬30度的系列未解之谜的。倘若果真如此，发现者必定会青史留名，光祖耀宗，那就算粉身碎骨也值了。与其默默无闻地在林场里砍一辈子木头，他宁愿选择前者，铁了心要跟着司马灰做大事，百死不回。

胜香邻感觉二学生所言有些道理，大神农架毕竟处于变怪多发的北纬30度，这里各种可知和不可知的因素很多，应当提前做好心理准备。

司马灰当初在缅甸时，也曾听电台里播过一条消息："根据美国人统计，第二次世界大战期间穿越北纬30度线的美军潜艇，每五艘就有一艘由于非战斗因素失踪，具体原因不明，也没有任何一个生还者可以向世人讲述他们的遭遇。"这类令人毛骨悚然的数据和传闻还有很多，不过北纬30度范围太大了，现在还无法预知会在潘多拉的盒子里发现什么。他劝二学生不要胡乱猜测，赶紧跟着队伍往前走，此时此刻成功生存下去才是首要任务。人都吹灯拔蜡了，青史留名又顶个鸟用？这时，树隙深处忽然亮起一片刺目的白光，那是个奇异而又极其明亮的光团。

司马灰不知是哪里来的光芒，但此光线阴森惨白不像灯火，他立刻按低身边的二学生，同时提醒罗大舌头等人注意。

众人见情况有异，各自举枪待敌，可是还没来得及瞄准，那鬼火般飘忽不定的光团就到了面前。光雾中有种很原始的有翅飞虫，生得近似蜻蜓，身体纤细近乎透明，前翅大而后翅小，拖着三条丝状尾须，从顶端的复眼到尾须足有半尺多长，无声无息地从司马灰等人身边掠过。

这时周围又有不计其数的光雾亮起，往来穿梭于树隙之间，全都精灵般寂静无声。众人从未看过这么大的古代蜻蜓，而且数量奇多，不由得屏声息气，凝神注视，手指搭在枪机上不敢放松。

司马灰观察了片刻说："不用担心，这是发光的原始树生蜉蝣。此物不饮不食，朝生暮死。"

高思扬有些不解，问道："'朝生暮死'……那是什么意思？"

司马灰说："世上原有五虫，分别是嬴、鳞、毛、羽、昆。蜉蝣为昆中最古之物，由生到死也不过几个小时，根本不知道天地间还有昼夜季节变化，也用不着摄取能量维持生命。有道是'鱼游乐深池，鸟栖欲高枝'，不知蜉蝣在如此短暂的生命里，会有什么追求？"

高思扬听得此言，心底感到一阵莫名的怅然，望着黑暗中时隐时现的光雾若有所失。

司马灰说："别替蜉蝣难过了。咱要是想比它们活得时间长，就得尽快穿过这片史前植物群落。"说罢便要拨藤寻路。

高思扬叫住司马灰说："我看香邻身体单薄，气色显得不大好，二学生先前也受过伤，还不知有没有涉及脏腑。另外他又背着火把弹药，已在这么险恶艰难的地方攀行了许久，精神体力都到了极限，此处不比平地，再不缓口气非出事不可。况且这里植冠茂密，鬼步蜘蛛钻不进来，正可容人栖身，能不能让大伙停下来歇一会儿？"

司马灰说："不行。蜉蝣是速死之物，见者不祥。在返回地图中标注的路线之前，谁也不能停留。"

罗大舌头也觉得这地方阴气太重，千万不能多待。在缅甸和柬埔寨等地有蜉蝣聚集的地方，多是深湖大泽，常有怪蟒出没，水里甚至会有暹罗巨鲤，那巨鲤往往重达四五百斤，据说能一口吞下七八岁的小孩。可水下哪有那么多东西让暹罗巨鲤来吃？它就只能以数以万计的蜉蝣为食，所以才长成如此庞然巨物。这树蜉虽不是生在水域，但个头却大得多了，难说这地底下有没有专吃它们的东西。

高思扬并不认同征兆之类的迷信言论。她也清楚罗大舌头向来跟司马灰一个鼻孔出气，专出坏主意，口中所言多是捕风捉影的小道消息，根本不能让人信服，但是她孤掌难鸣，也只得跟着司马灰等人继续往林木深密处行进。

此刻已有成百上千的蜉蝣，在众人置身的树隙间盘旋，不时由明变暗，死蜉蝣纷纷掉落在枯枝败叶上，很快铺满了一层。

司马灰见了蜉蝣之后，不祥之感甚强。他让胜香邻用罗盘校正了方位，举着火把往前探路。

高思扬见周围的蜉蝣并不足以构成威胁，不明白司马灰为什么会如此紧张。

胜香邻对她说："刚才司马灰和罗大舌头所言不错。原始蜉蝣朝生暮死，处于生物链最底层，天知道它们留下的尸体会引来什么。"

高思扬领悟过来，心想原来如此，这时忽觉脚下一阵颤动，原来朽木上覆盖着厚厚的菌苔，极为湿滑。她立足不住，于是想要拽住旁边的枯藤稳住重心，谁知那藤条将断未断，被高思扬一拽之下立马脱落了。

胜香邻见状急忙伸手援助，虽然反应迅速，可力气终究不足，不仅没拉住高思扬，反被下坠之势带动，也跟着坠向了树隙深处。

司马灰和罗大舌头同叫一声："不好！"赶紧俯身向下张望，借着蜉蝣发出的光雾，看到高思扬和胜香邻撞折了两层枯枝，掉下去十多米深，此刻被几条交织纠缠的枯藤托在半空，好在苍苔深厚，才没有伤筋断骨。但两人都惊出了一身冷汗，心中狂跳不止，想要挣扎着起身攀回原处，但悬在上不着天、下不着地之处，稍有动作，那些藤萝便不住摇晃，发出"嘎吱嘎吱"的声响，随时都会断裂，处境危如累卵。

二学生也慌了神，可陡峭湿滑，险状可畏，实在不知该怎么下去救人。他将绳索抛下去，但枝藤纵横，绳子被挂在枝杈间，急切间竟扯不回来。

司马灰看了看地形，将火把交给二学生拿着，让他和罗大舌头留在上边接应，然后只身背上霰弹枪，凭着身手轻捷，从近乎垂直的树干上倒爬下去。他拨开身前的木菌接近那片枯藤，示意胜香邻和高思扬不要乱动，免得坠断了树藤，然后仰起头打声唿哨，招呼罗大舌头快把绳索垂下来。

罗大舌头和司马灰久在一起合作，不用多说也知道该做什么，奈何那绳索缠得太死，不敢拼命扯动，割断了又不够长度，急得他额上冒汗。

司马灰刚想催促罗大舌头，树丛深处又是一阵颤动。他低头望去，只觉自己的头发根子全都竖了起来。有个几乎与枯树颜色混为一体的巨物探身而出，三角脑袋又扁又平，两眼浑圆向外凸起，比卡车前灯还大，但灰白无光。它形如蟾蜍，两条前肢生有若干吸盘，支撑在朽木间匍匐爬行，张开血盆般的大嘴喷吐雾气，也不管是地上的蜉蝣尸体还是在空中盘旋的蜉蝣，甚至那些钻在木隙中的鬼步蜘蛛，一概视如无物，只顾伸出长舌卷入腹中。

司马灰看其背上有"酥"，推测是生存在木窟窿里的树蟾。因为"酥"是一种有毒的分泌物，腐气撞脑，腥不可闻，只有两栖类的蟾蜍才有。若按相物之说，蟾身过尺为王，可这只大树蟾何止逾尺，见其首而不见其尾，密集的树丛藤萝根本挡不住它。俗传"蟾王有酥，专能克制五虫"，看来这话不假。鬼步蜘蛛的螯牙不但没对树蟾起到任何作用，反倒被酥毒毙命，填了它那无底洞般的肚子，其余没死的早都四散逃了。

　　胜香邻和高思扬见那树蟾攀着朽木朝自己爬来。它根本不必接近这几条枯藤，只需用长舌一舔就能将人卷走。两人想要开枪射击，又恐被其挣断了老藤，或是有酥液喷溅而出，沾到身上立马腐烂透骨。两人眼睁睁看着树蟾逼近却无处可避，只能闭目待死。

第九话
地心掠食者

司马灰此时处在树蟾上方。他识得厉害，不敢开枪解围，催罗大舌头赶紧把绳子放下来。

罗大舌头心下焦躁，索性爬到高处，准备用猎刀砍断缠住绳子的枝杈，同时向下喊道："快了快了，你再坚持最后一分钟！"

司马灰急红了眼，叫道："罗大舌头你趁早别忙活了，几秒钟之后就等着收尸吧！"

这时二学生也在俯身下窥，眼见高思扬和胜香邻情况危急，慌得手足无措，不知如何是好，猛然记起地底生物大多惧火畏光，就打算故技重施，从背囊里抽出一根火把，投下去扔给司马灰。

司马灰抬手接住，在鞋底上蹭着了火把，烈焰骤然腾起。他看树蟾硕大的躯体正从身下爬过，当即握住火把向下直戳过去。

谁知蟾王常年栖息于地下，遍体生酥，身上阴腐气息沉重，因此火把一触即灭，再也点不燃了。那树蟾只顾去吞挂在枯藤间的蜉蝣，可能在它看来，蜉蝣与人没什么区别，此刻发觉背后有异，便缓缓掉过头来望向司马灰。

司马灰没想到火把会灭，一看树蟾突然转过来对着自己，顿觉头皮发麻，还没等他作出反应，就见树蟾忽地张开血盆大口。此物虽然蠢拙迟缓，但它那条血艳猩红的怪舌却诡异莫测，舌头前端分岔，舌跟则在嘴前，倒着长回口中，翻出来捕食的速度疾如闪电，肉眼根本看不清它如何行动。

司马灰只觉眼前一晃，一阵腥风从耳边掠过，身旁的几只蜉蝣已被卷到了树蟾腹中。司马灰见那树蟾又要张开怪口，不禁肝胆震颤，眼下只得硬着头皮死撑。他立刻深吸了一口气，使出蝎子倒爬城的绝技，犹如猱升猿飞，仗着身轻足捷，在高树危藤间贴壁而走。

树蟾翻舌卷人的速度虽快，却不擅长转折，但这东西的舌端下从来不肯落空，喉咙中"咕咕"有声，一边张口吐雾，一边探身从后赶来。它稍一挪动躯体，整个树木都跟着摇颤。

司马灰感到身后恶风不善，又听朽木枯藤纷纷作响，哪敢停下来回头去看，当即提住气息，在枯树躯干上不停地攀爬躲闪，遇到粗枝巨藤之类的阻碍无不一纵而过。其余几人在各处看得惊心动魄，都替司马灰捏了一把冷汗。

唯有罗大舌头久与司马灰混迹一处，知道这蝎子倒爬城以使用两肘两踵为主，练者至少要下十年苦功，因此极为难学，上千人里未必有一人能够练就。可艺成之后，虽到不了飞燕掠空、蜻蜓点水的地步，但挂壁游墙之术不在话下。只是这地势太险，掉下去就得摔冒了泡。罗大舌头不敢怠慢，趁司马灰引开树蟾，拼命扯脱绳索，抛给悬挂在枯藤上的胜香邻和高思扬，奋力将二人拽起。

这时司马灰躲避树蟾绕树爬回，忽觉身后动静停了，转头一望，就见那树蟾张口翻舌，对准悬在半空的两个人作势要吞。那树蟾躯体庞大，皮似枯木，凭借1887型霰弹枪无法将其射杀。而且此物身上有酥，溅到一星半点就不得了，只要它长舌一卷，立时就能将那两个大活人吞入腹中，与吞吸飞蜉无异。

司马灰刚才使出浑身解数才避开树蟾，接连不断地闪躲腾挪之余，也已到了强弩之末，但见胜香邻和高思扬命悬一线，蓦地里生出一股子狠劲，双足在树上一蹬，宛如一只黑鸢合身扑下，抱住那二人，借着惯性向前荡去，只觉一股巨大无比的力道从后涌来。原来那树蟾舌端落空，便顺势向前爬来，几根枯藤虽粗却承受不住它的重量，齐齐断裂。那树蟾躯体前倾，发觉失去重心，再想退却回不去了，"呼"地向下坠落，隔了半天才听到一声闷响，那声音就像摔破了一个猪尿泡。

罗大舌头虽然力壮如牛，绳索也极为结实，可拽着三个人，再加上背包和枪支，像钟摆似的在空中晃动不止，那是何等的分量？他两手都被勒出了血口子，牙关咬得咯咯作响，连吃奶的力气都使出来了，多亏有二学生跟着帮忙，才勉强拖住。

司马灰担心坠断了树枝，伸手抓住下垂的藤萝，攀到稳妥之处稳住身形，这才发觉冷汗早已湿透衣背。

高思扬和胜香邻掉在枯藤上的时候，也都受了些磕碰擦剐之伤。高思扬虽也惊魂稍定，但首先着手给众人处理包扎。

二学生以前很喜欢美国作家巴勒斯的冒险小说，刚才看司马灰履险如夷，心中满是惊讶佩服，觉得比人猿泰山还要矫捷。

罗大舌头奇道："人猿泰山？我怎么没听说……山东地面上出过这么一条好汉？"

司马灰说，其实这个人物的出处在《水浒》里头，《水浒》有一回讲个善使相扑的壮士，此人姓任名原，生来力大无穷，身高丈二，眼似铜铃，曾在泰山脚下设擂比武，他就是所谓的泰山任原。结果引来燕青打擂，黑旋风力劈任原。你别看黑旋风李逵提着两把板斧逮谁剁谁，却唯独怕燕青，因为燕青相扑之技天下无对，那任原岂是对手？想不到此人在美国倒挺出风头，居然还专门给他著书立传了？可凭他那点萤烛之光，怎能比我这天边皓月！比罗大舌头还差不多。

罗大舌头不服气："嘿，要不是有我罗大舌头力挽狂澜，你这天边皓月早他妈掉到阴沟里摔扁乎了。"

二学生自知刚才说走了嘴，毕竟"文革"时偷看美国小说也是很严重的政治问题，心里颇为后悔，听司马灰跟罗大舌头胡解一通，却不敢再多议论。

这时胜香邻提醒众人说，附近危险万分，成群结队出没的鬼步蜘蛛已足够令人头疼，想不到它们遇到树蟾，竟没有半分挣扎抵抗的余地。前些年有地质队在内蒙发现过树蟾王的化石，世人才知道曾有这种栖息在地底枯木中的可怕生物，将它称为地心掠食者。咱们近距离遇到它还能活下来，实属侥幸万分。可在这地下深处，也许还有更为恐怖的东西存在，大伙理应同心戮力求生存，别再为那些鸡毛蒜皮的小事争个不停了。

司马灰知道胜香邻说的都是实情，当即闭口不言，只待高思扬替二学生裹好伤口，就要起身探路。

二学生同罗大舌头拖拽绳索之时，手上也被勒破了口子，伤得不算太深。不过司马灰眼尖，他发现高思扬看到二学生手掌的时候，神色显得有些惊恐。

司马灰心下大奇，高思扬在医学院里连尸体都解剖过，胆气不凡，二学生这点皮肉轻伤又算得了什么？可她为什么会显出惊惧绝望之神色？司马灰在旁看了一阵，却没发现二学生手上有何异常，就问高思扬是怎么回事。

二学生见高思扬沉吟不答，叹道："没什么。我心里早就有数了……这是克山症。"

司马灰等人这才看到二学生手指骨节都突了起来，确实与正常人不同，问道："什么是克山症？"

高思扬转过身低声对司马灰说："山区里最要命的是克山症和拐柳病，克山症最早出现于黑龙江省克山县，因而得名，后来发现鄂西也有。此症使人关节肿大，甚至使身形佝偻，过两年就会感觉心跳无力，全身都出虚汗，吐几口黄水，人就完了。在林场插队的知青里有些人也出现了这种症状。基本上得了克山症便无可解救，送到医院里也没办法，迟早是个死。"

二学生早在半年前已经发现自己得了克山症，心里虽然感到绝望，但他对前途不抱任何希望，因此也算不上害怕。林场里的生活条件苦得难以想象，当地老乡最体面的事就是抽旱烟。蹲在树桩子上卷支蛤蟆头，掏出些火石，垫上块火绒，神气十足地用火镰"咔咔"打着，比钻木取火强点儿。谁要能整天抽蛤蟆头，那就算富到头哩。二学生很悲观地认为这深山沟子里实在太穷了，真要是在这地方窝一辈子，还不如早些死掉利索。想到这儿他也就坦然了许多，所以并不惧怕死亡，也没打算活着返回林场，只想跟着司马灰去寻找潘多拉的盒子，亲眼看看北纬30度下面究竟有着怎样惊人的秘密。

众人得知此事，心里均有黯然之感，但此时置身险地，谁也没有再多说什么。他们仅有最基本的技术和装备，必须依靠地图和罗盘，不能偏离既定路线太远，于是从高约百米的古树上返回地面。

地下到处是积水和泥沼，不时有发着微光的蜉蝣从面前飞过。这上亿年前沉埋在地底的古岛，范围大得无法探测。它遍布着大量早已灭绝的古代物种，地形复杂多变，史前植物群落下覆盖着许多峡谷洞窟，多为水流切割侵蚀而成，属于喀斯特地貌。洞穴里空间奇大，结构怪异：有的层层叠岩，洞中套洞；有的水波荡漾，迂回通幽；有的石柱擎天，奇幻神秘；人掉到洞里就别想再爬出来。

众人胆量再大，也不敢往深处乱走了。胜香邻以火照罗盘辨识方位，带队行到一处水流平缓的暗河前，以塔宁夫探险队的地图作为参照物，推测穿过这片被地下水淹没的区域，当可以返回那条通往潘多拉盒子的路线。

司马灰等人没有渡水工具，更不知河水深浅，眼见水面甚是宽阔，附近无路可绕，便各自将背包和枪支弹药顶在头上，一个紧挨一个涉水而行，在阴冷刺骨的地下水中走出数十米，那水浅的地方到膝盖，深处可及胸口。

众人奋力涉过河流，循着路线进入了一条木菌云芝丛生的深谷。一行人先找了一处隐蔽干燥的树洞，堵住洞口，拢起火堆烘干衣物。胜香邻取出干粮分给众人食用，随后轮流放哨休息，倒也平安无事，然后又按地图指引，径往一条峡谷深处行进。

众人吸取了教训，尽量选择安全地带蹑足潜行。这峡谷曾是古岛上的山峰，地质运动和风雨剥蚀，使它演变成了无数巨型岩块，既孤立又连贯，分峙迭出，错落起伏，管状木菌生长得比丛林还要茂密，地下水流充沛，山体间悬挂着大大小小的瀑布，如同白练般蜿蜒倒垂。潮湿压抑的环境也使人窒息，深谷中云缠雾绕，没地图很容易迷路。

众人勉强打起精神，用猎刀和火把开路向前，途中二学生又就克山症之事询问司马灰。

司马灰完全能够理解二学生的感受，就说反正这天是社会主义的天，地是社会主义的地，死到哪不是一死？你要真是个胆大不要命的，权且算你一个无妨。不过你能不能活着见到潘多拉盒子里的东西，我现在可没法保证，那要看你自己的造化了。

高思扬对司马灰的怀疑并未减少，听他言语冷漠，好像根本不把人命当一回事，忍不住说道："司马灰你可真是个冷血之人。"

司马灰忽然停下脚步，压低声音说道："现在没时间谈论我的优点了。这里好像有些什么东西……"

众人闻言向前望去，发现木菌丛中卧着两个无头的大石龟，重达千斤。说它们是石龟，也只是体形相似，因为脑袋掉了，所以不知究竟是什么石兽，背上没有负碑，光秃秃地生满了苔痕。拨开挡在身前的木菌，是个由山体垂直下陷的圆形深坑，规模大得骇人，地势也非常突兀怪异，借着微光用罗盘测距仪观察，直径至少在百米以上，里面有雾气，看不到底部状况，而周围的形状则十分齐整，每层都有无数大小相连的洞窟，像燕子巢似的紧紧依附在山壁上，洞口的条条凿痕和斑斑斧迹还隐约可见。从高处垂下的古树根脉，顺着地势缠绕盘旋，将那些废墟般的洞穴遮蔽了大半，幽闭神秘的气氛难以言喻。

第四卷

阴峪海

第一话
魔　盒

众人对照地图看了一阵，推测此地即是图中所示潘多拉的盒子，但里面的情况还无从想象，得下去探一探才见分晓。

司马灰让众人暂作休整，然后对高思扬说："从这附近的古树爬上去，应该能找到一条通往地面的隧洞。如果里面没有发生坍塌，你和二学生也许还有机会回去。"

二学生连忙摇头，表示坚决跟司马灰等人一条道走到黑，只是手里攥着根木头棍子，觉得胆气不足。

罗大舌头说，二学生你小子也算有种，告诉你，跟着我保准不会吃亏，你可别小瞧这根棍子。解放前在关东有放山的老客，说白了就是在山上挖人参的参帮。他们钻到不见天日的老林子里，身边宁可不带土铳，手里也得握着一根棒子，那叫索宝棍。棍上还得拴俩老钱，年份是越吉利越好，像什么康熙通宝、乾隆通宝都成。只要有这索宝棍在手，自然是逢凶化吉、遇难呈祥。

司马灰没空听罗大舌头胡说八道，他又告诉高思扬和二学生，这个代号为潘多拉的盒子的地方，很可能是个极深的地下洞穴，自己也不知道其中有什么危险，只知道它肯定会有危险。通讯组剩下的两个幸存者，能活到现在也算命大，但每个人的命只有一条，你们可得仔细掂量掂量再做决定。

高思扬心中已早有打算，通往地面的隧洞位置在哪，以及内部是否发生过坍塌，全都无从得知，如果没有胜香邻这样的专业测绘人员，即使手中有罗盘和地图，也根本找不到路。再说就算返回了地面，也仍是置身在阴峪海莽莽无边的原始森林里，那地方凶禽猛兽出没无常，谁能活着走出去？现在唯一生存下去的希望，就是跟司马灰一起行动。只要众人紧密协作，各施所长，哪怕当真是万丈深渊，也不见得有去无回。

司马灰见高思扬此心已决，再说到了这个地步也不能再全盘隐瞒，于是大致说了自己的情况：当初跑到缅甸参加"世界革命"，游击队溃散之后，逃至野人山裂谷遇到绿色坟墓，身边同伴死的死、亡的亡。返回国内后为了揭开绿色坟墓的真面目，他又跟着宋地球参加了一支考古队，穿过苏联人钻掘的罗布泊望远镜，并在地底极渊中得知绿色坟墓这个境外的地下组织，妄图潜入地心寻找某个巨大的秘密。关于这个秘密，几千年来有着各种不同的说法，有说是神庙，有说是黑洞，也有说是古代敌人，它就像是一切灾难与恐怖的根源。不论绿色坟墓的企图如何，追根溯源总是由司马灰等人而起，他们的命运也早已同这些谜团纠缠在一起，唯一生存下去的意义，便是去寻找终极的答案。此时通往谜底的潘多拉的盒子就在眼前，但这只是一个开始，接下来的路途则充满了未知与艰险。

司马灰简单说了整个事件的来龙去脉，至于古城密室中的幽灵电波、失踪的苏军潜水艇、极渊中的时间匣子、行踪诡秘的赵老憨之类内情则只字未提。毕竟这些事极为离奇古怪，又事关重大，他不想轻易吐露。

高思扬和二学生没想到这件事牵扯如此之深，对方有所隐瞒也合乎情理，但高思扬还是不敢轻信：绿色坟墓与潘多拉的盒子有什么关系？

司马灰知道此事终究绕不过去，就说夏代洪荒泛滥，禹王开川导河，将内陆洪水引入禹墟，又把拜蛇人视为神物的一块石板沉入地心深渊，后世称此物为禹王碑。拜蛇人则妄想重新掘出石碑，从而摆脱夏王朝奴役驱使的命运，所以在禹墟里存有大量神秘诡异的记载。考古队破解了夏朝龙印之后，得知深山洞窟中埋有天匦，那东西早在神农氏架木为巢之时就已经有了，只有找到它才能进入深渊，但司马灰也不清楚天匦究竟为何物。如今掌握的线索仍然有限，仅知道天匦可能就在阴峪海下的洞窟里。春秋战国时楚人崇巫信鬼，认为这洞窟通着地脉，底下是锁鬼的背阴山，这些环壁重叠的洞穴，大概都是楚幽王时期开凿而成的，据说埋有古楚国重宝秘器，看其形势阴森险陡，仿佛真是通往地狱的大门。那些幽冥之事虽然难辨虚实，可一旦选择进入潘多拉的盒子，即使没有阴魂恶鬼，也肯定要遭遇许多难以预想的危险。生命的终点是死亡，这条路却未必会有终点。

高思扬对禹王碑之类的事情并不了解，此时不用问也知道司马灰是擅自行动。她沉吟片刻，仍决定跟随众人深入地底，对司马灰说道："我现在是回不去了，何况我这条命是你救回来的，因此不论前路如何艰险，我都愿意助你一臂之力，但愿你所言属实。"

众人见高思扬愿意同行，无不深感振奋。司马灰当即着手部署，吩咐众人各自检查枪支弹药。配备1887型拉杆连发霰弹枪的队员，此前都携带六十发12号弹药，沿途使用过半，就从二学生的背囊中，取出备用弹药进行补充。罗大舌头那条加拿大猎熊枪，口径大、射速慢、耗弹量低，他自己带的四十发8号弹已足够使用。而火把却只剩下2/3，司马灰觉得消耗过快，就让二学生负责将烧尽的火把留下，如果途中发现可燃物质，还可以重新利用，并把胜香邻的猎刀分给二学生防身。

胜香邻检视了一遍物资装备，有些担心地对司马灰说："矿灯的电池还很充足，而且利用电石发光照明远比火把持久，又能探测地下空气质量。我估计剩余的电石至少可以持续照明二十天，取暖的毡筒子只有三套，轮流使用也可应对，这些事都不成问题。可咱们携带的干粮有限，仅能够维持数日所需。"

司马灰想了想说："这也没什么，必要时可以采集云芝木菌为食。最大的麻烦是地图到此就没有用了……"说话间他攀上半米多粗的树根，向洞窟深处窥探，忽听底下传来一阵怪叫，声若龙吟。

司马灰听得身上起了层鸡皮疙瘩。其余几人还在整理枪支火把，听到这鬼哭狼嚎也均是悚然动容。

罗大舌头倒吸一口寒气："我听这动静……八成是锁在背阴山下的恶鬼！"

司马灰想再听个清楚，却又沉寂无声了，不禁奇道："我怎么觉得像是夜猫子？"

罗大舌头道："据说夜猫子叫和鬼哭一样，不过地底下有鬼的可能性，远比有夜猫子大得多了。况且听到夜猫子叫也不是什么好兆头，它那是躲在黑暗中数人眉毛呢，数清了就要有阴魂前来索命了……"

司马灰道："你不危言耸听就得死是不是？咱们从现在开始应该坚持一条原则，别管遇着什么变怪离奇，千万不能以知之论不知，凡事都必须眼见为实。"

胜香邻说："这个地底洞穴的历史何止万年，早在神农架山脉还未从汪洋中崛起，它就已存在于古岛之下了。那时候别说有鬼了，连人也没有，所以背阴山锁鬼之说并不属实。不过地底不明之物极多，还是点燃火把探路才算稳妥。"

众人闻言纷纷点头。罗大舌头为了给自己找台阶下，就说："想我罗大舌头这辈子也是为解放全人类而斗争的，追求的全是真理，谈论的都是主义，死都不怕，还怕鬼不成？"说完就用手指蘸了点唾沫，涂到自己的眉毛上，随后挎上加拿大猎熊枪，打开矿灯，走在前边探路下行。

司马灰见状就让二学生点起一支火把，位于队伍中间策应安全。这洞窟本是山里的岩洞，直径超过百米，走势陡峭，几近垂直，内部孔穴密布，看起来倒像是古罗马斗兽场的外壁。而那些史前树种的根脉极粗极长，最细的也如抱柱一般，伸展附着在石缝里，早与洞壁生为了一体，缠绕在周围的藤萝木菌更是连绵如网。

众人踏着倾斜延伸的树根，逐步攀援向下。司马灰经过身侧的洞口，就用猎刀劈开遮挡的云芝，探身到其中搜索察看。那些洞穴都不算深，但地下无风，洞内空气很难流通，所以里面五彩斑斓的壁画还依稀可辨，但也是少眼缺鼻，残脚断臂，难觅完整形象。洞中还有累累枯骨，分不清是人是兽。

其中一个石窟里的壁画保存得较为完整，描绘着浓雾中有恶鬼攫人而食的情形。遇难者上半身还是血肉之躯，下半身已被吃成了森森白骨，壁画色彩鲜艳逼真。

司马灰知道，这些战国时期的壁画留存着许多宝贵信息，但其中的内容恐怖残忍，血淋淋的让人脊背发冷。他心里疑惑，不免多看了几眼，却发现壁画中还绘着一个很大的盒子，盒盖半开，从中露出一具骷髅，盒身四周布以张口露牙的伏龙纹饰。司马灰心里猛地一动，这不就是潘多拉的盒子？

其余几人也跟着停下脚步打量壁画。潘多拉的盒子是西方传说，隐喻着人类好奇心带来的危险，也许世上根本没有实物，更不会出现在这个地下洞穴中。此前众人以为塔宁夫探险队在地图上标注该符号，只是用潘多拉的盒子作为行动代称，却没想到两千多年前的古楚国壁画中，还真就有这么个神秘的盒子。

第二话
骷　髅

众人又惊又奇，奈何洞中阴气太盛，电石灯闪烁着幽蓝色的光芒，只得站在洞口向里面观瞧。

那些五彩斑斓的壁画，突然接触到外部流通的空气，鲜活的色彩开始变得灰暗，但线条轮廓尚存，还可勉强辨认。

壁画中的内容似乎有叙事之意，盒子旁边有个人形，身着蟒袍玉带，身后有凤纹华盖，俨然王者之姿。对面还站立一人，头戴三眼面具。两人好像正对着盒中大骷髅低声密语，其上就是恶鬼吃人的恐怖情形。

高思扬问司马灰："你能看懂这壁画里的内容是什么意思？"

司马灰自称是考古队的，可肚子里却没装多少材料，只是看壁画内容阴郁离奇，就说这大概是楚王在同大臣谈论幽冥之事。世间烟云易逝，纵然贵为王侯，到头来也免不了化为白骨的命运。

罗大舌头也跟着解释道："楚王是担心他死后到了阴间，会被恶鬼生吞活剥。"

二学生奇道："大臣脸上怎么还戴着面具？盒子里的那具骷髅又是什么？"

司马灰和罗大舌头都说不出个所以然了。毕竟这是两千多年以前的古老壁画，谁知道那时候的人脑子里想些什么。

胜香邻说："楚幽王深信巫鬼之术，常有头戴青铜面具的通天巫者随侍左右，所以那蟒袍玉带的人物应该就是楚幽王了。可这壁画里描绘的事情从未见于史册，以咱们的所知所见没办法凭空揣测。"

司马灰对楚幽王的事迹倒是略知一些。据说当年武王伐纣，丰功伟业沛乎充塞于天地之间，定下周王朝八百年基业。那时候还没有中央集权制的概念，而是把领地分封给诸侯国管辖，一共封了七十二国，其中就有楚国。到春秋时期诸侯割据，楚国已是地广五千里，拜玄鸟为神，势力十分强盛。而楚幽王掌国时已是末期，他死后没多少年楚国就被大秦所灭，那座幽王墓在民国年间被军阀勾结洋人盗毁，有大量古物流入民间。可能塔宁夫探险队那伙人也曾参与过盗掘此墓，所以他们才从幽王墓的壁画中发现了阴峪海下的洞窟。而这个装有大骷髅的盒子，在古楚国壁画中多次出现，显然非同寻常。但司马灰等人一时之间也看不出什么头绪，只好又去其余的洞穴中察看。

岩洞中的壁画剥落损毁严重，能够辨认的仅有一小半，不过壁画内容息息相关，看到两头的也不难猜出中间的部分。只是其中记载的事件却极尽怪谲莫测，除了楚幽王之外，还有一个体态婀娜的年轻女子最为引人注目。此女细腰高髻、宽袖长裙，另有几幅壁画绘有她的尸体和棺椁。

这些壁画的内容扑朔迷离，依司马灰作出的解释，似乎是记述了楚幽王问卜于那个装有骷髅的大盒子，被戴着青铜面具的巫者告知大祸将至，会有无数阴魂前来索命。楚幽王深感畏惧，整年不敢外出。

某天有人在江中捕获了一条罕见的白鱼，带进宫来献给幽王。幽王听说白鱼乃龙蛇变化，食之能长生不死，便命人将白鱼烹熟，自己先吃了一半，然后另一半给了女儿。但楚幽王的女儿见了半条白鱼，不由得羞愤交加，发怒道："父王把吃掉一半的鱼给我，是侮辱我，我还有何面目活在世上？"随即上吊自杀了。

楚幽王丧女后十分悲痛，把女儿葬在国都的西门外，以天然生有花纹的石材做棺椁，石椁外嵌以金玉，银樽珠襦之类奇珍异宝为陪葬。但他对此事秘而不宣，又命在城中放置白鹤，让百姓跟随观看，引着鹤与男女无数一同进入墓道。突然，机关启动放下了千斤石门，将所有人不分良贱，全都掩埋在墓中，用这些活人殉葬了死人。

此后楚幽王晚上只要一闭眼，就会见到那些屈死的冤魂找上门来，惊得寝食难安。按照巫鬼之说："人死后而僵，僵而血脉竭，竭而精气灭，灭而形体朽，朽而成尘埃，唯有阴魂不散，化为异物，潜于九重之渊。"

为什么说人死之后，阴魂会潜于九重之渊？因为古时候认为地下有泉，也就是逐层分布的地下水，最深的地方要穿过九道泉。秦始皇的陵墓修得很深，据史书记载是"穿三泉而置椁"。那是说放棺椁的地方，已经深得挖透了三层地下水。而九重之渊，也不见得真有九层地下水，九是数中之极，在这里是指深得不能再深了，那是活人进不去，只有亡魂才能抵达的幽冥。以前人常说死后在九泉之下也能瞑目了，"九泉"即是九重之渊。

相传这阴峪海下有个洞窟，最深处一直通往地脉，楚幽王相信那里就是"九重之渊"。如今他梦到不祥之兆，可能是要有恶鬼从地底出来索命，他想起前事不免后悔莫及，就将各类重宝悉数沉入洞中镇鬼。可没过多久，这位楚幽王还是一命归阴了。

司马灰把自己的分析告知其余几人，那楚幽王若非执迷于巫鬼之事，多半还不会这么快死去。其实天下岂有未卜先知的异术？这无非是怕什么来什么，越担心越出事，"墨菲定律"而已。

罗大舌头切齿道："把那么多活人引到墓中活埋殉葬，可也真够阴损歹毒的。我罗大舌头还从没见过这么损的！"

高思扬以为司马灰只是添油加醋地乱说，因为这件事太不合乎情理。楚幽王舍不得把白鱼全吃了，给女儿留下一半，这是父亲关爱子女之心，那女儿怎么反倒自杀了？世界上会有这么不懂好歹的人吗？

罗大舌头一听高思扬说得有些道理，忽然想起他那个蹲牛棚的老爹罗万山，不禁感叹道："如果我们家老爷子还在，他就是把鱼都吃了，只剩下鱼骨头给我，我心里边也高兴……"

胜香邻却觉得司马灰所言不虚，即便不是全盘吻合，也与事实相去不远。那壁画里描绘的情形毕竟发生在两千多年以前，古代的制度与价值观跟现今大不相同。春秋战国时尊卑为重，生死为轻，贵族怎么肯像奴隶一样去吃残羹？

司马灰道："还是我妹子说到点子上了。清代距今不过几十年，那时候的女人，还都得讲究个三从四德、大门不出二门不迈呢。可你们看以阿庆嫂和江姐为代表的大多数革命妇女，她们什么时候为柴米油盐的家务事操过心？"

胜香邻见司马灰又把话扯远了，就说："其实壁画里有关'楚幽王食白鱼、引诱活人殉葬'之事并不重要。真正的谜团，是装有骷髅的盒子。我感觉那具骷髅不像人骨。"

众人一边低声议论，一边向下探路，发现了多处残留至今的壁画，内容断断续续，神灵鬼怪、飞禽走兽、草木虫蛇等诸多事物都有涉及，各有善恶之状，也看不过来那么多了，而其中出现盒子的壁画不在少数。这个神秘的盒子似乎是件楚国重宝，也可能是件极其重要的祭器，就连楚幽王墓地宫的壁画中，都有它的身影出现，但在历史上却没有任何记载，这更使它显得怪诞诡异。

盒子里面装了一具骷髅，立起来大概要比楚幽王高出半截，正如胜香邻所说，这具骷髅怎么看也不像是人类，头骨眉峰分外突出，颅顶多出一个纵目。那装着骷髅的盒子更不是棺椁形制，好像从内到外都带有某种无法破解的含义。但若说这骷髅不是人类，它生前又会是何方神圣？为什么它的骨骸能成为楚国秘器？

众人脑中接连划出无数巨大的问号，这些疑问难以在壁画里找到答案。古楚国壁画风格玮奇诡谲，题材神异离奇，许多内容难以被后人所参透。不过"楚幽王的盒子"很可能确有其物，并且它就在阴峪海地下深处。

二学生认为这座古岛上的古代树种大多都已枯死，只同干尸一样保持着原来的形貌，附在其表面的木菌云芝等物，却生长得异常茂密，这个现象实在令人费解。难道那个盒子里有种神秘的力量，能够赋予生命？他越想越激动，加上眼神不好，迎面撞上悬在半空的一条枯藤，险些从绝壁上摔下去，赶紧揽住身旁的树根，这时火把从手中脱落了。

地洞深处雾气氤氲，火把掉入雾中即刻失去光亮，但听"哗"的一声，好像落到水里熄灭了。

司马灰推测自己置身之地距离水面很近，至多不过十几米，奇道："下面竟是个水潭？"

众人当即攀着树藤逶迤而下，穿过薄雾抵近坑底，只见下方地势凹凸，低洼处淤积着从高处渗落的积水，水中斜卧着一尊兽耳金匦。此物体积巨大，表面挂满了铜蚀和绿苔，两耳各呈虎形，被地下水淹没了一半。附近隆起的粗大树根上，散落着无数尊盘、剑戈，另外还有鸟兽爬龙之形的青铜重器等物。深远处水雾缥缈，矿灯的光束照不过去。

司马灰避开水面，纵身跃到树根上落脚。他想起先前听到这里有怪声发出，提醒随后跟过来的高思扬多加小心。

高思扬点了点头，为了便于行动，将电石灯挂在了背囊侧面，端着1887型杠杆快枪察看周围的地形。可她刚一回身，也不知看见了什么，竟

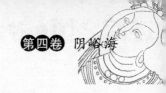

险些呼出声来，她忙伸手捂住自己的嘴。

司马灰也觉得身后有异，转回头一看，心中不禁有些讶异。原来在枯藤后露出三四米高的方形人面，那脸看起来似人非人，似兽非兽，饰以鳞羽夔龙之纹，面目恼怒可畏，充满了震慑恫吓之意。

司马灰看出这是一尊鬼面雕像，它终究不是活的，又有什么可怕？

这时高思扬抬手指过去，低声说："你看到……那个东西了吗？"

司马灰顺着她手指望去，只见在树藤与岩石的间隙中，有个白惨惨的东西，轮廓近似人形头颅，脸上眼耳口鼻俱全，也看不到身体四肢，好像只有个脑袋浮在空中。

第三话

照　幽

司马灰身上毛发竖起，想要定睛再看，那颗头颅却突然隐入雾中。他跟上去拨开挡在面前的枯藤，树藤后却是一片阴冷漆黑的积水，水面平静，上下空旷，根本没有立足之地。他心想，那东西是尸头蛮不成？当初在缅甸丛林里，有许多土人抓到俘虏便割下首级，并把死人脑袋插在尖木桩子上风化，据说那些头颅到夜里就会飞出来咬人，连那些英法殖民者也谈之色变，但古楚国并没有这类尸头蛮的传说。

高思扬没有辨明目标，不敢随便开枪。她向来不信鬼怪，但刚才所见不容置疑地出现在眼前，让她百思不得其解。

这时其余三人分别攀藤而来，问明情况后同样感到吃惊。

司马灰没看清那东西长什么样，让二学生重新点了支火把照明，并警告大伙这地方不会有人，发现情形不对便立刻开枪。此刻有枪支火把防身，就算附近真有什么不干净的东西，它识相的话也得退避三舍。

众人不敢掉以轻心，缓步走到鬼面雕像底部，用火把和矿灯向四周探照。这洞窟好像是个祭祀坑，直径超过百米，从上到下落差也在百米左右，规模大得令人咋舌，由于薄雾濛濛，充满了阴郁之气。坑底甚是宽阔，树根枯藤依附在洞壁上纠缠紧密，边缘全是幽深的积水；高耸的雕像遥相对峙，仿佛在凝固的黑暗中无声地守护着什么；各种形状离奇的青铜、金玉之器随处可见；脚下也有刻着卷云纹饰的石板，但难以分辨究竟为何物。

二学生觉得自己两眼都不够用了，似乎每一处微不足道的痕迹背后都隐藏着无穷的奥秘，不禁感叹道："楚国已亡两千余年，这些古物却仍在地底沉眠，真是其兴也勃焉，其亡也忽焉……"

罗大舌头道："胳膊再粗，也阻挡不了历史的车轮滚滚向前，你就别操那份闲心了。"他又问司马灰，"这洞穴不是通着地脉吗？怎么……怎么这就到底了？"

司马灰举目四望，周围虽有些化合物发出的微光，但能见度非常有限，矿灯和火把也仅能照明一隅之地，若是逐步摸索搜寻，还不知要多久才能搞清状况，但也没有别的法子，就对罗大舌头说："大概还有洞穴通往更深的地方。咱是'宁落一座山，不落一块砖'，先看清楚地形再说。"

众人见洞底边缘多被积水淹没，于是踩着树根往中间走，没走出几步，就看见水面中露出数根形状奇特的柱形物体。那石柱上尖下粗，长短高低不等，但每根都至少有合抱粗细，表面带有鳞纹，雕镂精细，当中围着一个石台，另有两条形态凶恶的螭虎援柱而下。

司马灰以矿灯照视，心想："这几根形状奇异的石柱，却似某尊巨兽雕像的爪子。此物半沉水下，体积大得骇人，矿灯和火把的照明范围与之相比，简直就像萤火虫似的微不足道……"

这时，忽觉沉寂的水面上微波荡漾，司马灰当即低头察看，只见水底有个人在仰面与自己对视。地下水质清澈透明，但在不见天日的地洞中，则显得漆黑幽深。他知道那肯定不是自己在水面的投影，不由得猫下腰，慢慢贴近水面，想看得更清楚一些。于是那头颅的轮廓越来越清晰，像是个没长开的白色侏儒，但只见其头脸而不见身体四肢，很像此前悬浮在树藤后的那颗头颅。这时它忽地张口露牙，从水底飞到半空，直扑司马灰面门而来。

司马灰没想到水里的东西还能飞出来，不免大为骇异，见其来势凌厉，仓促间已来不及闪身躲避，他正好端着1887型拉杆式霰弹枪，急忙以枪托挡在面前，只听"喀喇喇"一声，像是獠牙利齿重重咬在木制枪托上。

众人听到响动，才发现司马灰的枪托上多了一个白森森的东西。那物有头颅般大，似鱼非鱼，阔口短鳃，嘴里有数排密集的尖锥形细齿，身上无鳞，皮如甲胄，鳃后生有两对鳍翼，可以离开水面凭空飞行。此时它紧紧咬住枪托，倒刺般的利齿深陷其中，竭力鼓鳃扬鳍想逃开，却由于咬得太死一时甩不开，但此物力道惊人，司马灰手中的1887型霰弹枪险些被它扯到水里。

司马灰看过禹王鼎上的山海图，见这怪鱼双鳍如翼，估计是栖息在地下静水中的狼鳍飞鱼，能够跃出水面掠食，性情凶残嗜血。此时他突然遇到活生生的狼鳍鱼，才知道这东西生得如此狰狞可怖，要不是自己挡得迅速，身上早被它撕掉一大块皮肉了。

司马灰把枪托按在地上，招呼二学生用木矛戳穿狼鳍鱼，然后用力将其扯下。

胜香邻见此情形，立即生出一种不安的预感："这洞穴底下有食人飞鱼，看来不是死水……"

这句话还未说完，不远处的水里"嗖"地又蹿出一条飞鱼。此时众人有所防备，罗大舌头立刻举枪射击，那8号霰弹杀伤范围颇广，狼鳍飞鱼还在空中就被打成了碎片。

这时另有数尾飞鱼从水底游出。这些狼鳍鱼均由向下的水流带到此处，以地底浮游生物为食。此物产卵迅速，数量不断增加，但蜉蝣毕竟有限，洞中的其余生灵早已被蚕食殆尽，当下正处于极度饥饿状态，此刻成群飞出水面，狂风暴雨般向着司马灰等人袭来。

众人置身在狭窄湿滑的树根上，周围暴露无遗，就觉四面八方都有怪鱼飞撞而至。大家奋力抵御，远处的用枪射，离近了便以枪托格挡。

高思扬弹无虚发，接连射杀了数条食人飞鱼，此时正给枪支装填弹药，突然感到身后被什么东西撞到，背囊的重量陡然增加。她身子不由得向前一倾，差点滑到水中，转头一看，竟有两条狼鳍飞鱼咬在了背囊上，泼剌剌摆动躯体不肯松嘴，嘴中发出一阵恐怖的乱响。

司马灰发现高思扬情况不妙，赶忙拽出猎刀向下挥落，立时将那两条食人飞鱼削成四段。他却因此露出破绽，只觉臂上猛然一凉，虽然躲避得及时，却也被从身旁疾速掠过的狼鳍鱼扯了个口子，血流不止。但他疲于招架，根本顾不上裹扎伤口。

狼鳍飞鱼的鲜血混合着人血，顿时将多半水面染红了。众人还想故技重施，利用火把脱困，但地洞中过于潮湿，狼鳍飞鱼也不畏火性，仅凭火把和猎枪难以抵挡。这时司马灰忽然眼前一黑，装在 Pith Helmet 上的矿灯被什么东西挡住了。他用手一抹，湿漉黏稠，满是猩红，原来高处正有大量鲜血流下。

司马灰大骇："上边哪来这么多血？"他侧身闪过一条扑到面前的狼鳍飞鱼，就势抬头往上看，只见高处黑沉沉地横着个庞然大物，伸着一个三角形的脑袋，像蟒又像蝾螈，头大尾细，身体扁平，生有粗壮的四肢，具有古代两栖爬行动物的明显特点。但司马灰也认不出它到底是引螈、始螈和鱼石螈中的哪一种，因为这东西虽然活着，可全身上下血肉模糊，多半边脑袋都露出了白骨，直接就能看到它嘴里的颌骨和巨大尖锐的迷路状利齿，在体型上同鱼石螈更为接近。

这鱼石螈或许是从岩缝里误入洞底，遭到了狼鳍飞鱼的袭击，凭借皮肉坚实，竟在被啃成一具白骨前，顺着树根爬到了较高的所在。虽然它暂时脱困，但身受重伤，眼看是活不成了。可这种古生物脑部愚钝，也可能是饿红了眼，此时见到有人在此，就用四肢撑住树藤，向下探出身子想伺机而动，鲜血顺着只剩下一半的三角脑袋不住滴落。那血水流到了司马灰的 Pith Helmet 上，霎时间就将整个帽子都染遍了。

司马灰突然跟那鱼石螈脸对脸打了个照面，矿灯光圈所照之处正是血淋淋的颌骨，尖锐锋利的牙齿距离自己还不到半米，惊骇之下无暇多顾，立刻将手中所持的 1887 型霰弹枪向上射击。黑暗中藤萝遮挡，也不知命中了什么部位，那鱼石螈沉重庞大的躯体翻落下来，挣扎着坠入水中，粗长有力的尾部横扫到树根上，当场就将司马灰掀了个跟头，合抱粗细的树根也从中断裂，附近的狼鳍飞鱼都被惊散了。

罗大舌头趁乱摸出挂在身后的壁虎钩子，抛出去搭在岩柱上，在众人的掩护下奋力扯动绳索，使脚下断裂的树根移向石台，然后涉水跃上实地。此时有了耸立的岩柱作为依托，狼鳍飞鱼纵然能离水飞行，也会受到很大限制。

众人倚在岩柱上呼呼喘着粗气，耳听黑暗中水面纷乱，那条五六米长、重达千斤的鱼石螈，迅速被狼鳍飞鱼啃成了一副骨架，身上连半丝血肉都没有剩下。想到胆寒处，大家脸色都如死灰一般，谁也不敢探出身去张望。

司马灰手臂流血虽多，但并没伤到筋骨，也算是不幸之中的万幸了，在高思扬做了应急的包扎处置后便可以行动自如。

罗大舌头说："这点小伤顶多算被蚊子咬了一口。你刚才要是掉到水里，那可真是黄鼠狼烤火——爪干毛净了！"

胜香邻见司马灰无事，也终于放下心来。她拧开行军水壶，冲洗了司马灰衣袖以及 Pith Helmet 上的血迹。

　　司马灰借机打量这处石台，发现岩柱旁放着一件苍绿斑驳的树形铜质器物，每根树枝上，都托举着一个大缶般的铜器，缶身上铸有子母孔，通体饰以蟠螭纹。司马灰曾在壁画中见过，知道这是用来在地底照明的铜灯，古称"照幽"，立即起身上前拨开子母孔上的铜盖，将火把伸进去试试能否点燃。

　　据说春秋战国时代，有种常年不灭的燃料叫"龙髓"，专供王侯修筑地下陵寝使用，比落地为珠的鲛人眼泪还要难得，但其来源与真实成分如今早已不可知晓了。树形铜灯里大概就装有这类龙髓，此时被明火一引，立刻熊熊燃烧，光焰明亮异常，能照到数十步开外。

　　众人眼前顿时一亮，就见身边那几根岩柱，确实是某种石兽向上托举的爪子，足有六七米高的树形铜灯，只是其掌中之物，很难想象这尊巨兽的躯体如何之大。

　　司马灰站在树形铜灯旁，伸手便可触摸到冰冷的石壁，再凝目观瞧，才看出那是个刻满鬼怪图案的长方形石函，似山岳般压在手捧树形铜灯的石兽身上，规模也是大得异乎寻常，而那份惊心动魄的沉重背后，则承载着更加巨大的悬念。

第四话
楚　　载

那石函是利用地层中的沉积岩雕琢而成的，与其下的神兽合为一体，表面上分布着无数条裂痕，又被枯藤苍苔覆盖，呈现出阴郁的深绿色。众人站在原位，也仅能从固定角度窥探到它的一个局部。

二学生把眼镜片上的湿气抹掉，瞪大了眼镜仔细观瞧，怔怔地说："这就是楚幽王的盒子？"

司马灰同样感到惊奇，那石函显然中空，内部可以容物，但世上哪有这么大的盒子？这又不像是放置尸体的石椁。他忽然想起了先前在洞穴中看过的壁画，那些两千年前留下的古老壁画中，经常出现一种体如鼍龙的异兽，有头无面，在混沌中手捧灯烛，背上压着轮盘形状的器物，形态近似负碑的赑屃①，可能就与这石函下的异兽完全一样，只是没想到竟有如此巨大。

胜香邻道："古代有'函载'之说，在混沌中爬行的怪物叫'载'，它身上的盒子是'函'。"

罗大舌头等人不解其意："'宰'什么东西？宰人还是宰牛？"

胜香邻说："是载重卡车的'载'。它只是一个并不存在的怪物，或者说是种神兽，其形状近乎鼍龙，背负天地万物，运行古往今来。以现在的观点来看，'载'代表了古人对时间的理解，一载代表一年。古代崇信鬼神，认为时间只会向前不停地流逝，却不能倒退，是因为有个怪物驮着天地乾坤，在混沌中不停地向前爬行，所以过去的时间就永远过去了。"

二学生若有所悟："以前经常听到千年万载之类的话，但司空见惯了，反倒没有仔细想过。原来还有这种典故……"

---

① 赑屃：bì xì，传说中的一种动物，像龟。旧时大石碑的石座多雕刻成赑屃的形状。

司马灰寻思"载"这种怪物从不存在于世，那只是古人的想象。但是它象征了运行万物的未知力量，由它背负的石函上雕满了鬼怪图案，又压在这个通着背阴山地脉的洞穴之下，所以必定重要非凡，楚幽王的盒子或许也在这里了。

高思扬问司马灰："考古队要找地底的天匦，与这阴气森森的石函有什么相干？"

司马灰眼下还无法预知石函中有些什么，只能暂且认为这里面隐匿着继续深入地底的途径。他当即让二学生收集龙髓，都装到以前放松油的罐子里，作为火把的补充燃料，随后利用密集的枯藤树根作为掩护，摸到附近的函壁边缘。

司马灰推测洞底的树形铜灯不止一处，但行动范围毕竟有限，因此无法全部点燃。众人仅有猎枪、火把、罗盘之类的基本装备，可是在残酷复杂的地下洞穴中，它们却比先进器械更为实用，此时又有石壁作依托，也就不必惧怕水中有狼鳍飞鱼突然袭来。不过这岩壁下的水面却静得出奇，司马灰跟在队伍末尾，心中正感到有些蹊跷，忽觉身后恶风不善，还不等他反应过来，身后猛然一紧，霎时间双足离地，他竟被一股很大的力量抛到了半空。

司马灰清楚洞底有许多被困住的掠食生物，不管遇上的究竟是什么，凭它能将活人攫到半空的力气，这东西的个头也小不了。幸好司马灰的背包挡了一下，否则他别想活命。这次袭击虽然来得突然，可司马灰临危不乱，眼见回身不得，便翻转手中所持的枪支向后射击，这时听到抓他背包的东西厉声尖叫，声如龙吟，显然受创不小。

司马灰未及给 1887 型霰弹枪上弹，身体便忽地一沉，已从高处跌落下来。他急忙双手抱头，两肘夹住膝盖。落地后，司马灰就势打个滚，翻身而起，除了皮肉疼痛之外没受什么重伤。

由于事发极为突然，其余几人听到枪响才察觉到情况不对。这石函下都在树形铜灯的照明范围内，就见有只蜥蜴般的东西从面前倏然掠过。此物半米多长，龙趾鸟喙，翼窄尾长，滑翔之际悄无声息，眨眼间就已没入黑暗。

众人大惊失色，立即将司马灰拽到函壁下。二学生又多点了两根火把以防有变。

司马灰疼得直咧嘴，看到自己背包上的帆布被撕豁了几条口子，也不禁心有余悸，自己翻出胶带，在背包上贴了块补丁。

高思扬道："这东西神出鬼没，实在令人难以防备。这好像是某种飞禽……"

二学生分析道："这东西翼窄尾长，其实并不能真正地飞行，只是借助奔走俯冲之力滑翔而已。它趾爪强劲有力，可以在陡峭垂直的洞壁间攀援，所以不能称之为飞禽。"

罗大舌头道："我看多半是喜马拉雅山雪鹫，听说那东西能把牦牛抓到天上去！"

胜香邻说："这里可是鄂西深山腹地，距离喜马拉雅山有多远？再说地下洞穴里，怎么会有栖息在雪线上的生物？"

司马灰接过一个火把说："二学生讲得还算靠谱。此物半龙半鸟，可能是古翼鸟的分支，来去无声可能是因为其骨骼中空，又由于常年居于地下，因此双眼已经退化，并不惧怕火光。这附近没有一处安全，随时随地都会有危险和意外出现，咱们还是先设法进到石函里再说。"

众人顺着墙根向前搜寻，可那石壁上裂痕虽多，但都过于狭窄，能钻进人的地方也全是死路，一直摸索到树形铜灯光照不及之处，才发觉石壁向内凹陷。

司马灰高举火把观望，只见石函在此出现一个窟窿，外部是隆起的浮雕，看轮廓似乎是张兽面，嘴部是大得吓人的洞口，直接穿过了厚重的函壁，但走势并不规则，而且漆黑一片很是深邃，就像曾有蛟龙一头撞去，岩壁被它撞开一个大窟窿似的。两壁雕有无数似龙似虎的走兽之形，都比常人高出半截，在火光映照下显出神秘的阴影。

司马灰让罗大舌头持枪断后，自己则投石问路，见里面静悄悄的没什么动静，便当先钻进石函上的洞口。其余几人陆续跟进，函壁间那些古老的痕迹并没有被漫长的岁月泯灭，但又是历史记载上缺失的一个环节，处处都透着幽暗诡秘之感。那冷飕飕的阴风从岩洞深处吹出来，更令人心缩胆寒。

众人不知其中之深浅，进来之后不由得放缓了脚步。司马灰用猎刀剥去墙上的苔痕，见那些石雕除了凶禽猛兽一类的精怪，更多的则是楚幽王祭祀鬼神之举，旁边还刻着些鸟迹古篆。司马灰手中虽有破解夏朝龙印的密码本，但对春秋战国时期的古篆却一字不识，也没耐心仔细辨认，只是看这洞穴无遮无拦地直通石函内部，不免有些意外。这座负于"载"上的大石函，可以说是巫楚秘密的核心所在，其中必定有许多不曾出世的重宝，怎会让人如此轻而易举地进入？莫非这石函里有什么陷阱？

二学生想起楚幽王引活人殉葬之事，提醒众人："这石函里面会不会有机关？万一触到机关，就会有断龙石放下，把大伙全给活埋了！"

胜香邻说："这里封闭在阴峪海下两千多年，即便有断龙石之类的机关，也早该失效了。只是楚人历来相信鬼神之力，据传秦兵南下攻楚，一度大破楚军，楚王于是在马嵬岭雕刻大量石俑，想将阵亡的将士从阴间召回抵御强秦。所以比起机关埋伏，大伙更应该多提防其他的东西。"

二学生奇道："什么是……其他的东西？难道真有千年不散的阴魂？"他倒不怎么怕鬼，毕竟那无从证实，只是对胜香邻提到的事情感到无比好奇。古往今来有无数考古学家、地质学家，包括研究神秘主义的组织，都绞尽脑汁想要探求其中的真相，但结果都对它无可奈何。一批又一批探险者被那些充满死亡气息的谜团所吸引，却始终没人能够触及它的秘密。而人类又是一种天性好奇的生物，越是难以理解的未知事物，就越想弄个明白。如今这支考古队，两个参加过缅共游击队的亡命徒，一名测绘分队的技术员，一名军医学院的学员，还有一个林场知青，有机会接近那个永远不可能到达的地方吗？

司马灰见二学生心神不宁，就说："用不着想太多，你只当自己脖子上扛的是个丸子，那就什么都不在乎了。"

这函壁厚得让人误以为里面没有空间，说话间行到一处，两边各有一根石柱，分别刻有鸟面人身的镇鬼神灵，充满了浓重的巫楚色彩，再往深处则是一片黑漆开阔的空间。

司马灰打手势示意众人停下，他向前举火照视，只见石柱下有几具头戴青铜面罩的古尸，高冠袍覆上满是尘土，他们早已腐烂得仅剩残骸，但怪异的青铜面具上圆目内凹，眼珠鼓凸，唇部薄而微张，还留有口缝，使人感觉他们会突然跳起来，揭掉面具，用谁都听不懂的语言，讲述一些难以想象的事情。

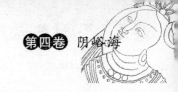

第五话

天在地中

　　司马灰看到眼前这几具古尸，似乎全是楚人中的巫者。根据洞中壁画描绘的情形，楚幽王卜问吉凶之际，便会有头戴青铜面具的巫者，把自己幻视里出现的情形告诉楚幽王，以此来"洞悉前后、决断行止"。在迷信鬼神的春秋战国时代，巫者不仅跟人熟，跟鬼更熟，只有他们能够同无影无形的神秘力量进行沟通，因此地位极高，往往只言片语就可以左右兴衰。既然这些古尸出现在石函中，楚幽王的盒子肯定也在里面了。

　　罗大舌头自言自语道："死都死了，还戴着面具装神弄鬼，盯得老子浑身不自在……"说着上前想摘下面具，可那尸骨早已枯朽，用手一碰立时化为尘土，青铜面具"当啷"一声掉落在地。这突如其来的动静把罗大舌头吓了一跳，他急忙跳起来向后闪躲。

　　高思扬险些被他撞倒，忍不住说："凭你毛手毛脚的样子，哪像参加过考古队的人？"

　　罗大舌头嘴上从不服软："考古队才多大个庙，能装得下我罗大舌头吗？你也不打听打听……"

　　司马灰知道罗大舌头接下去又要吹嘘个人经历，倒腾些陈芝麻烂谷子的英雄事迹来讲，于是止住二人说："这石函深处似有冷风涌出，里面一切情况不明，大伙多留点神，可别让阴魂恶鬼拖了去。"随后就摸索着岩壁向深处走去。穿过函壁间的洞穴，地势陡然开阔，变得上凸下陷。被凿刻为内弧形的岩层间，雕有许多带状"图言"，头顶上和脚底下都有。所谓"图言"，即是用连贯图形替代文字记事，使之通达幽冥，并不是给活人看的，故此不用古篆。

　　罗大舌头刚才没说痛快，跟在后边还想寻个借口接着再说，可一看地形古怪，就把先前之事忘在了脑后："哎……我发现楚国人很精通几何学啊，这外方内圆的想搞什么名堂？"

司马灰说："从前有天圆地方的概念，这石函外方内圆，可能是天在地中的意思。可天空怎么可能在大地中呢？"

胜香邻道："载上之函大多是圆轮形状，因为天在地中。而外方内圆确属罕见，它应该暗喻着地底世界。"

司马灰稍加思索，觉得这种分析十分合理：地壳下存在着极渊那种没有边际的空洞。如果与之相比，曾经进过罗布泊望远镜的考察队渺小如尘，倘若用天一样大来形容它似乎也不为过。

二学生问道："楚幽王留下这座石函，又有什么具体意义？"

司马灰说："此处尽是些壁刻石雕，内容无非是楚幽王想传递给鬼神的信息。不过咱连蒙带猜也看不懂多少，不如把招子放亮点四处找找，可能另有发现。"

众人为了节省电池，点燃三根火把就将矿灯熄灭了，在忽明忽暗的火光下继续往前探寻。石函的每个方向都有洞口，洞内除了雕琢壁刻，还列有数排铜人铜兽，楚幽王的盒子却不在其中。众人且看且走，穿过侧面的函壁，又步入枯藤树根垂布的祭坑底部，脚下有道极宽的石梁，鳞纹大如城砖，竟是转到了"载"的兽首部位。

那能够背负乾坤的"楚载"，形貌有些接近鼍龙巨龟，但神异色彩较之更重。它两端有头颅，但有首无面，多臂多足，一半朝上捧着照幽巨烛，一半往下在地支撑爬行，顶部卧着两尊铜虎，口衔人臂粗细的铜环，锁着一个青铜盒子，体积能装进两个成人。

众人见果然有这个神秘的盒子，不由得心弦紧扣，当即走上前，想打开来看个究竟。司马灰和罗大舌头刚伸出手去，胜香邻却突然拦住说："盒子里的东西不能看，谁看了谁死。"

罗大舌头奇道："这里面不就是有几根死人骨头吗？它就算是颗地雷炸弹，那也不至于看一眼就炸了……"

胜香邻举起火把照向盒子："你们看这上面的图案……"

司马灰看此处地势虽高，但周围的枯藤间漆黑一片，恐怕会有不测发生，所以始终保持戒备，没来得及仔细端详那铜盒。此时听胜香邻一说，他才立刻注目观瞧，只见盒身铜蚀斑驳，也镂铸着很多图案。他粗略一看，其中竟有厉鬼攫人之形，似乎谁敢窥探盒子中的事物，谁就会立刻被

恶鬼带往阴间，不知是诅咒还是恫吓。

　　众人又发现铜盒上还铸有活剥人皮的图案，十分残忍恐怖，不禁暗暗皱眉。

　　二学生告诉众人，以前在欧洲有种非常古老的邪教仪式，就是用酷刑折磨处女。那些酷刑的残忍，远不是常人所能想象的，在经历了极限恐惧与痛苦的情况下，她能看到一些唯有死人才会看到的东西。折磨到最后就是在地洞里活剥人皮，把皮剥下来之后那女子还没断气，嘴里会断断续续说出眼中所见之事，只有宗主才有资格附耳去听。他听到的内容全都属于机密，绝不会让普通人知道，这倒与"楚幽王问鬼"的方法殊途同归。

　　高思扬问道："古老的西方邪教酷刑，与楚幽王盒子上的巫术有什么关系？"

　　二学生猜想说："大概都是为了接收来自……深渊的信息。"

　　司马灰心有所感："人们对诞生方式一直缺乏创造力，但对死亡方式的创造力真是无穷无尽。不过咱们对楚幽王的盒子所知甚少，凡事小心为上。"说罢继续端详铜盒上其余的图案，发现其中记载的内容匪夷所思。大家看在眼里，惊在心里。

　　众人根据铜盒上的图案推测，早在神农架木为巢之际，一伙头上戴有角冠的古人为了追赶麋鹿，无意间发现了这个洞穴。其最深处通着一处山脉，山后有个神秘的圆坛状物体，形状就像个大腹坛子。人们从中发现了一具尸骸，但这尸骸全然不似人间之物。他们颇感稀奇，便将其从地底带出，可正想再次下去探寻的时候，那山脉却离奇地消失了，只剩下黑茫茫的无底深渊。传到春秋战国时期，楚幽王视此物为宝骸，来自阴山之下，他常命左右以巫鬼之事占问。直到楚幽王葬女引来冤魂索命，他才把装有宝骸的铜盒放入地下镇住阴山。洞底有恶鬼看护，外来者胆敢开启此盒，立时便会被它们拖进深渊，打到阴山背后，万劫不得超生。

　　司马灰等人深觉莫名其妙。挖出宝骸的地方显然就是天瓯，但深渊里的山脉怎么会突然消失了？如果铜盒里的宝骸不是人类，又会是什么生物所留？阴峪海原始森林里史前生物化石很多，倘若它属于某种动物的骨骼化石，除非是极其罕见特殊，举世再也找不出第二个了，否则古人不可能如此看重。另外，开启楚幽王的铜盒之后，真会有恶鬼出现吗？众人对这些谜团无从考察，仅能猜测。

铜盒上铸造的图案神乎其神，具有浓重的巫楚色彩，虚虚实实的让人难以琢磨。众人心里的疑问越多，就越急着想要了解古人从地底找到的这具遗骸到底属于哪种生物，它究竟有着怎样奇异的身份？如今到了抉择之时，却被楚幽王留下的诅咒所阻，毕竟谁都没有前后眼，预测不到打开盒子之后的情形。

高思扬不以为然："要照你们说的，这盒子附近就有鬼了。可此处静得出奇，哪有什么异常？"

胜香邻说："铜盒上的图案显示有人看到遗骸后，才会被恶鬼拖走。我感觉这地方有些邪门儿，凡事不可不防。"

高思扬说："别信楚幽王那套鬼话。把这盒子打开看看不就全清楚了吗？"

二学生点头说："盒子上恶鬼吃人的图案不可能是天气预报，未必真会应验。我觉得那是一种对于命运的深沉遐思，也可以说是古代人蒙昧无知的想法。"

司马灰虽然早已将生死置之度外，但绝不等于活腻了要赶着去找死。他知道大意不得，于是先观察了一下地形，看见楚载兽首附近一片漆黑，距离洞底的积水有十几米高，狼鳍飞鱼很难接近此处，周围枯藤倒垂沉寂无声，于是决定让其余几人退到铜兽后面加以掩护，由他独自开启楚幽王的盒子，万一有不测发生，也不至于全军覆没。

胜香邻心生不祥之感，低声对司马灰说："还是由我来打开铜盒好了，我死总好过你死。"

罗大舌头插言道："香邻你这是什么话？堵枪眼、滚地雷的事只要有我罗大舌头在，怎么也轮不到你啊。不过我要是万一光荣了，可不想跟宋地球一样，把骨灰撒在这不见天日的地洞里。你们尽量把我的骨灰带回去埋了，可别让我做了背阴山下的孤魂野鬼，咱老家那边特别讲究这些事……"

高思扬不相信看了盒子中的遗骸就会当场死亡，又听罗大舌头啰唆起来没完，搞得像是交代后事一般，就想直接上前撬开铜盒。

司马灰拦住众人说："谁都别争了，咱还是按原计划行事。老子活了二十来年，签子活儿武差事没少做，到如今汗毛也不曾短一根，想来是命够硬，就不信今天还能让恶鬼吃了。待会儿如有凶险，凭我的手段也自可脱身。"当下不容分说，挥手让其余几人躲到一旁，然后将火把插在铜虎口中，摸索寻找盒身缝隙。

众人只得向后退开，看到兽首两侧的怪手托着树形巨烛，各有石梁相连，就分别用火把引燃，顿时将周围照得如同白昼，随即伏在铜灯旁持枪掩护。

这时司马灰已摸清了铜盒的结构，其外部氧化严重，铜性已消，凭猎刀就能撬开盒盖。他寻思："楚幽王盒子里的遗骸来历不明，据说地脉岩层间会存在天然放射性元素，深渊里也许还有某些不为人知的细菌，这些东西都足以置人于死地。"于是将枪支倒背在身后，摸出鲨鱼鳃式防化呼吸器套在脸上，又戴了手套，这才用猎刀撬动铜盖。

谁知那铜盒里面装了个玉盒，上面饰有描金彩绘，但它封存了两千多年，骤然接触外部空气，还不等司马灰看清那些图案，就已倏然转为暗淡，迅速消失在眼前。司马灰暗中骂声"作怪"，又以猎刀剥去盒缝间的蜡质，轻轻将玉盒揭了一道窄窄的缝隙。他心弦紧扣，屏息凝神向内窥探，只见盒中果然卧着一具遗骸，可随着盒盖向上揭开，遗骸竟猛然睁开了二目。

第六话
遗　骸

司马灰在照幽铜灯之下揭开盒子，只往里面瞧了一眼，就知道那具遗骸绝对不是人骨，仅从轮廓看就不像，可还没等他看清楚，却见骷髅头漆黑深陷的眼窝子里突然射出两道寒光。司马灰心中一惊，赶紧把玉盒用力扣上。这铜函玉匣虽不是棺椁，但铜蚀斑驳，从来没有开启过的痕迹，盒中的遗骸至少被封存了两千年，怎么可能还有生命迹象？

众人此前发现的壁画中，虽描绘了楚幽王盒子里的遗骸，但春秋战国时代的绘画神异色彩浓重，很少运用写实技法，无法让人参透其中奥秘。另外，铜盒表面铸刻的图案，也记载着盒中遗骸的来历。那些早已泯灭在古老岁月中的历史，还有预言般必死的诅咒，更使遗骸的身份显得扑朔迷离。其余几人见司马灰如触蛇蝎，刚揭开盒子又立马重新盖上，也不知他刚才那一瞬间看到了什么。众人皆是惴惴不安，忍不住想要上前看个究竟。

司马灰摆手示意众人不要妄动，随后附在盒身上倾听了一阵，也没发觉有任何声响。他虽是胆大包天，行事却不鲁莽，眼下诸事未明，岂敢掉以轻心。司马灰当即深吸了一口气，轻舒双臂再次揭开盒盖，这回有了心理准备，借着铜灯的光芒打量盒中之物。不过他眼前看得清楚，心头却似被重重迷雾遮蔽，因为楚幽王盒子里的东西，实在是太出人意料了。

那盒中遗骸身长两米有余，形貌似人非人，四肢俱备，遗骸的头颅到足骨皆是黄金，内脏则是玛瑙、琥珀、水晶等物。骷髅颅前有一纵目深陷，两个眼窝中放有两颗黑色玉珠，此乃煤精所化之玉，类似于古时悬黎①一类，被照幽铜灯映得寒光四射。而且整具遗骸都像是天然生就，看

---

① 美玉名。《战国策·秦策三》：“臣闻周有砥厄，宋有结绿，梁有悬黎，楚有和璞。”《史记十七·范雎传》作“县黎”（古县、悬通）。后泛指美玉。

不出任何雕琢过的痕迹。秦汉之时的阿房宫、未央宫枉称纳尽天下奇珍，恐怕也凑不出如此一具尸骸，它实为无价之宝。

司马灰心有所悟。大概古人从地底山脉中找到了这些黄金水晶，那时候的人们还不懂自然界有鬼斧神工之力，流传到春秋战国时代，被楚幽王视为宝骸，秘藏在宫中，对其行巫问鬼，推测旦夕祸福。可当时楚国衰亡在即，楚幽王以为得罪了凶神恶鬼，就想以阴山镇住此物。这足以说明阴峪海下还有更深的洞穴，那地方就是楚人传说中锁着无数恶鬼的背阴山。这黄金水晶遗骸或许就是从那里带回来的。可是根据铜盒上的记载，阴山里并没有金脉存在，那遗骸是古人在形如大腹坛子的天瓯之中发现的，天瓯究竟为何物？它是从哪来的？深渊里的山脉又为何时隐时现？

各种疑问纷至沓来，值得庆幸的是线索还没有中断，可脑子里稍一走神，就忘了接触到遗骸立刻会死的谜咒。幸运的是，自始至终也没有什么异常状况出现。司马灰估计那只是对付土贼的恫吓震慑而已，悬着的心也就放下了一半，便将盒盖完全揭开，正要招呼罗大舌头等人过来商讨，忽觉身后阴风骤起，突然有只冷冰冰的手搭在了肩头。他顿觉恶寒袭身，止不住毛发森竖、遍体战栗。

司马灰察觉到情况不妙，似乎有个阴魂出现在了身后，心里明白只要一回头就没命了，忙用两手撑着盒壁，提气从黄金水晶遗骸上纵身跃过，落地就势向前翻滚，在快如电光石火的瞬息之间，已蹿到数米开外，随即端枪向后瞄准，只见枪口所指处无声无息地站着一个人，那人头上戴着装有矿灯的 Pith Helmet，脸上罩了副鲨鱼鳃式防化呼吸器，竟和司马灰自身的装束一模一样。

司马灰见那人如倒影一般，从头到脚都跟自己毫无区别，那肯定不是另外的潜伏者。毕竟司马灰身上的装备属于东拼西凑的万国牌。如果不是进入过罗布泊望远镜和神农架阴峪海原始森林，那苏联制造的鲨鱼鳃式防化呼吸器，法国人的 Pith Helmet 软木盔，还有塔宁夫探险队留下的温彻斯特—1887 型拉杆式连发枪，如何得以集中使用？先后参加过这两次行动的人只有三个。那专供地下作业及夜间狩猎使用的 6V6W 氙气矿灯虽然常见，可为了防止灯头在行动中受到碰撞，已在三人的矿灯前端事先拿铁丝箍了，这个特征却是模仿不来的。所以即使是脸上戴着防化呼吸器，司马灰清楚那人并不是胜香邻或罗大舌头。

　　司马灰当然知道自己不可能遇到自己，除非是镜花水月之类的光学作用，但那虚影却不与实体左右相反，刚才身后那阵冰冷阴森的触感也非凭空而来，倒似三魂七魄之一被拽离了躯壳。司马灰平生屡逢奇险，自问还没遇上过如此怪异的情形，不免想到打开铜盒会有恶鬼出现的诅咒。

　　所谓的恶鬼也就是厉鬼了，据说人死为鬼，死逢阴年阴月阴时即成厉鬼，厉鬼久炼成形，能够托化为人，想变成什么样就是什么样。司马灰对这种说法并不深信，因为他是金点真传，那金不换秘诀是相物古术的根本，世间无物不辨，但其中有句话讲得好："鬼神无凭，唯人是依；一犬吠形，百犬吠声；众口铄金，曾参杀人；明贤智士，亦所疑惑。"这是说幽冥之事都属虚无，谁也无法确定是否有鬼，那些神迹和鬼事大都是人们臆想出来的，不过也不能就此确定它没有。因为阴魂并非实体，不能以实论虚，所以很难用相物之术加以辨识。如今这情形太过诡异，司马灰不知对面那身影究竟是恶鬼所化，还是自己的魂魄已被拽离了躯壳，一时间又惊又疑，真跟掉了魂似的。

　　这么眨眼的工夫，两旁的照幽铜灯就暗了下来，对面那个脸上罩着鲨鱼鳃式防化呼吸器的身影，就像一团烟雾融化开来，被抻长扭曲，逐渐消失在了黑暗深处。

　　与此同时，另外几人都察觉到势头不对，立刻上前接应，但视线被司马灰挡住了，没看到铜盒旁边发生的诡异现象。

　　司马灰实不知该如何解释，但他也明白刚才要不是自己逃得快，此刻早已横尸就地了。当时他只觉那阵阴风吹过，灯烛旋即熄灭，吹得人心惊肉跳。眼看黑暗即将吞没楚幽王的盒子，他急忙摘掉防化呼吸器，正想让胜香邻等人迅速后撤，谁知这时高处的枯藤一阵晃动，从藤上爬下一个人来，如飞一般直扑到铜盒旁边。那人虎背熊腰，脸似苍猿，身上散发着一股强烈的腐尸气味，正是那采药的土贼。

　　原来司马灰所料不错，土贼老蛇生来异常，又常年在密林中哨鹿采药，千年灵芝与成了形的何首乌也不知吞食了多少，还跟他那挖坟抠宝的师傅练过僵尸功，擅使龟息闭气之术。当年他在林场的一举一动都被人监视，他通过挺尸装死，被埋进土里之后徒手抠洞逃脱，遁入深山老林藏匿，渴饮山泉，饥食野果，好不容易才等到机会，潜入大神农架通讯所挖掘地道，妄想找到塔宁夫探险队遗留的物资和地图，从而探寻阴峪海下的楚国古物，谁知半道杀出个程咬金，反被司马灰等人抢了先机，坏了他暗中筹划的大事。

老蛇自知凭借拳勇难敌快枪，所以此前掉下山隙之后，就先找地方躲了起来。他估计过不了几天，通讯组这伙人便会活活困死在山里，而自己三五天不沾水米也不打紧，实在饿了还可以割那民兵尸体上的肉吃，耗也能把那几个人耗死。怎知司马灰等人竟按照地图深入阴峪海地下，找到了古楚人镇鬼的祭祀坑，看这些人的动向，倒似有备而来，要找什么东西。老蛇以为司马灰等人也是伙寻宝的土贼，就悄悄跟随而来，一路上怀恨已久，只是始终找不到机会下手，唯恐身上气味暴露行迹，也不敢跟得太紧。直到司马灰揭开了楚幽王的盒子，显出里面那具罕见的黄金水晶遗骸，老蛇躲在树藤间看得眼内动火，又见到"楚载"下有阵阴风卷着愁云惨雾涌了上来，其中似有鬼物出没。眼瞅着那铜盒就要没入漆黑，说不定会被阴魂恶鬼就此带走，他贪图重宝，竟舍身下来抢夺遗骸。

司马灰等人虽预计到老蛇手段诡秘，远非常人所及，在没把这土贼挫骨扬灰之前，绝不能认定他就此了账，因此无时不在提防，但这时的注意力都被铜盒吸引，没想到老蛇会突然出现。司马灰知道这老蛇很不简单，这次进山如果没有塔宁夫探险队的地图，还不知会有多少周折险阻，对方偏赶这个时候在通讯所出现，这一切仅仅是巧合吗？司马灰隐隐感觉到这一系列的事件有些蹊跷，不免想起在缅甸野人山裂谷里听到的那句至理名言："对逻辑研究得越深，就越是应当珍惜巧合。"猎户使用的土铳虽然原始落后，杀伤力和射程都比不得 1887 型霰弹枪，但抵近射击也足以将狍子放倒。练过僵尸功的土贼终究还是血肉之躯，为什么此人被土铳击中后仍然行动如初？另外对方的意图，难道真像他自己说的那么简单——只是在穷途末路之际找件"大货"逃往境外？这个土贼身上好像也有许多秘密，他会不会与绿色坟墓有关？

当然这些念头都是司马灰先前所想，由于找不到什么头绪，所以没对任何人讲过，眼下对方在此出现，他也顾不得再去思索，当即举枪射击。但老蛇身法奇快，早已窜至铜盒旁的射击死角，伸手拽动遗骸，这时照幽铜灯上的灯烛又让阴风吹灭了两盏，那土贼的身影转瞬间就被一团黑气罩住，再也看不到了。

第七话
狐　　疑

司马灰见楚载下涌出的黑气慢慢遮住了铜盒，老蛇连同那具遗骸尽被吞没，铜盒与函壁之间的巨烛也熄灭了一半，他不知那阵阴风中出没的东西究竟为何物，只好警告从后赶来的其余几人立刻退后。

高思扬看到老蛇出现，于是报仇心切不退反进，可眼前灯烛无光漆黑一团，只听里面有人喉头咯咯作响，当即将 1887 型拉杆式霰弹枪抵在肩头，对准有声音传来的方向扣下了扳机，可就在枪响的同时，一阵阴风忽然卷至。高思扬身上毛骨悚然，那感觉就像有恶鬼站在对面吹出一道寒气。她发现情况不对，慌忙转身后撤，没想到二学生急于帮忙，从后跟得太近，两人撞在一起跌倒在地。

此时楚载兽首附近越来越黑，司马灰和胜香邻已看不见同伴所在，只有罗大舌头察觉到有人在身旁摔倒，他仗着一时血涌，忙把猎熊枪背起，伸出胳膊一手揪起一个。那两人身上都有背囊和枪支，分量何等沉重，匆忙中也顾不上解掉装备。罗大舌头发现自己那盏防爆矿灯像短路似的闪了几闪就灭掉了，眼前黑漆漆的看不到任何光亮，心里说："要糟！"凭着在缅甸丛林翻山越岭的本事，他只需向前一纵就能脱身，可生死关头的一瞬间，脑海里浮现出惨死在野人山和罗布泊荒漠里那些同伴的面孔，不想扔下高思扬和二学生独自逃生，当即浑身筋突，使出蛮牛般的力气，虎吼声中晃动双膀，分别将那两人向前掷出，随后撒开两条腿也想往外逃跑，忽觉背上有股恶寒袭来，惊得罗大舌头真魂冒出，下意识地转头去看身后，可后面却黑茫茫的什么也没有……

这时司马灰发现有同伴掉队，正想设法救应，却见高思扬和二学生两个人从半空中落到了跟前，膝盖和胳膊肘都擦破了，摔得着实不轻。

司马灰听到声音，知道罗大舌头未能脱身，楚载兽首的石梁已有大半陷入黑暗，他心急如焚，立刻就要过去寻找罗大舌头，谁知身前突然窜出一人，竟是那拖着遗骸的老蛇。司马灰分明见到老蛇在罗大舌头身后，为何这土贼从一片漆黑的铜盒旁逃了出来，却没被阴魂恶鬼拖去？他到底是死人还是活人？

双方均是一怔，几乎是同时意识到猝然间狭路相逢，不是你死便是我亡，因此分外眼红。司马灰想以1887型拉杆式霰弹枪迎头射击，忽觉右臂一阵酸麻，顿时痛彻心扉，原来老蛇身手极快，他手腕上的"寸关尺脉门"已被那土贼扣住。

这大神农架山区的猎户，自古以来多习拳勇。老蛇身上怪力无穷，更是擅长模仿虎、蛇、熊、猿、鸟等野兽扑击的动作，能够徒手击毙虎豹。此刻他一手捏住司马灰脉门，另一只手却舍不得放下那具遗骸，只想再加些力气捏碎了司马灰的腕骨。

司马灰身经何止百战，如今依旧临危不乱，发觉自己脉门被死死扣住，便顺势翻身卸力，同时反托对方臂肘，脚下使出连环腿向前踢出。老蛇没料到司马灰应变如此迅捷，心窝子接连被踢中两脚，被迫撒手后撤。司马灰则疼得倒抽一口冷气，除了手腕子，两脚趾骨也都差点断了，这才明白那土贼内着皮甲，还挂有护心铜镜，不知是从哪个坟包子里抠出来的古董，难怪被土铳打中后浑然无事。

二人都没能将对方置于死地，不过司马灰骨头都快被老蛇捏断了，显然是落了下风，但至此也终于确认了那土贼练过僵尸功。此人虽有龟息蛇眠之法，但终究还是血肉之躯。可如果接近楚幽王盒子里的遗骸，就会引来阴魂索命，这土贼却为什么会安然无恙？此前险些将自己魂魄揪走的东西是什么？

从司马灰揭开铜盒，看到里面那具神秘的遗骸，再到发觉背后有鬼，急忙逃离铜盒，又有阴风吹灭照幽巨烛，铜盒旁显出妖异，直至遭遇老蛇，这些变故都是接二连三发生的，整个过程十分短暂，自己完全没有时间多想。眼看与土贼拉开了距离，枪支还在自己手中，他就打算先将此人毙在枪下，可右臂腕骨疼痛欲裂，半分力气也使不出来，根本无法扣动扳机。

老蛇对着黑洞洞的枪口也难免有几分忌惮，当即夹起铜盒中的遗骸，退到石梁边缘，反身攀壁而下，迂回逃进了楚载上的洞穴。

司马灰眼看对方从眼皮子底下逃掉，却也无可奈何。他抬眼一瞥，看见其余三人正合力拖动绳索，像拖死狗似的将罗大舌头拽了回来。看情形应该是罗大舌头遇险时甩出了挂在身边的壁虎钩子，胜香邻等人忙于接应，也没顾得上阻截老蛇。司马灰当即上前协助，使出吃奶的力气才把罗大舌头拽到身边，看见他脸色刷白、双目紧闭、身体僵硬，从头到脚一动不动，也不知道是死是活。

这时候，最后两盏铜灯也被阴风吹灭了，四下里黑得跟抹了锅底灰一般。众人惊惧莫名，只好抬起罗大舌头，向后退进函壁上的洞内，并推倒石俑挡住了洞口。但楚载上的洞穴通往各个方向，堵住一个洞口根本没什么意义，如果真有阴魂从后跟来，即便石壁坚厚，恐怕也起不到什么作用，可事到如今，唯有尽己所能听天由命了。

众人看罗大舌头始终没有动静，不祥之感油然而生，伸手摸他心口，发现一片冰冷，气息已绝，原来早就死去多时，现在只剩下一具没有生命的躯壳。谁都没想到死亡会来得这么突然，不禁怔在当场默然无声，周围的空气都仿佛凝固住了。也许你越是清楚死亡的可怕，就越不知道它什么时候降临。不过司马灰却有种很怪的感觉，不知道出于什么缘故，他觉得眼前这具尸体根本就不是罗大舌头，或者说这并不是一具死尸，而是打开楚幽王铜盒后才出现的某种东西。

司马灰耳听四周寂静无声，就把自己揭开铜盒后出现的种种情形，跟其余三人说了一遍：先是猛然察觉到有只手搭在背后，随即跃过楚幽王的铜盒迅速逃离，回身看时，只觉阴风飒飒，当中裹着一道黑气，两旁的灯烛火瞬间变暗熄灭。他同时发现铜盒后影影绰绰有个人，对方脸上戴着鲨鱼鳃式防化呼吸器，所以不知道长什么样子，不过看身形与装备，都跟自己完全一样。司马灰相信，一个人绝不可能在真实中遇到另一个自己，但这种诡异的现象确实发生了，因此，面前这具尸体未必就是真正的罗大舌头。

高思扬和二学生均摇头不信，劝司马灰接受事实，人死如灯灭，胡思乱想也于事无补。

胜香邻听司马灰描述了先前所遇，认为铜盒旁出现的人影并非实体，而是某种残像，就像雾一样，所以它才会迅速消失。若不是司马灰逃得快，如今他也得变成一具冰冷的尸体了。

这道理司马灰何尝不懂？只是心里还抱有万分之一的侥幸。他想起宋地球、玉飞燕、阿脆、穆营长、刘江河、Karaweik 等人，都是在探寻绿色坟墓之谜的过程中逐个死亡的。凡是与这些秘密扯上关系的人，似乎全都受到了命运的诅咒，谁先死谁后死只是迟早而已，而死亡又是不能预测的。众人既然没有选择逃避命运，就对死亡有足够的思想准备，尽管这样，司马灰还是觉得罗大舌头死得过于突然，身上也没有明显的外伤，临死的一瞬间究竟遇到了什么？想到这些，往昔的时光全都涌上心来，他暗道："罗大舌头，没想到那么多次枪林弹雨、天塌地陷的劫数你都躲过来了，结果却不明不白地死在了神农架，招呼也不同老子打一个，就匆匆忙忙地走了，未免太没义气。你如果英灵不泯，就到九泉之下等着，我过几天也就来了……"

这时深处的铜兽附近突然发出一阵轻响。司马灰闻到一股福尔马林溶液的气味，知道是先前逃进涵洞的老蛇未曾远遁，忙把矿灯照过去，果然看见此人抱着遗骸缓步逼近，离着十步开外便停住不动，躲在铜兽身后，只露出布满血丝的双眼凝视着众人。

高思扬恨极了老蛇，手中的枪口立即瞄准，只等对方稍一露头就开枪射击。司马灰也知此人极难对付，如今他自己暴露在射程之内，便应该立刻除掉，以免留下后顾之忧，于是收摄心神，持枪待敌。

老蛇见状"嘿"了一声，用嘶哑的嗓音问道："不知打头的这位……怎么称呼？"他认定司马灰等人跟自己一样都是进山抠宝的土贼，按道上的规矩，即便是土贼，也不能问另一个土贼尊姓大名，一问对方就会起疑心："你要拿我怎么着？"所以得问怎么称呼，一般报个字号就算通了姓名。

司马灰心中满是杀机，虽对此人的来历疑惑很多，现在却没心思多问，所以并未回应。

老蛇又说："你们可别逼人太甚。起初要不是那民兵伢子先开枪打我，我也不会下手弄死他。我如今穷途末路，就是想问你一句：你为什么要骗我来找这具遗骸？"

司马灰等人闻言都感到脑袋有些大，实不知这话从何说起。对方不就是妄图从阴峪海下抠件大货，从而潜逃境外吗？虽然也曾隐隐感到有些蹊跷，因为老蛇在通讯所挖掘地洞的时间很是古怪，巧合得让人感到不安。

塔宁夫探险队遇害至今，已埋骨在深山数十年之久，为什么老蛇早不来晚不来，偏要赶在这几天下手？结果不但没有成功，探险队留下的地图和武器反倒成全了司马灰这伙人。司马灰虽然看不透这些事件背后的真相，可事先也绝对没有让老蛇到这祭祀洞里寻找遗骸，他以前甚至不知道阴峪海下还有个楚幽王的盒子。不过，那土贼不可能凭空冒出这么句话。此言看似波澜不惊，可仔细往深处想想，就会感受到其中包含着一个不可破解的巨大悬疑。

第八话
暗　号

如果事情有可能变得更糟，那就一定会变得更糟，只不过暂时还没有发生而已。司马灰对这冷酷的"墨菲定律"感到十分惆头，担心不祥的预感会变成现实，可整个事件云山雾罩，一时半会儿他也想不清楚，自己究竟在怕些什么。

高思扬低声对司马灰说："别上当，这土贼一定是在拖延时间。怎么可能是你让他到阴峪海下来找遗骸？"

司马灰对高思扬使了个眼色，示意她沉住气先别声张，且听老蛇接下来是怎么说的。毕竟事关重大，不论对方所言是虚是实，都得听到底。

老蛇耳功敏锐，能够闻风辨形，他听到高思扬的话，也明白众人不作回应的用意，便道出整件事情的经过：

原来老蛇本家姓佘，山民讹传为蛇，大山里的猎户有姓无名，又因爹娘早亡，因此从来没个大号。后来他跟个采药的师傅哨鹿采药，也常做些损阴德的勾当，师傅习惯将他呼为蛇山子。在师傅快咽气的时候，老蛇终于知道师傅早年间加入过地下组织，还接受过密电训练，是个潜伏在神农架山区的特务。这个组织很早就有了，首脑被称为绿色坟墓。

老蛇的师傅临终前，除了说出塔宁夫探险队的情况，还告诉他另外一件大事：组织要寻找进入地心深渊的通道，至于原因只有首脑才清楚。可这条通道究竟在哪儿，却始终没人知道，甚至没个具体目标。对地底的探测又谈何容易，所以除了该组织独立的探索行动，凡是有可能存在深入地底洞穴的区域，附近必定有绿色坟墓的成员暗中监视。大神农架阴峪海原始森林下的洞窟即是其中之一。传说楚幽王曾在此埋宝镇鬼，最深处有阴山地脉，也不知是真是假。当年有支装备精良的塔宁夫探险队，意图进山寻找那些失落的秘宝，结果被老蛇的师傅混进队伍冒充向导，全给害死在了神农顶。但这件事并未引起首脑的重视，因为已知的最深洞窟是在罗布泊荒漠。

师傅交代给老蛇密电本，嘱咐他顶替自己继续等候命令，说到这儿一口气喘不过来，就此呜呼哀哉，魂归那世去了。

老蛇这才知道师傅以前传授给自己的暗语代号，还有密电联络方法，都是为了跟境外的地下组织联系。但他心里很是不以为然，也想不明白师傅何以对首脑如此死心塌地。要知道胳膊拧不过大腿，如今已经解放这么多年了，就算还有几个没被揪出来的特务，又能成得了多大气候？如今那地下组织是否还存在都不好说了，师傅大概让鬼迷了心窍，一辈子窝在深山老林里，从没见受用过什么。想那光阴瞬息，岁月如流，师傅这是何苦来？

老蛇暗中思量："如今世道变了，再也不会有以前那般无法无天的年月了。山外的'肃反'、'镇反'运动一次接着一次，我师徒二人没少做过谋财害命、挖坟抠宝的事，何况师傅又是地下组织的特务。随便哪一件被人知道了捅出去，都免不了得吃枪子儿，还是夹起了尾巴做人为妙。"于是他就到林场里找了个活干，有时候也去山里猎鹿采药，直到遇上毒菌毁了容貌，自己剥了自己的脸皮，走到哪儿都被人视为怪物。他心胸狭窄，听到谁议论自己就想坏掉对方性命，然后毁尸灭迹。山里失踪的人越来越多，难免引起了公安部门的重视，他知道自己这事遮不住，早晚得被人揪出来处以极刑，绝望之余就打算试试师傅死前留下的联络暗号，若能找机会潜逃出去，或许还能得到组织接应。

老蛇计划已定，却始终没有得到组织的任何回应，他以为这个地下组织早就土崩瓦解了，谁知收听敌台的时候又被人撞见，引起了林场的怀疑，走投无路只好挺尸装死，以此打消地方上对他的怀疑。摆脱监视后他像野人一般躲在山里，从此再也不敢露面，只是他仍不死心，不时潜入瞭望塔通讯所，使用里面的短波电台发报，试图与组织取得联系。直到1974年秋季，他终于收到了来自首脑的直接指令——找到塔宁夫探险队留下的地图。

通讯组的两名成员也就罢了，司马灰同胜香邻却听得面面相觑，均是做声不得。看来此事果然与绿色坟墓有关，这土贼所言涉及许多隐秘细节，不可能是凭空捏造。但如果这些话属实，又会得出一个什么样的

结论呢？

　　按老蛇所说的时间推算，司马灰是从夏季浮屠风团入侵缅甸之时，加入探险队到野人山裂谷搜寻蚊式特种运输机，然后越境回国被关押在砖瓦场，再跟宋地球深入距离地表万米的极渊沙海，如今又到神农架原始森林，这时候已经是深秋了。而老蛇显然是在考古队的幸存者逃离罗布泊望远镜之后，才知道进入地底深渊的通道就在大神农架阴峪海之下。难道绿色坟墓在缅甸黄金蜘蛛城根本没有接收到幽灵电波？那会是谁泄露了这个至关重要的情报？

　　司马灰等人是在极渊尽头找到了破解夏朝龙印的笔记，这才得以知晓禹王鼎山海图上的秘密，推测阴峪海下存在一个被称为天瓯的物体，也就是通往地心深渊的大门。其余的一切仍然是谜，而从罗布泊望远镜里活着走出来的只有三个人而已。司马灰寻思："在进入神农架之前，除了提供经费的刘坏水多少了解一些，再没有第五个人知道详情。倘若是刘坏水通敌，自己这伙人早在火车上就没命了，所以这种可能性可以排除。以本人相物阅人之能，虽不敢说到了'瓦砾丛中辨金石、衣冠队里别鱼龙'的地步，但身边的人若有异常，我也绝不可能毫无察觉。那土贼又为何说是我让他来寻找遗骸？我自己做过什么，难道自己还不清楚吗？在揭开楚幽王的铜盒之前，我连里面到底有什么东西都不确定……"

　　司马灰自从第一次遇到绿色坟墓以来，经历了无数匪夷所思的变故，感觉自己身边的谜团越来越多，就像被浓雾遮住了视线，看不到一丝光明。此刻他一面听着老蛇继续往下述说，脑子里一面飞速旋转，分辨着隐匿在这些事件之后的模糊线索。

　　老蛇说他接到了首脑的指令，以为只要听命行事，就会有潜逃出境的机会，于是到林场里偷着放了一把火，吸引了民兵的注意力，使整个山区为之空虚，随即摸入瞭望塔通讯所弄死了护林员，寻着方位从地窖里往深处挖掘，却没想到这时候司马灰等人突然出现。当时老蛇认为这伙人的身份，应该是前来修复无线电联络的通讯小组，眼看自己的所作所为要被发现了，只好设法阻挠，不料又被通讯组抢先找到了塔宁夫探险队遇难的地点。

　　最开始的时候，老蛇还有些做贼心虚，通讯组来的人有五六个之多，他能看出其中至少有两人身手了得。若非出其不意，想同时弄死这几个人可不容易，因此他没有贸然动手，结果是一步不着，步步不着，不仅失去了先机，还眼睁睁看着地图枪支落于人手，更没想到通讯组拿了地图，就直接前往阴峪海下的洞穴。他至此恍然醒悟，原来这伙人也是土贼，这可真是贼吃贼——越吃越肥了，只得凭着在深山里哨鹿采药的丰富经验，在后面一路跟踪而来。

老蛇毕竟是有眼的土贼，看到楚幽王的铜盒里竟装着一具来历神秘莫测的遗骸，此物宝气冲天，举世罕见，心中立时生出一股子贪婪的念头，再也按捺不住。这时突然卷起一阵阴风，有道黑气从洞底涌出，铜盒附近的灯烛顷刻熄灭，使司马灰不得不匆匆退开。老蛇见时机到来，当即上前抢夺遗骸。不过，他也察觉到有什么东西正从身后逼近。挖坟抠宝的土贼从来不信鬼神，但那种毛骨悚然的感觉前所未有，一片漆黑中似乎有无数只大手将他抓住了。老蛇虽是杀人如麻、心狠手辣，至此也不由得心里发慌，寻思好死不如赖活着，总不能为了这具遗骸把命搭上。他仗着擅长闭气行尸之法，当即想纵身逃脱，这时却听身前有个人低声说话，内容十分简短，是让老蛇将遗骸带到涵洞里去，并且说出了一个暗号。

当年老蛇从他那个死掉的土贼师傅口中，得到过密电本和联络暗号。绿色坟墓控制下的组织结构像是一把雨伞，每人各有一个房间编号。暗号虽然极为简单，但内容只有首脑和该成员自己清楚，完全采用单线联络，由首脑直接下达指令，成员与成员之间无法相互接触。此时说出暗号的人除了首脑还能有谁？老蛇万没想到首脑就在附近，他不敢违抗命令，急忙拽上遗骸跟着那人向前逃窜，结果迎头撞到司马灰的枪口上，见对方想要举枪射杀自己，不免愤恨交集，杀心陡起。

司马灰越听越奇，后面的事就清楚了：双方都未能将对方置于死地，最后又在涵洞中相遇。可是，对这土贼说出暗号的人是谁？

第九话
箱 中 女 仙

按照老蛇的说法，先前的情形是照幽灯烛飘忽欲灭，洞底有阵阴风裹着一道黑气涌出，铜盒周围转瞬间就变得伸手不见五指，在涵洞前的灯烛却仍然亮着。老蛇在黑暗中遇到了一个说出暗号的人，只得舍命抢出遗骸，可是从一团漆黑的地方逃到光亮处，当时距离他最近的人就是司马灰，此外绝不会有其余的人存在。老蛇以为自己一直被组织利用，然后又要被除掉灭口，不禁恼羞成怒。但他察觉打开楚幽王的铜盒之后，想必出现了什么要命的东西，当即忍了口气，先行逃到涵洞里避祸。他说到此处，便沉默不语，只伏在兽俑后边紧紧盯着司马灰，似是在等待回应，漆黑的楚载洞室内顿时陷入了死寂。

司马灰寻思前后经过，如果老蛇所言不假，在铜盒附近发出暗号的人应该是绿色坟墓。因为这种诡异的情形自己在黄金蜘蛛城也遇到过，只是他没想到由缅甸丛林来到神农架洞穴，竟从未摆脱掉这个幽灵。不过楚幽王铜盒里的遗骸，其实就是一些地脉深处蕴藏的黄金和水晶，绿色坟墓为什么指引土贼把遗骸带到这里？铜盒上的诅咒表明，凡是窥探遗骸之人都会立刻死亡。揭开铜盒后也确有阴魂出现，可为什么涵洞里静得出奇，莫非这楚载真能镇鬼？

自从打开铜盒之后，各种怪事便接二连三地出现，司马灰恰似置身于重重迷雾之中，眼下唯一能够确定的就是大致方向没错。古人从地底发掘出遗骸的神秘物体，必然是接触谜底的大门，如今只有设法夺回遗骸，再想办法从楚载涵洞中脱身，继而寻找进入阴山地脉的途径，但前提是得先解决掉这个犹如行尸的土贼。司马灰心知此人手段高强，此时大敌当前，他不敢稍有放松，便盯住对方的身形目不转睛。

二学生看出局势将变，唯恐众人在黑暗中行动不便，急忙点了根火把，将洞室内的铜灯引燃。

老蛇虽然身怀异术，却毕竟是个一辈子没离开过深山老林的采药人，眼光见识甚为短浅，认定发出暗号之人就是司马灰，又见对方始终一声不响，更以为是默认了，不免恨得咬牙切齿。他心知此番插翅难逃，可就算所有人都得困死在地下，也得亲手掐死这几个才闭得上眼。于是他暗运气息，只听他头颈、胸腰、肩臂、肘弯、腿膝、足踝间，发出奇怪的轻微响声，自上到下行遍了全身。

司马灰知道一场殊死搏斗迫在眉睫，此前见识过这土贼的身手，此人精壮剽悍，行动之际舒展如猿、矫捷如鹰，如果无法将其及时射杀，必然很难避免伤亡。众人皆是全身紧绷，同时退后几步，背倚函壁作为依托。

司马灰退到涵洞边缘，正持枪待敌，忽觉脖梗子汗毛倒立，身后一阵阴寒透入骨缝。他心知有变，快速转头察看，矿灯光束照到漆黑的涵洞里，就见洞中有个头戴 Pith Helmet 的人，这时对方也抬头向他看来，两人脸对脸距离不到数米。司马灰恍恍惚惚看到了那人的脸孔，心中猛地一颤："这个人……是我？"

石涵洞里面一片漆黑，司马灰虽以矿灯照明，视线仍是十分模糊。他与那人之间隔着几尊横倒挡路的兽俑，所以完全看不清对方面目，只能分辨出对方头上戴有 Pith Helmet。这种法国人的软木猎鹿盔，形状非常特殊，除了罗布泊考古队的三个幸存者之外，整个山区不可能再有第四个人戴，那出现在涵洞中的人又会是谁？司马灰想起在铜盒旁灵魂出窍般的经历，兀自心有余悸。他曾听宋地球讲过一件事，西人弗洛伊德，以精神分析著称于世。据其所言，所谓"精神"一词特指感觉、知觉和意识，而人之精神中除了"自我"之外，潜意识中尚有"本我"及"超我"存在。

司马灰当时只不过随便听了一下，至今未解其意，以为这跟中国传统观念中的人有三魂七魄之说相似。有道是"魂魄聚而为精神"，一旦精散神离即成"超我"，也就是在特定状态下会出现另一个自己。或许是打开铜盒之后有一部分魂魄离开了躯壳，逐渐变成了实体？又或许涵洞里的人……是横尸在地的罗大舌头？再不然便是精怪托化成人形？可不管发生的是哪种情况，都足以使人毛骨悚然。

司马灰知道世事变幻无常，没看清楚那人的面目之前，一切皆是无根无据的揣测，心里说老子倒要看看，你到底是什么？当即壮着胆子用手转动矿灯,将光圈聚拢照向对面,但照明距离在二十米左右的光束,照进涵洞里就像被一道黑气挡住,眼前再也看不到什么了。可是司马灰能感觉到其中有些东西在动,却受到函壁阻挡难以进入。

老蛇看到司马灰转头望向涵洞,注意力有所分散,便想出其不意从兽俑后跃起身直扑过来。奈何函载中陈列着几具照幽铜灯,二学生手持火把逐个点燃了石室中的巨烛,照得周围通明如昼,他处在1887型拉杆式霰弹枪射程内,一旦暴露出来就会变成活靶子,空有满身本事也施展不得,不禁恨得牙根发痒。他窥见二学生正探身引燃灯烛,便暗中摸到一截断落的铜戈,对准二学生猛然掷出。

司马灰耳听身后有"呜呜"破空之声,立即回过头来察看。胜香邻和高思扬虽然一直盯着老蛇,却也没想到这土贼突然发难,惊呼之声未及出口,铜戈就已飞到了二学生身前。

二学生吓得面无人色,两腿一软瘫在了地上。那半截铜戈擦着他的肩膀撞到墙上,连衣服带皮肉撕开了一条口子。要不是老蛇不敢从兽俑后显露身形,铜戈早就当场将二学生贯胸洞穿了。青铜戈头势大力沉,重重撞在岩壁上,直撞得碎石飞溅,那刻有浮雕的古砖被崩落了几块,碎石连同戈头纷纷掉落在地。司马灰和另外两人离得虽远,脸上也被碎石溅到,感觉隐隐生疼,想不到这土贼竟有如此臂力,也不免为之骇异。

司马灰担心对方故技重施,挥手让胜香邻等人先躲到照幽铜灯底部,刚伏下就瞥见壁上石砖崩落处古彩斑斓,原来雕刻图案的砖墙下,还隐有一层壁画,仿佛预示着揭开楚幽王铜盒后将会发生的怪事。

古楚人喜好行巫问鬼,勾勒描绘在帛衣棺椁上的画卷极尽诡谲莫测之能。楚辞中有名篇《天问》,即是屈原目睹过楚国辉煌绮丽的壁画后对壁问天。他提出的种种疑问包含天地万象之理,暗合神奇鬼怪之说,素有千古至奇之称,由此可以想象楚人壁画的神异之处。而这函壁砖石后显露出来的彩绘,是以龟龙之兽为载,那具遗骸就放于它背负的洞穴内部,外围则有许多形态缥缈的女子,也不知道是人是鬼,可能更近乎敦煌壁画中"飞天"一类的女仙吧。她们寄身于形状奇特的箱体之内,出没在黑雾中半隐半现,充满了诡秘古怪的妖邪气息。

司马灰和胜香邻对望一眼,两人均感那函室内层的壁画内容很是神秘,可能与遗骸、楚载、阴山等诸多悬疑有关。但绝大部分壁画被刻有浮雕的砖石封住，能看到的仅是一小部分。那壁画中描绘的事件年代古老，叙述又极为离奇，一时间根本看不明白。

司马灰也清楚附近还有强敌窥伺，顾不得再往壁画上多看一眼，同其余几人打个手势，端着枪绕过照幽铜灯，缓缓向老蛇藏身之处围拢。二学生从罗大舌头的尸身上摘下双管猎熊枪，猫腰跟在司马灰身后，准备同老蛇拼个你死我活。此人虽然手段了得，却毕竟只是深山里采药的猎户，仅具匹夫之勇，对付凶禽猛兽尚可，而司马灰等人都有枪支，只要稳住阵脚，采取分进合击的正确战术，尽可以在狭窄的洞室内将这土贼置于死地。

老蛇眼见无隙可逃，看来想拽上一两个垫背的也难办到，心中越发焦躁，寻思与其让这伙人弄死，或是被拿住了受辱，倒不如舍命钻出洞去，横竖不过一死，就将遗骸抱在身前，一步步挪向洞口。

司马灰知道这遗骸极其重要，说不定能将阴峪海下出现的众多谜团连接成线，因此投鼠忌器，只好尽量与那土贼周旋，开枪射击时不得不避开遗骸。枪弹打到墙壁上，不断有砖石塌落在地上，暴露出了更多的巫楚壁画。

老蛇迂回退至他先前爬进来的涵洞旁边，寻思虽然不能直接弄死这伙人，却能把遗骸里的秘密永远埋没，心底不免有几分报复的快意。但他忽然发觉后边似乎有人，回头看过去顿时吃了一惊，只见那已经死掉的罗大舌头黑着个脸，像尊铁塔般的站在自己身后。老蛇早些年做过挖坟抠宝的土贼，骤然见了这等情形，不由得一阵战栗，低声叫道："尸起？"罗大舌头却一语不发，手中猎刀迅雷闪电般迎头劈下。老蛇猝不及防，竟被一刀剁翻。他哪里还敢停留，抛下遗骸，就地翻身滚开，头也不回地钻进洞中，眨眼间没了踪影。

那土贼吓得不轻，司马灰等人的惊骇之情更是难以言说，都愣在原地望着罗大舌头连同他身后的壁画，感觉自身陷入了一个逃不脱的生死轮回，更面对着一个永远猜不透的恐怖怪圈。

第五卷

失落的北纬 30 度

第一话

怪　　圈

众人之前看到罗大舌头横尸在地，皆是又惊又悲，但当时变故迭出，容不得半点疏忽，只得各自克制情绪对付老蛇，没想到罗大舌头此刻忽然起身，看举止气息都与活人无异，难道天底下真有死后还魂之事？

司马灰上前打量罗大舌头，问道："你刚才分明伏尸倒地，现在怎么又野鸡诈尸？"

罗大舌头脸上的表情似乎僵住了，足足过了半分钟才回过神来，接连呕出几口黑水，脸色难看得吓人。他只记得出手救人之后，自己像被什么东西拽住挣不开，惊慌之余忙把壁虎钩子抛出，等再明白过来就看到老蛇从身旁逃过，于是抽出猎刀砍去，而其间的事情却怎么也想不起来了。

司马灰暗觉此事有异。自从打开楚幽王的盒子之后，蓦然刮起一阵阴风，矿灯和铜烛之类的光源触到它就立刻熄灭。而后，阴峪海下接连出现了许多怪事，在没有彻底搞清真相之前，这些事情全都无法解释。但不管罗大舌头身上发生了什么，总好过是冷冰冰的一具死尸。

胜香邻和高思扬也觉得只要人还活着就是万幸，毕竟有呼吸又有心跳，应该不是死人挺尸。

二学生却疑虑重重。那罗大舌头心跳呼吸没了好久，怎么可能又活转过来？常言道："山高人踪少，洞深鬼怪多"，在这与外界完全隔绝的深山洞穴里，谁能够证明眼前这个罗大舌头还和以前一样？但凡具备一点朴素唯物主义思想的人，都会觉得这件事情太不正常了！

而罗大舌头看见二学生端着自己那条加拿大 8 号猎熊枪，不免心头有气，问道："你小子俩眼加起来少说 1800 度，使得真家伙吗？"

二学生支吾道："这枪……沉倒是蛮沉的，我还处于适应阶段……"

罗大舌头伸手夺过猎熊枪，瞪目道："我看你他娘的是欠揍！"

二学生不敢再同罗大舌头多说，躲在旁边请高思扬处理肩伤，心里仍是恐惧莫名。

司马灰盯着罗大舌头看了一阵，没发现有什么反常之处，就告诉二学生："只要活人形影俱存，绝不会是阴魂所化。我的兄弟我最清楚，不必疑心。"

这时洞外部都被黑雾覆盖，也不知刚逃出去的土贼下落如何。铜盒里的遗骸则横倒在地。司马灰看胜香邻正用矿灯观察岩洞内的壁画，就问有没有什么发现。

胜香邻摇了摇头。暴露出来的巫楚壁画，主体记载了楚幽王镇鬼之事。壁画中似乎还描绘了许多怪异的圆圈，大部分依然遮掩在砖墙内部。仅凭能够看到的部分，还无法推测这些神秘离奇的信息。

司马灰闻言便用枪托推落砖石，那外层墙体甚薄，开裂后受到外力就纷纷崩坏。随着显露出的壁画越来越多，所呈现出的景象也越来越是惊人。司马灰虽知楚幽王壁画中一定隐藏着重大秘密，却根本看不出个所以然，于是又问胜香邻："这壁画里有没有记载死而复生之事？"

胜香邻眉头深锁，低声说："好像没有。但我知道你在铜盒旁究竟看到什么了……"

司马灰想到此事就感到脊背发冷："那个戴着鲨鱼鳃防化面罩的人？他是谁？"

这时胜香邻将视线从壁画上移开，转过来望着司马灰说："我想它是个幽灵，而这个幽灵其实……就是你自己。"

司马灰被胜香邻这么一说，不免觉得有些发憷："那阵阴风迷雾中出现的是个幽灵？我现在还活着，当时怎么会看到自己的亡魂？莫非真是我死后对土贼说出了暗号？这怎么可能呢？"

胜香邻说绿色坟墓的事我没法解释，但根据壁画上描绘的事件，我相信，你确实遇到了你自己的幽灵。

其余三人在旁听了都颇感震惊。罗大舌头愕然道："原来已经死了的人是司马灰！"

司马灰奇道："老子什么时候死过？这么紧要的事，我自己怎么不记得了？"

高思扬对胜香邻说："考古队里也就是你头脑清醒，为什么也相信鬼怪？这到底是怎么回事？"

巫楚壁画虽然扑朔迷离，常把一些自然现象超自然化，涉及许多不可理解的古怪传说，但胜香邻到大神农架山区以来，与这些谜团接触得多了，也渐渐摸索到了其中的规律。她发现岩洞里暗藏的壁画，确实记述了很多诡异的事件，加之胜香邻从事的专业是勘探测绘，又懂些山径水法的来历典故，因此能领悟到楚幽王壁画里的一些神秘内容。她当即将矿灯照在壁上，向司马灰等人说出了自己的推测。

这神兽楚载中的壁画，是两千年前的楚幽王命人描绘在此的。它以时间为经、事件作纬，如同史诗长卷般壮阔瑰丽：每个场景底部，都有站在巨鲸上的裸身力士擎托，长蛇、大龟、翼鸟以及各种怪物分布周围。由太古之初为始，支撑在天地间的八根柱子有两根倒塌，水汽与大气共存一体，到处浓云密布，迷迷濛濛的没有明暗之分。后来出现了雷电狂风，暴雨浊流，大雨下了很久，水越聚越多，汇入千川万壑，形成了原始的海洋。那时的神农架是浩荡不息的大海，水下则有雄伟的高山、深邃的海沟与峡谷、辽阔的海底平原和一些孤立的海底火山，直到地门大开吸尽了海水，山脉才得以隆起，成为了如今群峰逶迤的神农架。

沧海桑田轮换之际，有一座岛屿陷在地裂之间，这岛上的史前植物群落还保存着原貌。后有一些头饰怪角、身躯长大的古人，于山中架木为巢，追逐鸟兽，这些人可能就是上古神农氏了。由于地底古岛中多有奇木异兽，人踪也就逐步跟随到此，并发现岛上的洞窟通往更深处，其下有大壑，实为无底之谷。

壑中有山阙如门，即是所谓的阴山。它时有时无，鬼怪出没其间，四周尽是漆黑幽暗不可抵达的去处。古人在一个地方找到了遗骸，这壁画里描绘的遗骸，其实就是一些地脉最深处的矿物，虽然像是人形骷髅，但实际上只是形状轮廓相似的黄金水晶。传至春秋战国时期，它始终被尊为圣物。

传说中发现遗骸的地点十分奇特，按照壁画上描绘，那是许多奇形怪状的圆盘形物体，形状并不十分规则，大小也不相等，其上纹路斑斓，除了铸刻在禹王鼎上的山海图之外，各类的古代文献和地理典籍中对此毫无记载，显得很是神秘。而岩洞内的巫楚壁画同样是循环成圆，仿佛一个预示着生死轮回无始无终的怪圈。

胜香邻推测，壁画的循环布局默示了楚人的生死观。另外壁画中还提及祭鬼之事古已有之，因为古时候普遍认为："有生之气，有形之状，造化之始终，阴阳之所变者，谓之生死。"人死之后为鬼，只有多加祭祀，王者才能变龙升天，不至坠入虚无，遗骸正是一件最为重要的祭器。这些情况同考古队掌握的线索基本吻合。

楚幽王丧女后以无数百姓殉葬，每夜噩梦缠身，难以成眠，担心会有阴魂从地底逃脱，就想以大批活人祭祀。可巫者占之不吉，于是置重器镇鬼，将洞内岩石凿为楚载巨兽，填塞了通向阴山的洞口。再占，又不吉。楚幽王疑心这具遗骸来自深渊，并非人间之物，也许留在世上受鬼神所忌，是一切灾祸的根源，便想将它抛下阴山。

据说楚有神龟，活了三千年仍不免一死，可见这世间有生有形之物，到头来总会有个限数。楚幽王同样生而为人，这次还没来得及再让巫者占问吉凶，他便厥身殒毙，乘龙而去了。

胜香邻说，洞口附近的壁画是楚幽王未能进行的祭鬼过程，一旦揭开铜盒玉匣，使遗骸暴露在外，洞窟里便会阴风四起，涌出愁云惨雾，这时唯有石函内部可以容人躲藏。记载楚幽王乘龙升天之后那幅壁画里所绘的情形，便是由数十名头戴面具的巫者，把遗骸摆在洞中一个特定的位置，楚载便会将其带到地底。壁画中那些通天神巫分置几处，除了在洞里守护着遗骸的几个人，还有几名巫者站在石函外，一个个都显得惊慌失措，不论其形态如何，雾中都有一个身影与之重叠，还有不少人横尸倒地。这壁画似乎是指在将遗骸运往阴山的途中，如果有人妄图违背王命逃跑，就会惨遭横死。而那阴风鬼雾深处，还有许多妖异飘忽身体细长的女仙围绕着楚载巨兽，唯独此处最难解释。

司马灰听胜香邻分析得倒是十分合理，壁画中这些佩戴鬼神面具的楚国巫者，大都死在了附近，尸骨早已成了灰土。遗骸则装在铜盒玉匣里两千多年未动，显然是楚幽王死后，巫者们没有遵照王命行事。奈何阴峪海下的洞窟已被填埋，另一条穿过古岛通往山腹的秘径只有楚幽王才知道，因此无路可逃。但这些巫者宁肯死在原地，也不敢带着遗骸去寻找阴山地脉。不过根据这壁画所绘，"任何进到雾中的人，都会遇到自己的亡魂"，那到底是怎么回事？莫非真能预先看到自己死后的情形？为什么直到打开铜盒之后会有雾出现？这是否与遗骸有关？罗大舌头身上到底发生了什么事？又是谁对老蛇发出的指令？

众人都想尽快解开这些疑问。可胜香邻在壁画中找到的线索也不多，她现在只能告诉司马灰："雾里出现的东西，并不是你死后的亡魂，用幽灵形容才比较恰当，或者说那是一个'灵体'。"

第二话

携　灵

　　二学生家里头有个姐姐，在"文革"期间负责看管校舍，常从被封的图书馆里给他带些书来读，看完了再悄悄还回去。当初二学生要来大神农架林场，其姐到火车站送行说："某某家的孩子去北大荒，他爹妈又是给买手表，又是到百货大楼添置御寒的衣物。姐没本事，什么也给不了你，知道你爱看书，今后只能常给你寄书。"所以二学生这些年看了无数本书，在那种条件下能找到书看就不错了，哪还有挑三拣四这么一说。只要是带字的，不分内容深浅，也不论种类，他都能看得痴迷陶醉，因此最先领悟了胜香邻的意思：姑且不管这种说法是否合理，总是人死之后才有鬼魂，但人活着的时候身上都会有灵体存在，这属于"生物携灵现象"，是一个肉眼根本察觉不到的影子。

　　罗大舌头不解地问道："我可真是越听越糊涂了。你小子怎么净说活人听不懂的鬼话？"

　　司马灰却听出了一些头绪，依相物古理而言，形神气质是活人由内到外的表现。凭借金木水火土五行，通达于言貌视听思五事，其增损升降，变化万般，说白了就是"人活一口气"。当时他看到的出现在铜盒旁的人，只是自身留在雾中的气息。

　　胜香邻点头道："有些地脉间分布着浓密的磁云，古人认为是雾根。前些年森勘一大队的人员进入四川黑竹沟，也遇到过磁云形成的迷雾。那种雾就像有生命一样，一遇风吹草动便会出现，虽不致命，但它使能见度降到极限，让人找不到方向。我看巫楚壁画里描绘的诡异事件，表明神农架地底也蕴藏着磁云，雾中出现的东西，只是你接触磁云后被吸收的'灵体'，是个没有生命的幽灵，所以很快就消失不见了。不过这阴风惨雾出没无常，与黑竹沟里的现象并不完全相同，也许正是遗骸把雾引了出来。"

二学生道："四川黑竹沟与大神农架原始森林，同样处在北纬30度地带，这一点可别忽略了。"

司马灰稍一思索，觉得胜香邻是根据实际情况作出分析，有一定的道理。北纬30度本身就是怪事多发的地带，这也能解释先前在铜盒旁看到的现象，但前提条件是活人被雾根吞没，在迅速脱身后的一刹那，会从雾的表面看到自身残留的"灵体"。那么适才与土贼对峙之时，出现在涵洞里的东西是什么？那个身影虽然模糊不清，可戴着 Pith Helmet 的轮廓却隐约可辨。当时众人躲入洞中已久，整个过程中没再与雾气有过接触，就算有的话，也不应该只看到自己一个人的身形呀？这又是何缘故？

胜香邻这才知司马灰另有所遇，从见到那具遗骸开始，很短的时间内出现了很多诡异变故，每个人又只亲身经历了其中的一部分，使得整个事件变得更加离奇。不过胜香邻思维敏捷，擅长从各种未知、危险、矛盾而又复杂的信息中找出线索。此时她秀眉紧蹙，抬头望向巫楚壁画道："因为雾里还有别的东西，大概其余的谜团都和它有关……"

司马灰想起在楚幽王的铜盒旁，忽觉一阵阴风吹至，好像有只人手突然搭在了背后，恶寒之意透入骨髓，他根本没敢回头，立刻起身逃离。那种毛骨悚然的感觉不会有假，看来那道黑气中确实有某种非常恐怖的东西，会是巫楚壁画上描绘的女仙吗？司马灰对此难以揣测，毕竟只有罗大舌头困在雾中的时间最久，而这家伙被拖进洞里之后，已经是具冰冷僵硬的死尸，如今又突然活转过来，嘴里说的倒也都是人话，却不知道还有没有人心？

司马灰并非疑神疑鬼之辈，但此事太过反常，如今洞外黑雾弥漫，恐怕出去看一眼就没命了，他也不得不刨根问底，于是让罗大舌头仔细想想，当时有没有看到什么，那雾中是否出现了壁画上的东西？

罗大舌头闻言看向墙上的巫楚壁画，蓦然有种惊惧之感，吸了口冷气说道："壁画上的这些女子是鬼是怪？"随即摇着脑袋表示他什么也没看到，当时云昏雾暗，阴风吹灭了照幽铜烛，惊慌中就觉有道黑气迎面撞来，转瞬间连安装在 Pith Helmet 上的矿灯都不亮了。在完全没有光源的情况下，他眼前黑得跟抹了锅底灰似的，又不是火眼金睛，谁能看得见东西？

胜香邻说："不管壁画里的妖怪究竟是什么，幸好都被挡在了楚载之外，不过咱们也不能一直躲在这儿。"

司马灰定下神来想了想：先前完全没料到绿色坟墓会出现在阴峪海下，更不知道这个幽灵会潜伏在什么地方。土贼老蛇先是在通讯所无线电中接收到了指令，随后又在黑雾里听到首脑发出暗号，因为神农架阴峪海下除了自己这伙人和那土贼之外，应该没有其余的人存在，再加上老蛇并不知道首脑的底细，所以他误以为司马灰就是绿色坟墓。但这些事件也让绿色坟墓的特征越发凸显。首先它还是不敢露出真实面目；其次是它行动能力有限，只能利用他人完成任务；另外首脑的行动目标以及时间，也很可能与考古队重叠了。这表明黄金蜘蛛城与罗布泊望远镜里的所有线索，最终全部集中在大神农架阴峪海。看来这具从深渊而来的遗骸，一定就是朝向谜底的指针。另外司马灰始终认为，绿色坟墓并不是真正意义上的幽灵，因为幽灵不具形体，倘若可以做到埋踪灭影或变化形体，则完全没必要隐藏真实面目。至此别无退路，唯有继续解开遗骸之谜，找到通往阴山地脉的途径。

司马灰打定主意，就背上枪支，同罗大舌头上前搬起遗骸，两人一个抱头，一个抱脚，上了手才觉得很是沉重。那遗骸骨骼皆是赤金，通体都被几条铜蛇紧紧箍住，酷似森林古猿的骷髅，眼窝内诡波流转，使人不敢逼视。

众人参照壁画上的场景找寻过去，只见洞室内有两尊铜兽，规模大于常制。其中一尊人面虎躯，生有九尾；另一尊人面鸟身，背生双翅。巫楚壁画里对此也有描绘，是古楚传说中的凶神。两尊铜兽对峙而立，地下石台雕有人头图案，眼部呈圆窝形凸起，口部很大，眉骨以阴刻纹表现，嘴里尽是尖锐獠牙，模样显得十分夸张。在前往阴山地脉的壁画中，楚国巫者正是将遗骸摆放在此处。

司马灰正想按壁画描绘的样子放下遗骸，高思扬却忽然说道："你们先等一下。我始终觉得有件事不太对劲。"二学生低声提醒高思扬："按照墨菲定律来讲，如果一切情况看起来都很正常，那才是最不正常的。"

高思扬没理会二学生，她继续对司马灰说："这方面我本不该多问，可你千万别忘了，是绿色坟墓的首脑，让土贼把遗骸带到洞中。而且你说首脑并不是幽灵，只是以一种谁也想不到的办法躲在附近，也许咱们的一举一动，都在其窥伺之下。没准把遗骸带到深渊里，正是首脑想要得到的结果，至少你不能忽略这种可能。"

　　司马灰理解高思扬的顾虑所在。当前的情况变得越来越叵测，不确定的因素实在太多，她是担心考古队同那土贼一样，都是受到绿色坟墓控制利用的棋子，一旦成为事实，将导致最为可怕的结果，真要是那样可就太糟糕了。

　　司马灰见胜香邻等人也都对此事感到不安，便解释道："这件事我已经想过了，咱们必须透过迷雾重重的表象，尽量看清整个事件的本质。我估计绿色坟墓和考古队，各自都有想要寻求的结果。但我认为绿色坟墓并不能洞悉前因后果，否则他早派探险队通过大神农架阴峪海，进入那个地底深渊了，没必要等到现在才来。全国解放至今已有二十余年，如今的大神农架山区，既不像战局混乱的缅甸，也不像五六十年代那会儿特务泛滥，随着时间的推移和政权的稳固，地下组织的成员被逐渐肃清，如今连老蛇这种没被洗过脑的土贼都被启用，看来该组织在境内的行动能力，已经削弱到了极限。"

　　司马灰又说，最开始的时候，关于绿色坟墓的一切都是谜，到现在也想不透它是怎么知道考古队在罗布泊找到的线索的。不过经历了野人山裂谷、罗布泊望远镜、大神农架阴峪海一系列事件之后，首脑的秘密已逐渐暴露。这个地下组织存在的历史很久，但直到民国年间的赵老憨从"匣子"中逃脱，另外也带走了占婆王朝黄金蜘蛛城的情报，被咱们称为绿色坟墓的这个首脑，才真正开始控制这个地下组织，并着手探寻通往地底深渊的途径。根据在楼兰遇难的法国探险队尸骨推测，这个时间应该在二三十年代。如果绿色坟墓真的了解一切前因后果，根本没必要选择在1974年采取行动。我觉得这个首脑在大神农架阴峪海的最初计划，是打算让土贼老蛇抢到考古队前边，把塔宁夫探险队的地图藏起来。因为他在解放前就知道有记载巫楚宝藏的这幅地图了，只是完全没想到楚幽王传说中的阴山地脉，竟会是通往深渊的大门。但地图最终落在了考古队手里，他才再次指使老蛇把遗骸带到洞中。我想，绿色坟墓应该是在巫楚壁画外层的浅浮雕里发现了遗骸的秘密，而此前则完全不知情。所以我敢断定，绿色坟墓也许了解最终的谜底，但绝不清楚整个过程以及找到谜底后出现的结果，而且他跟咱们都会受到墨菲定律的干扰。如果咱们现在半途而废，不仅前功尽弃性命难保，还会永远失去揭开这个首脑真实面目的唯一机会。

　　众人听了司马灰的分析纷纷称是。二学生却说："绿色坟墓的确不知道结果，其实它连谜底也不清楚。"

第三话
海森堡不确定原理

二学生冷不丁冒出这么一句，立时引起了司马灰等人的警觉。所谓"谜底"就是深渊里埋藏的秘密，"结果"则是找到这个秘密之后发生的事。从逻辑上分析，那个首脑想找到进入深渊的途径，一定有着不可告人的意图。所以绿色坟墓应该掌握着谜底的真相，否则这些事就不会发生了。二学生无非在林场插队的一介知青，凭什么认定首脑不清楚"谜底"？

二学生见司马灰面露疑惑，就进一步肯定地表态："从理论角度来讲，绿色坟墓确实不可能知道谜底。"

司马灰将遗骸放在地上，对二学生说："咱是行伍出身，读的书少，不比你这知识分子满腹锦绣，一肚皮花花肠子。所以你最好讲浅显些，这种事怎么还有理论依据？"

二学生说当年有个德国物理学家海森堡，提出了一个阐述不确定性的原理，称为"海森堡不确定性原理"，大意是指你观察测量一个物体的时候，所得到的数据永远都不会是真实全面的。哪怕只是借助光线去观察物体，光也会使物体产生改变。虽然那只是肉眼察觉不到的细微变化，但我们终究还是无法洞悉真实的本质，因为一切动量的基础就来源于这些细微渺小的变化。这个原理揭示了人类的无知，这种无知客观存在，同时又是难以跨越的屏障。既然连物理层面的细微变化都无法确定，命运和事件的发展就更加难以预料了。所以除非绿色坟墓那个首脑是神，否则他所掌握的秘密，也仅仅是片面主观和不准确的。

罗大舌头道："这我心里可就敞亮多了。说句有点唯心的话，最后会发生什么事，你不知道，我不知道，绿色坟墓也不知道，大概只有老天爷才知道。"

司马灰虽然不太理解什么是"海森堡不确定原理"，但听二学生说得有理有据，就估摸着无非是应了"人算不如天算"那句老话。这些事老祖宗们早在几千年前已经琢磨透了，咱就别管那么多了，硬着头皮坚持到底就是。可不能遇上些困难就对前途丧失信心，要知道"挫折只是成功者的勋章，疾风劲草方显英雄本色，洪波汹涌愈见稳如泰山"。

胜香邻也点头表示同意。高思扬却认为："二学生那套理论，一会儿是唯心主义，一会儿又是唯物主义，实际上无非就是找借口替司马灰的行径开脱。不过他有一点倒是说对了：谁也不知道接下来会发生什么情况。如今这具遗骸放在地上许久了，为何始终不见任何动静？"

按照壁画上描绘的场面，把这遗骸放在两尊铜兽之下，楚载就会成为通往阴山地脉的途径。司马灰摸索地面凹凸不平的雕刻，并没有发现有机会缝隙存在。这楚载无非是块沉重无比的巨岩，也不知那壁画里神秘诡异的内容是否属实。众人心下皆感迷茫，完全想不出什么头绪。

司马灰只得再次对照巫楚壁画，见其中描绘的铜兽两目露出凶光，与现实中的阴郁暗淡截然不同，就凑近观察，却见铜兽眼珠里有转槽，内部中空，藏着半瓦状灯盘，形制精妙，由于灰尘积得多了，不到近处很难发现。司马灰拨开盖子，看灯体内有些蜡状残留物，还剩下半截灯芯，就推测燃料是动物脂肪或蜡烛，与龙髓完全不同，或许点燃熄灭了两千余年的铜灯，就会有意想不到的事情发生。

司马灰想到这里，便吩咐二学生拿火把点燃兽首内的铜灯。

罗大舌头不解地问："这石函莫不是下矿井用的箱型电梯？点燃了铜灯就等于通了电，可以启动它深入地下？"

司马灰捉摸不透其中有什么名堂，眼下只能依照壁画里描绘的样子去做。虽说古时候没有电梯，但相传早在五千多年前，黄帝破蚩尤于北海，曾在迷雾中造指南车。据说坐在车上，不用推引，机栝自然圆转无穷，欲东则东，欲西则西，上置木人以别四方。那是最古老的机械原理了。想这楚载是春秋战国时期埋在地下的，距离轩辕黄帝造车司南，已经过了数千年之久，如果山洞中设置着什么机关，能使它移向阴山地脉，那倒并不奇怪。

这时二学生举着火把，将藏在铜兽内的灯盘逐个点燃，但灯烛尘封已久，燃烧得并不充分，忽明忽暗如同鬼火一般。那两尊形态狰狞奇异的铜兽，恰似在黑暗中缓缓睁开了双眼。

司马灰屏着呼吸等了一阵，仍是不见什么动静，心想楚国巫风甚重，多用神异事物，难道还需要有巫者念诵咒言才行？可惜那些带着青铜面具的巫者，至死都没敢把遗骸带往地底，现在尸骨已成灰尘，也没办法召出它们的阴魂来问个究竟了……

正当胡思乱想之际，铜兽眼中的灯烛渐渐明亮起来。遗骸摆放在石台上，刚好位于铜灯光线汇聚之处。它在灯烛映照下，散发出一种阴森诡异的光芒，能照到十几步开外。几乎与此同时，众人发觉四壁摇颤，心中都是一惊，皆有栗栗自危之感。虽然知道这座楚载填塞在通着地脉的洞窟上，却没想到它会突然向下移动，幸好下坠的速度不快，还可勉强稳住身子。

司马灰扶住一尊铜兽道："让罗大舌头蒙对了，这还真是一部能下矿井的电梯。"

胜香邻脸色微变："似乎是这具遗骸从洞穴深处引来的东西，将咱们拖向地底。"

二学生想起壁画上那些寄身箱中的女鬼，心里不禁发慌："怎么会有这么大的力量？那是些……什么东西？"

胜香邻摇了摇头："不知道，但它们很可能是受到遗骸的吸引，才会突然出现。"

司马灰回想此前经历，心知胜香邻所料不错，外边那些东西似乎是奔着光线来的。但它们不知受何阻碍，一时间无法进入楚载，看来这里面还算安全，而且这情形与巫楚壁画里描绘的神秘内容极为相似。

司马灰刚打算背靠墙壁弯曲膝盖，以减缓坠落在地时承受的冲击力，忽见洞外钻进一个人来，即使化成灰也能认出正是那个采药哨鹿的老蛇。司马灰心想："原来这土贼既没死掉，也没逃脱，而是躲在了石壁间的洞道里。你这会儿爬进来，算是撞到老子枪口上了。"他手中的1887型拉杆式连发步枪始终子弹上膛，此刻趁对方立足未稳，对准了老蛇的脑袋就想扣下扳机。谁知那土贼撞在枪前并不躲闪，嘴巴突然大张开来，从中伸出一只漆黑的人手。

司马灰听胜香邻说过，在地下矿脉形成的磁云中，很可能存在"携灵现象"，也就是生命的热量会被雾吸收，在雾里留下转瞬即逝的残像。而从洞外爬进来的老蛇，显然不是出现在雾中的"灵体"。

此刻见这土贼嘴里伸出一条手臂，好像体内有个阴魂挣扎欲出，老蛇身体发僵，脸上只剩两个眼珠子还贼兮兮地乱转，那情形就跟枯蝉蜕皮似的十分诡异。司马灰不由得想起"恶鬼画皮"之说，心想："莫非是雾里的阴魂，钻到这土贼身子里去了？"他想要看个究竟，可矿灯照到土贼脸上却是黑糊糊的一片，从其嘴中出来之物，好像能够吸收光线。

这时忽听一声尖叫，随即有道黑气弥漫开来，司马灰顿觉恶寒袭来，身上毛发森然倒竖。尽管他想抓住机会除掉那土贼，可突然有个念头从脑中闪过，硬生生将扣在扳机上的手指停住，倒转枪托撞去，奋力将老蛇推回洞中，随后翻身避开那团黑雾，再看洞道里已是漆黑一片，不见人踪。

高思扬过来扶起司马灰，问道："刚才这么好的机会，你为什么不开枪？"

胜香邻跟过来说："幸好司马灰没有开枪，否则死掉的可就不止老蛇一个了。"

司马灰道："我想这雾里的秘密是光线。多亏老子醒悟得快，要不然就给那土贼垫背去了。"

罗大舌头说："你是不是被那土贼吓住了，没敢开枪？常言道'好马长在腿上，好汉长在嘴上'。会练的就是不如会说的，这里外的话全让你小子给说了。"

司马灰说："你用猪脑袋仔细想想，至此已不难看出楚幽王布下迷局的大致轮廓了。这楚载下的洞窟打通这地脉，其深广不可估测，而且聚集着浓密的磁云，其中更有异物出没，除非是死尸，活人进去就没命了，是一道不可逾越的界限。另外那具来自深渊的遗骸，看起来只是发出微光，却千年不衰，还能将蛰伏在地底磁云里的某些东西引来。这些不为人知的神秘之物，在巫楚壁画中被描绘为许多形态诡异的女子，却不知究竟是鬼是怪。但毫无疑问，楚载里的铜兽灯盏，照在遗骸上会使光线增倍，从而引来更多的怪物。它们聚集在四周破坏了脆弱的地层，使楚载开始沉入地底。洞窟里出现的这些东西，似乎可以吞噬光线，因此所过之处灯烛俱灭。"

司马灰根据此前在石梁上的经历，断定步枪射击时发出的火光，也会吸引它们前来袭击。它们好像会首先接近光线和热量强度高的目标。那土贼躲在洞道里逃不出去，结果被雾里的东西钻入了体内。他多半不甘心等死，又爬回涵洞找寻活路，竟把雾里的东西也带了进来。此人这回是必死无疑了。不过司马灰为何会在洞道里看到自己的身影，还有罗大舌头和老蛇先后落在雾中，这两个人身上到底发生了什么？此外，壁画中暗示着生死轮回的"怪圈"又是何意？在没有看清"箱中女仙"的庐山真面目以前，还完全无从猜测。

此时楚载巨兽仍在不断下沉，地面开始倾斜起来。众人倚墙而立，只觉耳膜隐隐生疼，看来随着深度的降低，地底的压力也在不断增加，顾不得再去推测巫楚壁画里的种种谜团，一个个提心吊胆，不约而同地想到："这阴峪海下的洞窟究竟有多深？怎么还没到底？"

第四话
阴　源

　　地底的磁云使所有机械装置近乎失灵。随着眩晕的下坠感逐渐增强，时间的流逝好像也变得格外漫长。众人头晕脑涨，又处在封闭空间内，五感丧失了应有的作用，只觉沉降之势无休无止，犹如掉进了无底之谷，实不知其深几何。

　　此前只知道有座古岛位于大神农架地下，同阴峪海原始森林的垂直距离大约是两百米。春秋战国时留下的祭祀坑深陷在岛屿底部，而像一道巨大石门般的楚载神兽之下，可能还有更深的洞窟，直通着阴山地脉。此时不停下坠，感觉这古岛似乎陷在了地层板块交界处，否则不可能有这么深，也许这就是巫楚壁画中记载的"大壑"。

　　司马灰感到脑骨欲裂，耳底疼痛难当，矿灯下看见其余几人脸上的血管都凸了起来，心里明白照这种速度掉落下去，不等摔到底，血液就会像开锅似的沸腾起来，血管壁承受不住压力最终会猛然破裂。但他想说话却连嘴都张不开了，上下牙关颤抖不停，可除了气流嗡鸣之外，却听不到任何声响，也只好将生死置之度外。

　　这时众人忽觉身体被重重抛起，五脏六腑都险些从嘴里甩了出来。铜灯尽数熄灭，周围一片漆黑，还没等这口气缓过来，阴冷的地下水就从四壁同时涌入，水面迅速升高，转瞬间就没过了膝盖，楚载好像坠到了水里，倾斜着沉入深水。

　　司马灰等人惊魂未定，眼见情势危急，连忙爬出上方洞道，一看四周已经不再有磁云笼罩，但在矿灯的照射距离内，尽是洪波翻滚，深邃处漆黑如墨，只听得旋风四起，森森渺渺，也不知身在何方。

　　此刻楚载神兽仍不断下沉，外壁也无法容人停留。司马灰见石壁上缠着几段史前古树的树干，其中一段有五米多长，粗可合抱，就抽出猎刀砍断与函壁纠缠的树藤。其余几人领悟到司马灰的意图，也都上前奋力相助。眨眼的工夫，楚载已被浊流彻底淹没。众人捡回性命，狼狈不堪地相继攀上古树干，个个气喘吁吁，脸色都和死人一样难看。

司马灰让胜香邻打亮一根长柄信号烛，照得百米之内亮如白昼。众人趴在木筏般的枯树上茫然四顾，就见高处布满了浓密的黑云，周围凡是能看到的，尽是洪波滚滚，雾气相连，阴霾四合。大如山丘般的楚载巨兽，沉到这片无边无际的深水里，竟连踪迹也没留下。古树干中空，被波浪推动不断向前漂流，旋即远离了楚载坠落沉没的位置。

司马灰这才想到，那具深渊里的遗骸，也跟着楚载沉到水里去了，看情形是别指望再把它捞回来了。

这时候高思扬突然抬手指向后方，低声提醒司马灰等人："你们看，那边好像有人！"

众人闻言转身回望，借着信号烛刺目的光亮，看到远处水面上露出一条手臂，不由得都是一怔。随着楚载坠落到这里的人，除了自己这几个人之外，应该还有那土贼老蛇，如今就算浮尸出水也并不奇怪，可水里伸出来的人手，却是五指张开一动不动，就这么直挺挺地伸着，随波逐流，距离浮在水面的枯树干越来越近。

司马灰等人看那手臂浮浮沉沉已到近处，便举着信号烛向水里张望，瞧见水下的情形都是吃惊不小。原来是条两侧长有须鳍的怪鱼，似乎是种生活在漆黑环境中的深水大鱼，只见其首不见其尾，也难分辨是何种类。它将老蛇吞下多半截，仅有一条胳膊和脑袋还在嘴外。看来这土贼早已毙命多时，他也可能是在被水怪吞下之前，就已经在雾中死掉了。

司马灰心知此人身怀异术，没想到落在这里葬身鱼腹，终究是荒烟衰草了无踪迹，思之也不免有些心寒。他唯恐信号烛的光亮太强，会引得怪鱼掀翻木筏，急忙接过来抛到水中。怪鱼果然追逐光亮而去，瞬间不见了踪影。

黑暗中只觉洪波汹涌，那段枯树干随着激流起起伏伏，根本无法掌控。众人关闭了矿灯，只用一盏电石灯照明，脑中昏昏沉沉的一阵阵发懵，事到如今是死是活唯有听天由命了。司马灰趁着还算清醒，就让其余几人各自用绳索将身体绑在木筏上，免得在乱流中被抛到水里。随后他抱着枪支蜷缩起来抵御寒冷，连自己也不清楚是不是就此睡着了，反正睁开眼闭上眼都是一片漆黑，脑子里没有了任何思维和意识，甚至连个噩梦都没做，也可能是现实与噩梦已经没有区别了，不知道经过了多少时间，才渐渐恢复了知觉。

其余几人也都陆续醒转，主要是水米未沾，饿得前胸贴后背，又冻得瑟瑟发抖，实在睡不着了。胜香邻取出干粮，分给众人果腹。大伙肚子里有了东西垫底，脑子才渐渐清醒起来，说起当前处境，都觉得不容乐观。

二学生头晕得厉害，吃了些干粮又都吐了出来。他深感这地底的情形远出先前所料，强撑着对司马灰说："那个土贼虽已毙命，但地底都被浓密的磁云覆盖，至今仍不知楚国壁画里描绘的鬼怪究竟是些什么。遗骸也被洪流吞没了，更没找到通着地脉的阴山，另外巫楚传说中的背阴山为什么会时有时无？莫非它在水下？水位起落就会将其暴露出来？眼前的谜团似乎越来越多了。可现在连准确定位都难以做到，大家甚至不知道现在到了什么地方。唯一值得庆幸的就是还有这木筏，否则大伙现在全喂鱼了。"

司马灰说，这段木头虽然救了咱们，但它就像漂浮在一片无边无际的黑暗海洋中，我看这鬼地方不是天尽头，就是地绝处，曾闻古时有座"浮槎"，是往来于大海与天河之间的木筏。咱这也算乘上"浮槎木筏"了，不过并不是上天，而是下了地底的冥海，也就是黄泉，死人都得从这儿走。

众人虽然知道司马灰这么说只是自嘲之言，却均有绝望之感。只有罗大舌头硬充好汉："赶紧死了才好呢，那就不用再受这份活罪了。这可是我把午饭吐出来后听到的唯一一个好消息了。"

司马灰黯然道："我要是再告诉你一件事，估计你也得把晚饭吐出来。"

罗大舌头被唬得不轻："我就知道还会有更倒霉的事，因为倒霉是不可避免的，而倒霉又实在太他妈的具有创造力了。我实在想不出还能遇到什么更倒霉的情况，你就尽管说吧，我罗大舌头抗得住。"

司马灰从背包里掏出从山外带来的几盒香烟，刚才掉在水里的时候，没来得及套上防水罩，它们尽数泡了个稀烂。

罗大舌头惊得目瞪口呆，心疼不已地抖搂着手："完了完了，粮食全牺牲了。咱要是真死了也就踏实了，关键是现在还没死，而且不知落到了什么鬼地方。没香烟怎么坚持战斗？我看咱是熬不过这黎明前的黑暗了……"

高思扬见这两人到现在还为损失了几盒香烟担忧，不禁又生气又无奈，转头问胜香邻："你在测绘分队工作，应该熟悉地质结构，能判断出咱们现在的位置吗？"

二学生插言道："这洪波汹涌漫无边际，地下暗河与湖泊哪有这么大？咱们多半是掉进茫茫大海了。据说地底有被称为'弱水'的深渊，还有昼夜燃烧的火山，它们被称为弱水之渊与炎火之山。那弱水之渊其实就是虚无混沌的地底之海，它的尽头都是灼热异常的熔岩，以咱们的血肉之躯，不等接近那些火山，就已被高达几千摄氏度的热流蒸发成雾气了。"

胜香邻正注视着手中罗盘若有所思，听到这些话就说："我发现木筏上吸附了一些藻类植物，可见它不会是海。此外洪泉不息，波澜壮阔，也不像是地下湖或暗河。"

二学生不解地问："按地底水系规模区分，也无非是江河湖海。既然都不是，这里又会是什么地方？"

胜香邻说："简单些形容的话，它很可能是个巨大的原始水体，是地表一切水系的前身，介于海水和淡水之间。曾经汪洋一片的大神农架阴峪海，就是史前时代由此演变发源的。"

司马灰说："二学生，我还以为你小子多念了些书，天文地理都懂，实际上却只知道皮毛。悲观主义者只会从机遇中看到困难，而乐观主义者能在任何困难中看到机遇。我看这里既然是个地底的水体，它再巨大也得有个边际，咱就只管乘着'浮槎'随水流而行吧，迟早能抵达尽头。"

其实众人对此都没信心，但孤悬在"浮槎"上无计可施，只能被水流推动着往前航行。手表的指针停滞不动，也不知在冥海般的原始水体上漂浮了几天几夜，干粮吃完了就捕捉水兽为食，水没有了便接取高处滴落的地下水解渴。而那木筏犹如坠入无底深渊的一片枯叶，磁云摩擦带来的急风骤雨起落无常，虽经历了无数次翻覆之险，前方却黑茫茫的始终不见尽头，在洪荒深处流动的仿佛只有时间和风。

司马灰也彷徨无计，当初在罗布泊极渊中跋涉旱海，那至少是脚踏实地，知道一步步走下去总能摸到边缘，可这会儿却真是不敢确定了。此刻日以继夜地乘在木筏上不断向西航行，天知道离神农架阴峪海已经有多远了？他苦思无果，就问胜香邻："这是否真是一个'水体'？会不会还有别的可能性存在？"

　　胜香邻早有一种不祥的预感，她沉思了片刻才说："这是个地底水体应该没错，但还有种最坏的情况。咱们也许是掉在巫楚壁画中描绘的怪圈里了，那么不论航行多少天，最后还是要回到先前坠落下来的大神农架地下洞窟，因为这个怪圈就是北纬30度，一个失落的纬度。"

第五话
水 体

司马灰感到此事难以置信，奇道："北纬30度地带存在着一个怪圈，而众人从阴峪海洞窟坠落下来，正好掉进了这个循环往复的怪圈！"

胜香邻说："我看木筏在地底不停地向西航行，时间和方位都已失去了意义，才作出这种猜想，但我也没有任何把握和证据。"

二学生正昏昏沉沉地伏在木筏上，听到司马灰和胜香邻的交谈，立刻爬起来抱住树杈，激动地说："这种可能性太大了。也许北纬30度的谜底，就是这个怪圈。"

北纬30度正负5度的地带存在着一系列不可思议的诡异现象，它几乎成了失踪和神秘的代名词，并且留有诸多古代遗迹。许多科学家、地理学家和历史学家等都认为，这条纬度怪事集中多发的背后，隐藏着某种内在的联系，可始终没人能够给出答案，一切都停留在猜测和假设阶段。不过众人深入阴峪海地底，发现了一个深不可测的巨大水体，高处云雾密布，"浮槎"似乎迷失在了这片永远没有尽头的冥海中。这么多天过去了，说不定已经漂流了上万公里，但是连一点地脉的迹象都没有。胜香邻的推测虽然大胆，可找不出比这更合理的解释了，北纬30度底下必定是一个无始无终的环形水体。

罗大舌头没听明白，问道："咱们掉进了地底的怪圈……那意味着什么？"

司马灰说："意味着咱们需要一幅世界地图了。"

这时高思扬担心二学生误导众人，就说："你也只是凭着木筏持续航行的方向加以猜测。在没有进一步得到证据之前，可别乱下结论。"

二学生却显得很有信心：这绝对是个惊世骇俗的发现。古往今来发生在北纬30度地带的各种离奇事件，大多复杂而且无法解释，加之外界众说纷纭，更是蒙上了浓重的阴影，甚至被认为是有鬼神作怪。但咱们此刻置身其中，在确定地底存在怪圈的前提下，再去思索答案，许多谜团都可以迎刃而解了。

胜香邻凝神一想，也觉得自己判断无误："北纬30度是地压和地磁释放活动最为频繁集中的区域，地底凝聚了大量磁云，使得这个水体循环贯通，往复不息。比如四川境内黑竹沟与鄂西神农架的原始森林，同样位于这条纬度，全都有磁云黑雾出现。该纬度上分布着多处被称为魔鬼三角、死亡陷阱、地球黑洞之类的地点，现在想来，不也是受到一股无影无形的未知力量干扰吗？其实它的来源正是这个深处地下的怪圈。"

高思扬说："咱们水粮断绝，总不能无休无止地困在这木筏上一直漂流吧？既然确认了当前处境，就该好好想一想，究竟要怎样才能从这个怪圈里脱身。"

二学生对高思扬说："你还是没理解我们说了什么。你懂得什么是地球黑洞吗？在别的地方失踪船舶、飞机、人员，最终除了幸存下来的生还者之外，大部分都能找到尸体或残骸，哪怕时隔几十、几百年之久。但在北纬30度失踪，实际上就意味着彻底的消失，永远也不会再出现了。因为这个怪圈能吞噬一切事物，它就像古代传说中恐怖无比的乌洛波罗斯之环。"

胜香邻听到这里点了点头，喃喃自语道："乌洛波罗斯之环……它确实是对这个地下黑洞最形象的比喻了。"

高思扬从没听过此事，问道："乌洛波罗斯之环？那又是什么意思？"

司马灰说："这话我听着耳熟。那是指一个古老的神秘符号'衔尾蛇'，它暗有循环无止之意。当初我在缅甸占婆王朝的黄金蜘蛛城里，曾见过'阿奴伽耶王乘白蟒渡海'的壁画，那白蟒就是自吞其尾。后来向考古队的宋地球提及，我才知这个古怪的符号由来已久。据闻在北欧神话传说中，也有一条咬住自己尾巴的大蛇。它盘绕在天地边缘，被称为'尘世巨蟒'，象征着万物的轮回与混沌，代表着自然界周而复始的现象，结束即是开始，开始亦是结束。这个深处于北纬30度地底的庞大水体，果然很像那条预示着无始无终的'衔尾蛇'，莫非乌洛波罗斯之环的原形就是此处？"

胜香邻说，殷商以前就出现过曲形龙，也属此类神秘符号，从来没人知道它们具有什么特殊含义，但现在看来，似乎都与北纬30度之谜有关。这也能从侧面证实咱们的判断，只是地底的磁云浓密深厚，限制了各种科学仪器的精确勘测，致使当今之人并不比几千年前所知更多。

众人进一步分析了当前面临的困境：如果将这个漆黑无边的水体，描述为围绕在北纬30度正负5度区域下的"衔尾蛇"，那么现在就等于落进这个怪物的肚子里了。地壳受膨胀扩张运动与压力作用产生了环形裂痕，其中孕育着海洋的原始形态，水体在磁场影响下循环涌动。这个巨蟒般的黑洞也被地磁产生的浓雾覆盖，它上方则是位于地表的山脉和海洋，与其连接薄弱的区域，可能时有怪异现象发生。因为磁雾从地底涌出，造成地震地陷，甚至影响到江河湖海的水位涨落，过往的舰船、飞机遇难大多与之有关，因此出现的大量次生灾难则无从统计。

据此推测，鄱阳湖鬼火、长江断流、死亡之谷、黑竹沟妖雾、百慕大三角等为数众多的恐怖地带，很可能都与隐藏在这条纬度下的"衔尾蛇"息息相关。而大神农架阴峪海原始森林下的洞窟，便是其中一处与这个地底水体相通的所在。那尊堵在洞口上的楚载神兽能挡住磁雾，众人坠落下来的时候才得以幸免于难。至于雾中出没的鬼怪，到现在也没搞清楚究竟是些什么，此刻想起前事兀自毛骨悚然，贸然接近无疑是自寻死路。

估计绕行北纬30度线的黑洞距离，少说在三万到四万公里之间，何况乘在筏子上针迷舵失，不知航行了多少昼夜，谁也说不清现在处于"怪圈"里的具体位置。对司马灰等人而言，此时头顶是大神农架的莽莽林海，还是高原尽头的喜马拉雅山脉，都已经没有任何区别。而众人赖以栖身的木筏，只是一株古树，虽然粗大坚韧、质地紧密，但在这洪波惊涛中恐怕也支撑不了太久。

司马灰屡遇奇险，深入过距离地表一万多米的罗布泊望远镜，却都不及落进这地底"怪圈"来得恐怖，因为它既没有终点，也没有起点，插翅都别想飞出去。

高思扬知晓了当前处境凶险，可就算这黑洞是个无始无终的"怪圈"，它两侧也该有个边际吧。可以尝试接近两边的洞壁，总不至没有缝隙嘛，只要找到一处能够容人进入的裂痕，就可以摆脱这个"怪圈"了。

胜香邻也曾想过这条路，不过并不可行，即使你能够接近水体边缘，也仍然置身于地壳底层，未必找得到生路，而且那纵深处没有氧气维持呼吸，走不出多远便会窒息而死。

司马灰看木筏犹如渡海一般，随着洪波翻滚起起伏伏，前方水势更加惊险，就对其余几人说："有言道'人定胜天'，许多人认为这话是指人能战胜大自然，我觉得这么理解就太笼统了。其实这个词应该是'人定而胜天'。天是指命运和困境，人只有稳定了、团结了、下定决心了，然后才有机会克服困境。当然，并不是每个人都能扭转命运摆脱困境，可如果不这么做，那就连半点机会也没有了。咱们这支地下探险队，现在困在筏子上确实无法可想，但绝对不应该放弃希望坐以待毙，眼下要做的是尽可能生存下去，多活一天，便多一分指望。如果命运真的是个诅咒，我们唯有怀着谦卑在黑暗中默默前行，或许才是对自身悲剧命运的救赎方式。"

众人皆有同感。毕竟早在神农架木为巢之际，就有古人从地底将遗骸带了出来。可见这个北纬30度线下的黑洞里，并非只有茫茫无边的洪流，只是很多秘密都被吞没了。探险队现在需要的是一个近乎奇迹的机会，这个机会出现的可能非常渺茫，却又仅属于最终活着的人，所以求生存就成了首要目标。此时众人心里有了指望，悲观绝望的情绪略有缓解，振作精神清点剩余电石灯的数量。木筏在地底航行，主要凭借电石灯照明，如果没有了光源，生命之火也将随之熄灭，因此电石灯和火把都显得十分宝贵。

这时高处有几道闪电掠过，似乎是磁雾中出现了雷暴，气压低得令人呼吸都变得困难。波涌也变得更加剧烈，木筏摇摇晃晃地起伏不定。众人担心狂风巨浪会将木筏击碎，稍作整顿之后，便忙着用绳索加固筏子。

二学生虽被起伏颠簸的木筏折腾得不停呕吐，虚弱得几乎脱相了，可他终于发现了北纬30度的怪圈之谜，显得分外亢奋，大声高呼着战天斗海的口号，帮忙拿防水罩保护怕潮的物品。

罗大舌头却认为二学生的状况不容乐观，感叹道："跟什么人学什么艺，跟着黄鼠狼子学偷鸡。你跟司马灰混，除了盲目乐观主义精神，哪里学得了好？我看你真是快不行了，我这还特地存了盒牛肉罐头，本打算留到关键时刻再用，现在发给你算了。"说着就伸手往背包里翻。

二学生见罗大舌头翻开的背包里，装着一副猎鹰8×40高密封军用望远镜，不由得眼馋起来，借在手中摆弄了几下，趁着远处忽明忽暗的闪电亮光观察四周。突然，二学生在镜筒中观察到了反常的情况，那茫茫冥海上似乎浮着一个黑点。他有些吃惊地说："前边好像有大鱼……"

司马灰接过望远镜仔细看了一阵，脸上神情随即变得凝重起来："那是一艘潜艇。"

第六话

Z-615

司马灰此前在罗布泊望远镜里，得知有一艘下落不明的 Z-615 苏军潜艇，隶属于苏联武装力量第 40 独立潜航支队。这艘潜艇搭载着潜地火箭，出海迷航之后变成了一个神出鬼没的幽灵，遇难地点也在北纬 30 度线经过的海域。外界偶尔会接收到它发出的短波通讯，但位置很难确定。这艘常规柴油动力潜水艇似乎在不断移动，远远超出了一万一千海里的续航里程。

考古队在极渊沙海中，也曾搜索到该潜艇发射的短波信号。当时司马灰从无线连的通讯班长刘江河口中，获悉了这艘苏军潜艇的详细情报。此刻距离虽然很远，但是通过望远镜观察，浮在海面上的黑点体型狭长，与 Z-615 的特征十分接近，尤其是上面耸立的升降式环形通讯天线格外显眼，因此不难辨认。

司马灰略感意外，随即把望远镜交给其余几人进行观察，看明情况后低声商议，推测苏联潜艇并未驶入地心深渊，而是遇到了海啸或海蚀，结果被卷进了北纬 30 度下的"怪圈"。与众人所乘的木筏一样，它也是在地底水体中循环航行，由 1953 年至今，已有二十几年不见天日。不过这个衔尾蛇般的"怪圈"，正好位于地壳底部的磁层里，短波完全可以通过磁雾向外传导，这就能解释考古队在罗布泊收到的古怪信号了。

但这地底黑洞中狂澜汹涌，渊深莫测，如同汪洋大海一般，众人乘着木筏随波逐流，此时它突然出现在前方，而且好像是自己找上门来的，不免让人觉得事有蹊跷。

高思扬眼里揉不得沙子，质问司马灰道："你保密工作做得不错呀，事先怎么不告诉我们，地底下有艘失踪的苏联潜艇？"

司马灰最怕高思扬较真，推脱道："我哪想得到它会在这里冒出来？

真他娘的撞见鬼了。"

罗大舌头主张摸过去探个究竟："那苏联潜艇里也许还有罐头、武器、电池一类的物资。咱好不容易捞着这根救命稻草，绝不能轻易错过。"

司马灰说："苏军Z-615潜水艇掉在黑洞里二十年了，也不知为什么未被水体吞没。我看它是名副其实的鬼潜艇，里面的人肯定都死光了，未必能找到食物和电池。不过地底怪圈中可能还有很多难以想象的秘密，咱们不能放过任何一个线索。"

胜香邻提醒司马灰说："地底水体茫茫无际，木筏在这冥海中航行了许多昼夜，现在只推测是处在北纬30度线的某一点，却没有经度可以定位。而潜艇里应该配备着磁陀螺经，如果能够确认参数，咱们至少可以知道木筏的具体位置，冒些风险也是值得的。另外，这艘潜艇里虽然不太可能还有幸存者了，但它持续发射的短波通讯很不寻常，接近时大家要多加小心。"

司马灰当然没忘，那段载有莫尔斯信号的短波，应该是艇员遇难前发出的，通过低功率无线电向外持续发射了二十年，试图告知搜救部队不要接近，看来当时发生了一些很可怕的事情。但你不到舱内亲眼看个究竟，便永远不会知道缘由，于是他告诉众人要加倍谨慎，这可不是演习，随即倒转步枪划水，竭力朝着潜艇的方向驶去。

木筏行出里许，突然有大股气流呼啸掠过，一时间风如潮涌，惹得洪波耸立如山，筏子时而被抛上高峰，时而又坠落深谷，生死仅有一线之分。此时恰遇大雨滂沱，浇得众人衣衫尽湿，眼前陷入了一片漆黑。

高思扬用雨衣护住电石灯，才不致令光源熄灭，待到波涌稍微平缓，便提起来照明清点人数。其余几人看这地底下黑得伸手看不见五指，也都打开矿灯辨别方位。

司马灰发现二学生在木筏上颠簸得胆汁都快吐尽了，身体抖如筛糠，牙关咯咯作响，就说："那罗大舌头熟识水性，人送绰号'海底捞月'，常跳入万丈深渊，到那三级巨浪中看鱼龙变化。有他在此，你大可不必担心落水。"

罗大舌头在后叫道："可别指望我。咱也不是水陆两栖的，顶多是会两下狗刨儿的旱鸭子，比你们强不到哪儿去。"

二学生摆了摆手，表示并非惧怕掉到水里，只是忽然记起了一件很恐怖的事情。当年舟山群岛的渔民驾船出海作业，时常看到海面上浮着一个圆形的铁盖子，底盘有木漂，黑沉沉的毫无光泽，当中都是空的，看情形浮在海里很多年了。以前总有人想把它捞起来，却怎么也拖拽不动，让水性精熟的人下去摸，发现铁盖子底下是根很粗的胶皮管子，但深得探不到底，也不知底下连着什么东西，因此人们对它猜测纷纷。据那些年长的渔民说，这个东西在解放前就有了，可能是海匪沉下的宝货，上头拴个浮标是为了确定位置，免得回来打捞的时候找不到。后来此事被地方有关部门得知，找专家过来一看可不得了，那铁盖子完全是军工级的制造标准，里面还藏有通讯线缆，不可能是海匪留下的。这件事立刻引起了重视，特地请上海打捞局派船过来，又动员了好几艘渔船，却仍然拖不动水下的庞然大物。后来，经海军侦察，那是艘太平洋战争后期的日本潜艇，可能它撞在了海底珊瑚礁群里，又因机械故障无法上浮，只好放出通讯浮标。这铁盖下有条管子通到潜艇里，可以向外界发出信号，还能输送氧气。可该着这艘潜艇倒霉，通讯浮标也阻塞了，又无法及时排除柴油发动机的故障，致使艇内氧气消耗迅速，内部气压失衡，各个舱口盖受负压力影响，已不可能再从内侧打开了。结果里面的六十多名日军尽数葬身海底，都是给活活憋死的。限于技术条件，至今无法对其进行打捞。二学生曾听他在打捞局的朋友绘声绘色地描述了整个过程，里面当然不乏夸大渲染之处，比如潜艇残骸里面的情况和遇难经过，就完全属于小道消息了。但还是给二学生心里留下了一层阴影，总觉得潜艇这种东西非常不祥，那个大铁壳子简直就像棺材，哪怕只是一个细小环节上的失误，也会酿成重大事故，而且会死得很惨。艇员死亡前难以承受的恐惧和绝望，或许会永久地存留在潜艇舱室中，外人进去了不出事才怪呢。如今在北纬 30 度的地底怪圈里，发现一艘失踪了二十多年的鬼潜艇，此刻它里面会是个什么情况？又曾经发生了哪些可怕的事？思之真是令人不寒而栗。

司马灰不以为然："你这文化程度，搁在以前差不多能算个秀才了。秀才以上皆为功名，上公堂不跪，犯过失不打。必须先革去功名，然后方可责打。据说有功名的人连鬼神都惧让三分。你用不着自己吓唬自己。"

罗大舌头对司马灰说："什么不寒而栗？我看他就是冻的，灌碗姜汤，你看他还栗不栗。"

高思扬在二学生额上试了试体温，触手滚烫。此刻暴雨如注，这木筏子没遮没拦，前后左右头上脚下全都是水。她就对司马灰说："暂且到潜艇舱内躲避一时也好，或许还能找到一些药品。"

这时木筏被洪波推动向前，借着云雾中滚动的闪电，距离 Z-615 潜艇巨大漆黑的躯体越来越近，逼仄压迫的感觉也越来越重，同时发现舰体残破不堪，锈迹斑驳的外壳上条条裂痕清晰可见。

司马灰暗觉奇怪。看舰体有些地方都漏水了，也许刚掉到地底的时候还算完好，但被海水侵蚀多年，已是损毁甚重，为什么还浮在水面没有下沉？不过司马灰并不太懂潜艇的结构原理，这念头在脑中一转，也没顾得上多想。他燃起信号烛照亮附近水面，抛出绳钩搭住舷梯，率领众人将木筏紧紧绑住，冒着暴雨攀上舰桥，摇摇晃晃地摸到主舱盖前，这才发现竖起的夜间潜望镜和 42 厘米强光探照灯都已残破不堪，舱盖从内侧紧紧闭合，完全无法开启，只好从潜艇侧面裂开的一个大窟窿钻了进去。里面是个滚筒形的隔舱，极是低矮狭窄，里面湿漉漉的到处渗水，使人呼吸都变得紧促起来。通过铸刻在舱体内侧的舷号，能够确认它正是那艘迷航不返的 Z-615。

二学生告诉司马灰等人，这里像是若干个平衡水箱之一，分布在潜艇两侧，裂开的缝隙从外壳上直通进去，看来 Z-615 曾受到过非常猛烈的撞击，不知是什么东西把它撞成这样？

穿过这个平衡水箱，就能爬进潜艇内部了，里面漆黑沉寂。虽然 Z-615 潜艇如今只剩一个残骸般的躯壳了，大家亦不敢掉以轻心。司马灰让胜香邻取出照相机装上胶卷，如有重要发现可以及时记录，然后吩咐罗大舌头等人重新检查枪支弹药。温彻斯特 1887 型的枪身经过改装，要比普通步枪短得多，能适应地洞及舱体内狭窄压抑的环境。另外塔宁夫探险队配备的皆是特制平顶金属弹壳，也可以有效防水。

众人稍作准备，便一个接一个爬过两层壳体间的裂缝，进至倾斜的潜艇舱体内。周围既无人踪，也没有尸体，狭窄的空间内，充满了幽暗压抑的气息。

司马灰看了看四周，判断大家正处于一条主通道内，抬头就能碰到密布的管线，其中一端的舱门关着，而另一端的尽头能看到 P37—D 型柴油机组，通道下方是存放鱼雷的弹药库，再往深处还有一层是淡水及油料舱。这艘潜艇虽然长近百米，从外部看极为庞大，可除了两层壳壁，艇内至少分为上中下三层，所以舱室内部结构狭窄复杂。众人初来乍到，免不了晕头转向，只得分头到各处搜寻。

司马灰在一个密封的舱室中，翻出几套艇员的备用制服，其中一套臂章上有个鲸鱼图案，可能是负责声呐的艇员所穿。"冷战"时期，苏联军工一律采用核战标准，坚固耐用的程度超乎寻常，于是他就让二学生穿在身上抵御地底的阴冷。

二学生在林场这几年，一直没穿过不带补丁的衣服，见那制服没什么霉变气味，也就不管不顾地穿了，一会儿摸摸鲸鱼臂章，一会儿掏掏口袋，瞅哪儿都觉得新鲜。可不知为什么他心里总有些很怪异的感觉，似乎这艘阴森的 Z-615 潜艇，根本没有众人接触到的那么真实。

第七话
比深海更深的绝望

　　司马灰明白二学生的感觉，这不是艇上空气混浊及照明灯光阴影造成的心理错觉。众人在落入地底怪圈之后，乘着木筏渡海，航行了无数个昼夜，每个人都不免头重脚轻，连踩在平地上的感觉也不记得了。这艘Z-615潜艇舰体巨大，浮在海面上总比木筏子稳固多了，只是刚进来的人一时难以适应，但如今已在舱内多时，这种反常的感觉仍然挥之不去。

　　司马灰发现Z-615损毁之后没有沉没，但不论洪波如何汹涌，潜艇舱体内部始终由后向前倾斜，角度始终不变，致使众人在舱室或通道内移动时，总要扶着舱壁稳住重心。这说明潜艇是以一个不合常规的固定姿态浮出水面的，可地底水体深不可测，Z-615怎么会倾斜地浮在海中一动不动？

　　司马灰实在想不出什么结果，只是觉得失踪的Z-615潜艇身上，一定还有许多谜团。它目前所在的位置，不过是众多秘密的冰山一角。当下他同二学生继续搜寻，发现这舱室里还有一些扁平的铁箱，里面装着手电筒和其他一些工具。另外有两盒氧烛，点燃了可以短时间提供氧气，大概是在封闭断电的黑暗环境下提供抢修作业所需。司马灰把手电筒和氧烛交给二学生装在背包里，其余的东西均无大用。

　　此时在附近搜索的罗大舌头等三人，也先后过来会合。他们均未找到先前预期的电池、药品和武器，只好再往深处探察。穿过幽暗的通道，往里就是主舱及声呐通讯室，堆积散落着各种海图和舱内机械图，还有潜艇与基地长波台建立联络的密码册。司马灰随手捡起几张图纸，放在眼前看了半天，又哪里瞧得出什么名堂。

　　众人经过地毯式的彻查，除了那部低功率短波发射机还在不断发出"不要接近"的通讯信号以外，整个主舱内唯一具有实际意义的线索，仅是Z-615的航行日志。这里面详细记录了这艘潜艇出海的具体经过，胜香邻虽然能够读懂俄语，但航行日志里有大量军事术语，所以辨识起来有些吃力。

众人均想尽快知道 Z-615 遇难的真相，以及包括艇长在内的乘员下落，因为这同样也是探险队所面临的困境。

司马灰让胜香邻不用着急，逐字逐段地仔细解读，反正外边下着暴雨，离开了潜艇也无处安身。

罗大舌头见状就把最后一盒罐头撬开，分给其余几人果腹。众人肚子里有了东西打底，也都不那么发慌了。罗大舌头趁机自我标榜道："我平生视粮食为粪土，重精神如千金，哪怕就剩一口吃的了，宁可自己饿着，也得先想着你们大伙儿。我看咱这回在地底下找到了 Z-615 潜艇，绝对是个重大发现，等回去报告了中央军委和毛主席，你们千万别忘了多替我说两句好的。那么我罗大舌头指定有高官做，有骏马骑，出门小汽车接送，屁股后头再跟俩警卫员。《人民日报》、《光明日报》轮流登头版，还得到万人大会上作报告，那该是多么激动人心的场面？"

高思扬白了他一眼说："现在是什么处境，你野鸡诈尸居然还想到立功受奖的事？"

罗大舌头嗫着牙花子正想反驳，却见司马灰摆手示意不要出声，让众人先听胜香邻解读 Z-615 航行日志上记录的情况。

胜香邻简单翻看了航行日志中的记录，发现其中还有艇长在最后时刻留下的内容。艇长如此形容 Z-615：这是一艘还没出航就已受到邪恶诅咒的潜艇。

司马灰和罗大舌头有从军作战的经历，他们认为，艇长对待自己的潜艇，就应该像对待生死与共的战友，有一种割舍不断的深厚感情。甚至有许多艇长，在潜艇发生事故或被击中而无可挽救时，会命令艇员弃船逃生，而自己则选择与潜艇共同沉没，带着不朽的荣誉长眠深海。可 Z-615 的艇长似乎很反感他的潜艇，甚至在还没出航执行任务的时候，就已经觉得这艘潜艇极其不祥。这未免有些言过其实了，毕竟 Z-615 落进北纬30度黑洞的结果，在真正发生之前是谁都无法预料的。

胜香邻告诉大家，根据艇长在航行日志里的叙述，Z-615 潜艇真的发生过很多怪事，接二连三的不幸总是追随着它。"冷战"时期的苏联潜艇技术十分先进，其设计结构、保护性能均处于世界领先地位，屡次创出潜航速度和下潜深度记录。尤其是 Z 级柴油动力常规潜艇，它采用双壳船体、抗打击和生存力极强，排水量达水下 2475 吨，水上 1952 吨，长 91 米，宽 7.5 米，在全配给状态下，自持力可达 53 天，堪称海中的庞然巨物。而这艘 Z-615 型潜艇，战术舰号是 107，也称"玄武岩"号，由于该型潜艇没能量产，仅有这么一艘，所以艇员们都习惯以"615"直接称呼。

艇长之所以称 Z-615 好像受到了诅咒，是因为在最初建造的过程中，它就开始出现了不幸的兆头。当时要安装大梁，有一根钢梁意外掉落，将两名船厂工人砸成了肉酱。而在首次调试 P37—D 型柴油发动机的时候，发动机因故障冒出大量浓烟，使一名工人窒息而死。等到下水后执行战斗训练任务试射鱼雷时，它又突然发生爆炸，死伤多人。这艘 Z-615 似乎一直都被死神的阴影笼罩着，总会出现致命事故，使得人心惶惶。

众人听了航行日志中的记载，均感到毛骨悚然。Z-615 为什么会经常出事？

罗大舌头说："看来这潜艇就跟闹鬼的凶宅一样，谁接近它谁倒霉。"

司马灰感叹道："其实世上不只是人，万物皆有命运。这潜艇跟咱们有些相似，总遇上倒霉事，不过，'为什么会这样'的问题谁也回答不了，无非天公安排、造化施为罢了。咱们只能经历命运，却永远不可能理解命运。"

高思扬对胜香邻道："别听他们发牢骚。你快接着说，Z-615 潜艇后来怎么样了？"

胜香邻说："虽然 Z-615 事故不断，但是经事故调查委员会勘验，没有发现潜艇存在任何问题，所以指挥层认为是粗心大意和纪律缺失所造成的，不准艇员再谈论这些事件。最后轮换了全体乘员，由苏联武装力量第 40 独立潜航支队接替。这是一支具有光荣历史的英雄部队，其前身为伏尔加河区舰队，参加过残酷无比的'斯大林格勒保卫战'，被授予过'近卫'称号。现任的艇长指挥潜航作战经验丰富，在军中威望素著，众皆服之，甚至敌人都对他非常佩服，其手下的人员训练有素、作风顽强，也曾多次获得苏联最高苏维埃主席团颁发的'红星'勋章。"

艇长在接管 Z-615 之前，就已经对它过去发生的各种事故有所耳闻，但是在政委的监控下，没人敢谈论以前的事。他们甚至还没有来得及熟悉 Z-615 潜艇，就突然接到了执行战备值班任务的密令。

艇员们利用短暂的时间跟家人告别，随即匆匆集合，冒着大雨搭乘Z-615进入大洋。不料潜航至北纬30度线附近，突遇海底地震引发海蚀，潜艇像石头一样往下沉，直冲海底，并陷在了淤泥里无法浮起。艇上人员在绝望中被困十几个小时，想尽了一切办法都于事无补，那一刻好像已经触摸到了地狱的大门。

正当他们绝望之时，故障却自动消失，该艇自行浮出水面。可还没等到那一张张惊恐万状的脸恢复过来，Z-615又被海底潜流形成的水桥吸进了黑洞。海面出现的风暴过后平静如初，因地震裂开的海床也已闭合，而Z-615虽然完好，却与外界完全失去了联系，陷入了比深海更深的绝望。面对着比噩梦更恐怖的现实，艇长如此描述当时的感受："为了祖国，我宁愿背叛上帝，但此刻也许只有上帝才知道，Z-615究竟掉进了什么地方。"

Z-615潜艇此后的经历，与司马灰等人大致相同。由于磁陀螺经故障，只知道它是顺着北纬30度线不分昼夜地向西航行。不过Z-615凭借出色的潜航能力和声呐系统，试图寻找出路。但地底的大海汹涌苍茫，深不可测，上方全被浓密的磁云覆盖，为了保存燃料等待救援，不得不让柴油发动机暂时停止供电，任凭潜艇在地底黑洞中漂浮。顽强存活了六十几个昼夜之后，陆续有人死亡，甚至还有承受不住压力而精神崩溃的，艇长也发现黑洞里的死亡之海根本没有尽头，因为这就是一个环绕着北纬30度线的怪圈，进得来出不去。虽然潜艇作战时为了隐匿踪迹，常会完全静默，与后方指挥所中断联系是常有的事，可一旦长期失去联系就表明出事了。如今过了这么长的时间还没等来救援部队，可见没有指望了，也许Z-615全部人员的名字，都已经被刻在莫斯科烈士公墓的石碑上了。大概还会刻上"因公牺牲的Z-615全体成员永垂不朽，对祖国无比忠诚的儿子们，你们将永远活在全体苏联人民心中"。但不管那墓碑上刻了什么，艇上的人是再也看不见了。至此已彻底放弃了得到救援的希望，他们只能尽力自救。

这时大副建议Z-615下潜，也许能找到有暗流经过的洞穴，那就能逃出这个怪圈了。艇长采纳了这个大胆的建议，决定冒死一试。Z-615下潜的极限深度在二百米，凭着先进的设备和潜航经验，这艘潜艇下潜到了二百六十米，水压几乎将舰体挤碎了，却始终没有到底，也没能找到暗流洞穴。

艇长知道这计划已不可行，再不上浮潜艇就完了，立刻命令 Z-615 上浮，可为时已晚，已经潜得太深了，平衡水舱受挤压变形，勉强维持着二百六十米的深度持续向前。艇员们自知在劫难逃，都说被这该死的 Z-615 害了。

谁知潜艇突然被一股无形的力量缓缓拖拽，得以重新浮出水面，不过像是撞到了岩石，船体破损严重。不少人患上了增压症，隔舱的蓄电池组突然起火，幸存下来的艇员们扑灭火情，升起夜间潜望镜仔细观察，发现潜艇被一座岛吸住了。这座岛似乎是个大磁山，它也漂浮在地下之海中。潜艇是撞在了岛外侧的一块暗礁上，距离那座岛还有一段距离。

经过勘测，艇长推断这座岛是块大得难以想象的磁铁，能将在北纬 30 度线附近遇难的飞机、舰船吸住。大概此岛前身是从地壳里脱落下来的巨大岩盘，不过它具有一种普通仪器探测不到的波动磁场，吸力与潜艇船舶的体积成正比，体积越大受到的吸附力越大。比如枪支一类的物体，反而不会被这块磁铁吸住。当年日俄对马海战之际，俄军铁甲舰就在海上遇到过这种灾难，有两艘海军舰船被吸进了海底，不过那时候对此类异象还无从认知。没人想得到地层深处会有这个怪物存在，难怪航经北纬 30 度线的飞机和船舶，经常会一个接一个地往下掉。但 Z-615 下潜失控后，也多亏距离这座岛非常近，才侥幸被它带出了深不可测的水体。

经过艇长同政委商议决定，派遣沉稳老练的大副同志，带领十名艇员前往岛上侦察地形。但他们离艇后很快中断了通讯联络，派出去的人再也没有回来。

第八话
打 火 机

胜香邻说："艇长随即发现，这座岛不仅是块大吸铁石，它还有着更可怕的秘密……潜艇已彻底损毁，不可能再有人生还了，于是命令通讯员发出信号，通知搜救部队不要接近。航行日志能解读的部分只有这么多了，其余的记录我实在看不明白。"

众人听胜香邻读了Z-615的航行日志，不禁暗暗心惊。先前冒着狂风骤雨发现了潜艇，并未探明水下情况，原来这艘Z-615是被岛吸住了，而这座漂浮在北纬30度怪圈里的孤岛，好像就是古楚国传说中的阴山了。为什么去过岛上的侦察分队没有返回？潜艇舱内也没有尸骸，剩下的那些艇员都去哪儿了？

罗大舌头说："我觉得艇长这老小子嘴上挂风箱，倒有几分说书先生的本事。他指定是看潜艇损毁了无法继续航行，就带领手下离艇逃生了，又担心Z-615潜艇被外人找到，才故意捏造了一些耸人听闻的事件。"

二学生则说："潜艇技术应该属于高度军事机密。如果真是因为Z-615损坏而撤离，理应引爆鱼雷将它彻底炸毁，不可能就这么一走了之。另外地底衔尾蛇般的环形水体，就像黑暗的原始海洋般无边无际，这座岛也在其中永远朝着一个固定的方向循环移动。Z-615上的幸存者们又能逃到什么地方去呢？"

众人纷纷猜测，终无结果。但司马灰觉得这件事几乎没有什么选择的余地，因为Z-615潜艇的遭遇很难揣测。倘若这座漂浮在北纬30度怪圈里的岛，确实是巫楚壁画中描绘的阴山，那么以前发现的各种线索，此刻就全部集中到了这里。如今必须相信，只有前去揭开这些秘密的真相，才有机会找到怪圈的尽头。

众人都赞同这是唯一可行之策，于是就在舱体内稍事休整，准备等暴雨稍停，就离开 Z-615 潜艇的残骸登上"阴山"。

这时高思扬见二学生仍是高热不退，但整个主舱都找遍了，也没发现任何药物，就想到 Z-615 的下层舱室去搜寻。

司马灰等人知道主舱下面还有两层，各层之间由直上直下的工作井连接，分别是弹药舱和淡水舱。弹药舱两端设有几个隔舱，可能是储存物资的容纳舱，这 Z-615 的舰体前端向下倾斜，底舱非常狭窄，渗水严重的区域都被淹了，所以刚才没有下去察看。

众人当即前往附近的主通道，揭开隔舱的铁盖，穿过工作井陆续下到第二层舱室。这里的空间更显压抑，两侧都放置着火箭助飞鱼雷固定架，用矿灯往前照去，全是漆黑的地下水。可能由于前舱破裂，加上从上边渗下来的积水已经淹没了弹药库前端的舱门，无法进入鱼雷发射舱。

胜香邻用矿灯照着航行日志中夹带的图纸，辨认第二层的舱体结构，估计后方还有几个辅助隔舱，不知道是用来放置什么东西的。

司马灰见第二层前舱无法进入，便要转身再去后舱，忽觉头上有些响动。他顺势往上边看去，只见工作井里露出一个脑袋，正在探头探脑地向下张望，矿灯光束照到那东西灰白色的脸皮上，七窍里都带有淤血。

其余几人也分别有所察觉，矿灯和手电同时向上照射。几道晃动的光束中，就看那东西似人非人，脑袋像只被剥了皮的蟾蜍，也不知是什么怪物。它两眼对光线极为敏感，脸上没有鼻子，只生着几层肉褶，脖颈两侧似乎还有鳃，直通到嘴边。它似乎感应到了活人的气息，吐着血红的舌头，从工作井里倒爬进来。

众人在黑暗中骤然见了这东西，脑瓜皮都跟过了电似的，头发根子猛的一下竖了起来。

那怪物全身湿漉漉的，好像刚从水里捞出来的溺死鬼，动作快如鬼魅，不等众人反应过来，便已从工作井突然扑下来。司马灰的温彻斯特1887型在舱内调转不开，赶紧向前滚倒避让。

这溺死鬼似的怪物扑将下来，正落在司马灰和高思扬之间。它咕哝了一声，张开嘴对着高思扬就咬。高思扬惊骇之余，急忙开枪射击，"砰"的一枪击中了那怪物的胸口，12 号霰弹将对方身体贯穿了一个大窟窿。在凄厉的惨叫声中，那怪物直接从伏地躲避的司马灰身上滚了过去，刚一触地便蹿身而起。高思扬还没来得及重新上弹，对方就已撞到了面前。她见来势惊人，无从躲闪，只好用步枪格挡。

队伍前端的胜香邻和二学生同时惊呼不好。罗大舌头发现情势危急，立刻端起加拿大双管猎熊枪开火，大口径弹药顿时将那怪物拦腰撕成两段，溅得舱壁上全是污血。

谁知那厉鬼两只爪子仍攫住高思扬的步枪不放，而且力道惊人，怎么也甩不掉。

这时司马灰一跃起身，他在狭窄的舱体内不敢开枪，唯恐伤到自己人或是引爆了鱼雷，于是抽出猎刀从后挥落，像切瓜似的劈下一颗头来。不过那厉鬼剩下半截没头的躯干竟然还没死绝，它坚硬的指骨兀自狠狠抓挠着舱壁，发出"嘎吱嘎吱"的响声，又过了十几秒钟，才终于一动不动了。

这场突如其来的意外遭遇，前后还不到半分钟，但整个过程险象环生，众人都已出了一身冷汗。全凭舱内地形狭窄，限制了怪物的行动，否则，现在就得有人到阴曹地府报到去了。

罗大舌头用猎枪戳了戳掉在地上的头颅，骂道："这他娘的到底是个什么东西，兴许是压在阴山下的恶鬼？"

司马灰说："恶鬼不应该有血肉形体，我看这是故老相传的伏尸。据说人之所凭全在魂魄，魂灵而魄浊，魂善而魄恶。如果是魂死魄滞，尸体躯壳里只剩下魄，那就会变成昼伏夜出的行尸走肉。"

其余三人也都壮着胆子上前，用矿灯照向那血肉模糊的碎尸，就见那东西有腮有鳍，爪牙尖锐，前后肢格外发达，尾骨很长。

高思扬说："这东西嗅觉和听觉一定格外敏锐，而且还有鳃。它可能是从水里爬到 Z-615 舱内的。"

二学生刚才吃了一惊，被吓得冷汗直冒，高热竟也退了，昏昏沉沉的头脑清醒了许多。他说："这好像是种异常凶狠残忍的原始掠食生物，听说当初'美帝'有艘军舰出海巡航，带回一个从冰山里挖出的'鱼人'。为什么说是鱼人，而不是人鱼呢？因为鱼的特征非常突出，据推测是在北冰洋里从两亿年前冷冻至今，解冻后居然还有生命迹象，被称为生物史上失落的一环。此事一直被列为军方绝密档案。这北纬30度线下的地底水体，也是个完全与世隔绝的地方，是不是同样有'鱼人'？"

司马灰摇头道："既然是军方绝密档案，你又是怎么知道的？当年还有谣言说，造原子弹需要割男人卵蛋来炼油呢。这都是小道消息，也能信得？"

胜香邻像是忽然记起了什么，她心有余悸地对司马灰说："它也许是Z-615上的艇员之一。你还记不记得林场老炊事员讲的那件怪事？"

二学生不解地说："这长着鳃的怪物至多是轮廓像人，说它是某种生存在洞穴里的冷血爬虫倒更合适，怎么可能是Z-615艇员？"

司马灰却是一怔："此事会和途中听来的林场奇闻有关？"司马灰在前往大神农架山区的途中，顺路搭了个老炊事员的车，闲聊中听说以前林场里有个土贼，进到山里挖掘古楚国的青铜文物，此人可能只是钻进了阴峪海原始森林里的隧洞，并未深入放置楚载神兽的祭祀坑，也不知究竟掘到了什么东西，害死几个同伙后就潜逃了，最终在火车上被人逮捕。据车厢里的目击者讲，那土贼妄图毁灭证据，把藏在包里的一个死孩子扔到了江里。土贼已经背了三条人命，横竖是个敲砂锅的罪过，他却抵死也不肯承认有什么死小孩，只说自己抛到江里的是件楚国青铜器，直到被押赴刑场执行枪决，也没审出什么结果，成了林场里流传的一个怪谈。

司马灰觉得这事听过就算了，有没有还是回事儿呢，压根儿也没当真。因为整个事件连最基本的逻辑都不成立，典型的田间地头的乡野之谈。司马灰自认也算个有急智的人物了，却实在搞不明白，在林场审问枪毙土贼和Z-615艇上遭遇怪物袭击这两件事之间，会有什么关联。

司马灰正想仔细问问，却听到上层舱体中传出异响，忙把矿灯照向工作井，只见有个白影迅速闪过，从声响上判断来的不止一个。

众人皆感情况不妙，如果还有此类生物进入潜艇，在狭窄局促的弹药舱里遇上则难以应付，从作业井钻出去等于找死，于是就想抢先关闭舱盖，谁知前舱的水面一阵翻动。

司马灰立即将矿灯拨转下来，就见有一张浸死鬼般的白色怪脸正从水下冒出，心知糟糕透顶，看来要被堵在舱内了。

这时罗大舌头抢到近前抬枪轰击，那怪物没等爬出水面，就被掀掉了半个脑壳，舱室内都被血水染遍了，充满了浓重的血腥气息。紧跟着又有其他同类，从鱼雷发射舱裂缝中快速钻进潜艇。

司马灰见作业井里也有伏尸爬下来，一把拽住还在装填弹药的罗大舌头，叫道："挡不住了，先撤进后舱。"

众人快步退进位于潜艇第二层后部的隔舱，合力推动轮盘，想要关闭舱门，但有条白森森、湿淋淋的手臂也从舱外伸了进来，恰好被夹在缝隙间，使舱门无法完全闭合。

司马灰等人心里明白，此刻关不上这道舱门就没命了，一齐用尽全力将舱门推拢，又将轮盘转到了底，那手臂被挤压得血肉模糊，半截爪子连皮带骨地挂在门前，手指还在不住抖动。

高思扬不敢再看，抹了把额头上的冷汗，转过身提起电石灯，想先辨明这间隔舱里的情况，只见有四个被固定住的大铁罐子，正待观看罐体上的标志，却被二学生突然按灭了电石灯。高思扬被他吓得不轻："你干什么？"

二学生因紧张过度而面如土色，颤声说道："罐子里装的是液态氢，如果沾上一星半点的明火，Z-615 就得被炸到天上去！"

胜香邻用矿灯向四周一照，发现罐体上果然有液态氢标志。按照航行日志的记录，Z-615 潜艇除了柴油发动机，还安装了正在实验阶段的厌氧动力装置，用来为水下续航任务提供燃料。为了安全起见，需要安排独立的舱室存放，但由于储存罐设计并不完善，具有随时爆炸的可能性，所以又被称为"打火机"。看罐体仪表上的显示，这几罐液态氢还都是满的，应该没有泄露，否则提着电石灯进来，此时哪里还有命？想到这儿不禁后怕。

司马灰得知情况，同样是暗中叫苦。他让罗大舌头顶住舱门，然后问胜香邻："这些爬进潜艇里的伏尸，怎么会与那个被枪毙的土贼有关？他到底在隐瞒什么事实？"

第九话
退　化

　　胜香邻说："最初我看不懂 Z-615 航行日志的后半部分，但我现在想通了，Z-615 的艇员都成了被这个岛控制的怪物。"

　　司马灰摇头道："这我就更不明白了，岛怎么会让 Z-615 的艇员变成怪物？"

　　胜香邻心中焦灼，想尽快向司马灰说明经过，可这件事并非一两句话就能解释清楚，想了想只能先从途中听说的传闻开始。因为众人对此只是道听途说，毕竟传了多年真伪难辨，于是问在林场插队多年的二学生，炊事员讲的怪事是否属实。

　　二学生说确有其事，不仅在几个林场，山里人基本上都知道。不过发生这件事的时候二学生还没到林场插队，也只是耳闻，并不曾亲见，大致与司马灰等人听说的情况一样。这大神农架原始森林野兽多而人烟少，诸如野人水怪之类的传说很多，人为的事件却非常有限。何况深山老林里岁月漫长，因此那个土贼被捕枪毙，在当地几乎无人不知、无人不晓，乃言奇言怪必谈之事。它怪就怪在不合常理，奇就奇在没有逻辑，让人们根本捉摸不透。谁也不知道那土贼心里怎么想的，所以时隔多年，会经常有人提及。

　　高思扬表示自己也听民兵讲过这件怪事。有人说那土贼是个潜伏的特务，用死孩子的人皮包着一部电台。他发现行踪暴露，便将电台投入江中毁灭证据，至死不肯承认是为了保全同党。还有人说，土贼是在山里被阴魂附体了，但这些猜测更加荒唐，也都站不住脚。

　　罗大舌头说："有道是人言可畏，平时很寻常的一件事，传得多了就能越变越邪乎，也许压根儿就没发生过。"

　　胜香邻说："如果此事的确属实，便只有一种合理解释，那就是土贼把自己做过的事彻底忘了。"

众人尽皆愕然："忘了……这是说忘就能忘的吗？"

胜香邻说："北纬 30 度线蕴藏着许多带有磁性的矿层，以往在这些地区参加过地质勘探和矿井作业的人员，也有人出现过记忆力逐渐缺失的状况。那是受矿物辐射致使 Tau 蛋白在脑内聚集的症状。记忆缺失的部分没有规律，我看 Z-615 艇长记录在航行日志后面的内容十分混乱，尽是些互不相关的内容，就像林场里传言的这件事情，逻辑奇怪得让人无法理解。所以我想当年那个土贼，很可能进入过存在磁层的洞穴，后来发生的事大概都是记忆链缺失造成的。也许土贼除了盗取青铜器，还出于某种原因下手害死过一个孩子，将尸体藏在了包里，但被人发现的时候，他已经完全想不起来中间做过什么了。至于具体经过现在也无法追究，我只是受到这个传闻的启发，才推测出 Z-615 潜艇的遭遇。"

司马灰说："土贼的事或许如你所言。但照你的推测，倘若北纬 30 度怪圈同样会给人造成记忆缺失的影响，那些艇员就算把脑子里的事都忘光了，他们最多变成痴傻，又怎么会成为恶鬼般的怪物呢？"

胜香邻说："因为 Z-615 上的幸存者退化了，他们已经变成了这座岛的寄生虫。"

众人闻言无不愕然。高思扬问道："这是不是属于一种返祖现象？"

罗大舌头插话说："且慢，人好像是从猿变来的，真要返祖退化也该变成猿。我可没听说猿类会长鳃。"

二学生解释道："海里的生物被陆地上的东西吸引，才演化成了爬虫类，而古猿又是由爬虫类进化而成的。"

罗大舌头道："不对啊，这猿类既然能进化成人，为什么世上至今还有猿猴？"

二学生说："这个……好像是因为古猿分支众多，只有其中一支具备慧根的古猿，最终得以进化。"

司马灰仍有许多不解之处，就让胜香邻再具体说一说，如果 Z-615 的艇员迅速退化了，那么，咱们这伙人此时置身北纬 30 度线怪圈，是不是也将面临同样可怕的结果？

胜香邻说，在某些地底岩脉中，存在天然放射性元素或磁场，短时间接触有可能会对人脑产生影响，比如记忆缺失、行为异常，类似西方所说的阿尔兹海默综合症。据苏军 Z-615 潜艇侦测，这座地底的阴山实际上是块大磁石，依前面所述来看，如果长期接触，便会出现急剧退化，最后变成丧失了人心的怪物，和恶鬼没什么分别，并且永远被阴山束缚在此。迷航于北纬 30 度线下的 Z-615 潜艇乘员，至少在这水体中持续漂浮航行了许多个昼夜。Z-615 潜艇刚被这座岛吸住的时候还没有任何异常，但此后的航行日志就逐渐开始混乱了。艇长好像发现了这个秘密，可为时已晚。古楚传说中阴山背后尽是万劫不复的阴魂恶鬼，其原形也许正是这些退化了的怪物。它们大概都是在夏商周乃至春秋战国时期，无数被扔进山里献祭的奴隶和俘虏所变。倘若 Z-615 潜艇上的幸存者没被那些恶鬼吃光，剩下来的人也都变成阴山之鬼了。咱们这支地下探险队孤立无援，当然也逃不脱这种厄运。

众人早将生死置之度外，但一想到这种结果，都不免害怕起来。

司马灰问胜香邻："现在还剩下多少时间？"

胜香邻表示无法推测，不过从 Z-615 航行日志的记录判断，估计最迟在一两天之内，就要有人开始出现记忆缺失的现象了。

司马灰凭生物钟估算，从发现 Z-615 潜艇到现在，差不多过去了两个小时，如果阴山上果真有天匦存在，探险队就还有时间找到通道，逃离北纬 30 度这个死亡的怪圈，现在还不到绝望的时候。

高思扬说："如今 Z-615 潜艇残骸里已不知爬进来了多少恶鬼。咱们连这道舱门都出不去了。"

二学生喘着粗气说："我觉得呼吸越来越困难了。这个辅助隔舱内的空气好像已经不多了。"

罗大舌头也觉得憋闷，提议说："不是找到潜艇里使用的氧烛了吗？我看点燃氧烛还能多坚持几个小时，趁这工夫赶紧想办法。"

二学生赶紧说："别忘了这舱室是个'打火机'，谁敢守着这几罐液态氢用火？那我宁愿打开舱门被恶鬼吃了。"司马灰知道氢弹是种战略武器，能够制造出上千万吨级 TNT 当量的爆炸，还具有严重的放射性污染，因此也称"脏弹"。这艘装备着液态氢辅助燃料的 Z-615 潜艇，岂不正是一颗威力恐怖的"脏弹"？如果它在地底下发生爆炸，别说 Z-615 的残骸，估计整座阴山都得被炸到地表上去，甚至北纬 30°线之下的怪圈也要从中断裂。此时见这辅助舱内近乎封闭，剩余的氧气支撑不了多久，但在此使用氧烛或枪支，都会引发灾难性的后果。

胜香邻说："不至于那么严重，作为燃料舱的液态氢和战争中使用的氢弹完全是两个概念，但即使这样，也足以将Z-615炸毁。"

司马灰寻思前舱肯定回不去，留下来很快便会被憋死，就只能继续往后舱去了，可万一后边的舱室同样密不透风，那就真被闷成"人肉罐头"了。他心里打着鼓，摸过去转动轮盘，缓缓打开了后部舱门，所幸后舱冷飕飕的，空气很流通。

胜香邻参照图纸，指明潜艇后部除了一处隔舱，依次还有主电机和辅助电机室，通过辅助电机室的作业井上去，即是与甲板连接的封闭舱盖，从舱体内侧应当可以打开这个铁盖。

众人见通道里一片寂静，看来这些阴山之鬼，多是经底层淡水舱爬进潜艇内部的，听动静此刻还没有绕到后舱，正可趁机脱身，等被它们发觉再想走可就难了。当下不敢耽搁，蹑手蹑脚穿过辅助电机室，司马灰推开舱盖向外窥探，借着雨雾中不时掠过的闪电，远处黑黢黢的巨大山体依稀可辨。

这时胜香邻压低声音对司马灰说："那些怪物的感觉非常敏锐，咱们躲在Z-615潜艇里还有舱室作为依托，可一旦到了木筏上，必然会被它们察觉，这水面上没遮没拦，到时该如何抵挡？"

司马灰一听胜香邻的话就顿时警醒起来，有道是"一招不慎，乾坤难回"。此时的处境让司马灰想起当年他刚到缅甸，跟随游击队穿过一片茂密的丛林，前方遇到一条齐胸深浅的大河，河面非常开阔，众人正准备涉水渡河的时候，忽然发现丛林里有大批敌军追了上来。当时指挥员见前有河水后有追兵，而且众寡悬殊，便命令游击队强行渡河，争取尽快到对岸占据有利地形。却没想到部队涉水的速度要比在丛林里行军缓慢得多，敌军在身后出现的时候，游击队才刚到河心，结果都成了活靶子，活着上岸的十个里还剩不到一个，血水几乎把整条河都染红了。后来司马灰经验多了，才明白那场渡河遭遇战必须牺牲掉几个人，让他们借助丛林的复杂地形拖住阻击敌人，掩护主力部队安全渡河，这叫做"丢卒保车"。

其余几人稍一寻思，也均是一身冷汗。如今在行动速度不占优势的情况下，乘着木筏渡过水体接近阴山，恐怕在半途中就被那些怪物追上，若平地遭遇还能凭借武器勉强应对，但如果被拽到深不可测的水里，却是半点挣扎反抗的余地都没有了，况且没有水和食物，即使困守在 Z-615 的舱室内，终究也不是办法。

司马灰吩咐胜香邻留在舱盖处监视外边的动静，随即狠下心来对其余三人说："没什么办法可想了，唯有引爆装满液态氢的罐体，即使没把潜艇附近的怪物都炸死，爆炸产生的巨响和火光，也会把它们吓得四处躲藏，这是探险队活着接近阴山地脉的唯一机会。"

地底水体中洪波万里，Z-615 潜艇被吸在大磁山的边缘，现在留下一个人引爆 Z-615 里装载的液态氢燃料罐，其余四人才有机会脱身。众人深知接触地底大磁山的时间越久，便越有可能被它困住万劫难复，必须在"退化"迹象出现之前，找到逃离北纬 30°怪圈的途径，片刻不容耽搁。司马灰说的计划虽然可行，但谁留下谁就得死，应该让谁留下呢？

第六卷

黄金山脉与水晶丛林

第一话
不 死 之 泉

罗大舌头见司马灰刀子般的目光落在高思扬身上，以为是确定了人选，忙说："亏你想得出来，竟让个女的替咱们送死。那就算侥幸逃得性命，将来也没脸见人了。我看与其这样，倒不如让二学生殿后。"

二学生惊慌失措："这事太突然了，我……我……我思想上没有任何准备……还需要点时间……考虑考虑……"

罗大舌头说："还考虑什么？男子汉大丈夫别犹犹豫豫的，咱活就活个痛快，死也死个壮烈。要劫，劫皇纲；要玩，玩娘娘。所谓人生一世，草木一秋，这辈子匆匆忙忙，稀里糊涂地说过去就过去了，想有点意义多难啊？你现在有个千载难逢的机会能够因公牺牲、永垂不朽，永远活在人民心中，这么光荣的好事上哪儿找去？"

高思扬实在听不下去了，她含泪直视着司马灰问道："你凭什么决定别人的生死？"

此刻身在险地，谁都不敢大声讲话，司马灰也只好尽量压低声音说："罗大舌头净他妈的打岔，我可没说让谁去引爆液态氢燃料罐。你的背包里是不是还有电石？"

高思扬恍然醒悟，电石灯使用化学照明光源，构造简易坚固，电石遇水就会燃烧，放出明亮的白色火光，氧气不足时便会暗淡发蓝，尤其适用于矿井隧道作业，是探险队在地底行动的必备之物。存放电石的盒子是密封防潮的，否则有水渗进来就引火烧身了。通讯组加入行动之后，电石灯一直由高思扬使用，备用的电石盒子也都放在她的背包里。探险队虽然没有导火索之类的延时引爆器材，但打开潜艇两侧的平衡水箱，使地下水淹没装有液态氢罐体的舱室，就可以利用电石燃烧现象，引爆 Z-615 潜艇。

众人当即摸回辅助隔舱，依计施为，随后钻出潜艇，攀着甲板侧面的舷梯返回木筏。司马灰拔刀砍断绑在垂直舵上的绳索，这段史前古树的躯干被洪流推动，立时向前漂浮。或许是雨雾掩盖了气息和声音，所幸一切顺利，眼看筏子漂过了潜艇尾部的螺旋桨，突然有道闪电经空，只见潜艇漆黑的外壳上有十数个白色物体，正在向下快速爬行。

司马灰等人惊呼一声"不好"，抄起步枪拼命拨水。其实木筏在滚滚洪波中漂动的速度已是极快，转瞬间便向前驶出几十米远，距离阴山地脉已经不远。但同时众人也察觉水里和远处山体间都有伏尸迫近，大家知道仅凭手中枪支根本压制不住，均盼 Z-615 潜艇尽快爆炸，以便趁机脱身，可又迟迟不见动静。

这时罗大舌头猛地一拍脑袋，叫道："搞砸了，刚才我好像没把电石防水的密封盒子打开，电石接触不到水就根本不会燃烧。这墨菲定律太狠了，你说它怎么总跟我过不去呢？"

司马灰一听，鼻子差点没气歪了，骂道："别扯那些不咸不淡的，我看真是该对你采取永久性人道主义措施了。"

这二人嘴上争执，手里的枪支都已是弹药上膛，只等那些阴山恶鬼接近，便豁出命去拼个够本。但筏子不断地向前漂浮，周围却再也没有任何异动。

众人心下莫可名状，附近的行尸走肉怎么踪迹全无？相传桃木能辟邪镇煞，难道是赖以渡海的古树气味将它们驱退了？可这史前树种虽然罕见，但除了质地紧密，也没见有什么稀奇之处呀？它们是不是被别的东西吓走了？

不知不觉间木筏已触到岩石而停住，五个人满腹疑惑，一时不敢冒进。只见面前的山体齐整壮阔，有如城郭，显露出来的部分呈"凸"字形，它似乎是一块单体不可分割的庞大岩盘，突兀地沉眠在这空寂无物的水体中。表层多为青苔覆盖，显得阴郁荒凉，受时间和环境侵蚀形成的裂痕，就像无数条沟壑深谷，高处云缠雾绕，难窥全貌。众人为其气势所慑，大气也不敢出上一口。

司马灰用手触摸苍纹密布的岩层表面，发觉质地和色泽都近窑砖。心想："莫非此地就是巫楚传说中的阴山了？中国古代有仙山在海上漂浮的记载，西方则传说地下有泉，饮之能得不死，但没人知道传说中的泉水在哪里。看地底洪泉极深、阴山伏尸，想必那些古老的近乎神话的传说有些来历，其本质相同，只是表象各异。"他见跟在身旁的二学生脸色怪异，就问道："你是不是有什么发现？"

二学生似乎怕惊动了什么恐怖的东西，俩眼直勾勾盯着司马灰手中的步枪，悄声说道："这地方很不对劲，它让我想起了……"

司马灰心下不以为然："我他娘的也真是信了你的邪，别大惊小怪的，这山体形势虽然险峻古怪，似乎有种很不协调的感觉，可又怎么能同'1887型杠杆连发枪'扯上关系？"

二学生问道："温彻斯特1887型这种枪何以得名？"

司马灰说："这谁不知道？温彻斯特是著名的美国军火制造商。塔宁夫探险队的这种武器设计制造于1887年，利用手柄拉杆式枪机上弹。虽然使用12号无烟霰弹，但后来我才看出它被加装了膛线，弹丸射击后聚集不散，减小了杀伤面但增强了威力，更能适应狭窄多变的地下环境，也可以算是步枪，现在看也并不落伍，性能非常可靠。"

二学生道："我这也是听来的事，正是因为这个美国连发武器制造公司生产了多款枪支，并得到广泛应用，死在温彻斯特步枪下的人不计其数，从而使得这个家族灾祸不断。其实西方人也迷信，所以就建了一座大宅，后世称之为'温彻斯特鬼屋'。在它的建筑结构中，便有几处用到了位置歪斜扭曲的设计，相传这样'改变常态'的做法，可以困住那些亡魂。"

司马灰等人从未听说过此事，都感到无法相信。这世上胡编乱造之事甚多，却总有个边际，难道西方人也懂得按照风水秘术布置阴阳窟宅？司马灰不再理会二学生，当即招呼众人举步向前，循着平缓处蜿蜒上行。

二学生边走边坚称此事绝非捏造。据说温彻斯特通过制造贩卖枪支，攫取了丰厚利润，但其家族成员却一个接一个地离奇死亡，最后只剩下老温彻斯特的妹妹莎拉继承了大笔遗产。由于子女和丈夫相继离世，莎拉变成了一个独守金山的寡妇。有一天，她乘马车外出，意外地轧死了一只黑猫。从那开始，莎拉经常能通过镜子，看到那只黑猫蹲在自己身后，可当她转头察看时，却又空无一物，到了夜里更是噩梦不断，闭上眼就会感到阴风阵阵，围着床铺打转。

莎拉并不信教，无奈之下只好求助于一位巫师，希望借助巫术驱魔。

巫师占卜出温彻斯特家族的气数将尽，那些惨死枪下的亡魂迟早要找上门来讨还血债，现在发生的这些可惊可怖之事只是一个开始，更大的灾厄将紧随其后。化解之法只有两种选择：一是散尽巨额遗产，因为这些钱都是拿人命换来的，是一笔被诅咒的财产，谁得到它就同时得到厄运；另一个选择是对抗命运，这当然是一条不归路。

莎拉是失女丧夫的孤家寡人，亲朋好友也几乎死绝了，而且她性格坚忍，也不愿放弃奢华的生活，考虑到诸多因素，她最后决定选择第二条路，用这笔受到诅咒的财产保护自己。

按照巫师的指点，若是想继续活下去，她必须迁往西海岸，建造一幢全新的房屋居住。但这座房屋却永远不能竣工，要持续进行施工和装修，什么时候施工停止了，那一天就将是莎拉的死期。

著名的"温彻斯特鬼屋"便从此诞生，整幢房屋在三十八年内没有停过工，几百个房间今天造了明天拆，屋内到处都是暗道和密室。她想利用迷宫般的布局与亡魂周旋，所以没有常规意义上的蓝图，结构穷尽怪异之能。楼梯的尽头也许是堵墙，打开窗子则是台阶，偌大的房屋里没有一面镜子。

莎拉为这处大宅花费的金额几乎是天文数字，直至她与世长辞。后来"温彻斯特鬼屋"变成了当地文物，还被辟为博物馆供人参观游览，但该幢房屋的正门不仅位置偏斜，而且上百年来从没开启过，就连美国总统前来参观，都不敢从正门进去。可能认为阴魂凶灵无法通过这种门户，活人进出也属不祥吧。这就如一方之民，约定俗成都不做某些事，都不说某些话，所谓"禁忌"便是如此。

众人听二学生言之凿凿，好像还是有些根据的。这位继承巨额财产的遗孀，其所思所行实在让人难以理解，可见世象百态，无奇不有。而二学生则是想告诉大伙，这阴山形势古怪，不符合自然界正常之态，所以那些魂死魄存的行尸走肉都在周围潜伏，不敢接近山体，正因为如此，探险队才得以脱身。

说着话已行至山根底部，先前借着闪电看到的漆黑模糊的山体，从中部陡然拔起，也就是从侧面看"凸"字形上方的部分，此时走到跟前发现其实是个奇大无比的洞窟。它大得与这山体不成比例，就像把整座山峰挖去了 2/3，剩下的 1/3 便是这洞口轮廓。

众人心中惊奇，停下脚步用矿灯四处察看，只见洞外地裂处枯骨累累，看上去均为多年前死掉又代为阴山之鬼的人所留，因此觉得二学生推测并不准确。那些退化之物显然历代蛰伏在地下水体和岩洞深处，在正常情况下，活人到此必然遭受袭击。如今却出现了一个有违常理的情况，司马灰预感到在这反常迹象的背后，必然隐藏着更大的凶险。

第二话
洞 比 山 大

相物古术有言："阴阳不可测者谓之鬼，玄深不可知者谓之神。"司马灰等人在阴山里发现的这个大洞，也正应着此言。

胜香邻从未见过这种地质地貌。她向深处观察了一阵，只觉越看越深，难测其际，对其余几人道："你们瞧，这山体内部好像都是空的。"

高思扬骇然说："大神农架原始森林里，奇洞异穴所在皆有，却没见过这么古怪可怖的山洞。"

二学生点头道："阴峪海下存在的洞窟规模比这里大得多，可形势如此怪异的好像还真没有，而且这种不协调的恐怖感还很难形容……"

罗大舌头说："这有什么不好形容的？凡事都有个比例，好比你的脑袋是座山，眼睛、鼻子、嘴和耳朵是山洞，别管脖子以下怎么样，即便脑壳里面全是空的也并不奇怪。可你想想，如果一张嘴占了整个脑袋的2/3，那就未免太吓人了。"

二学生听罗大舌头打的比方虽然诡异，却也非常恰当，最准确直观地概括出了这里就是"洞比山大"。

司马灰此前推测，古楚传说中的阴山有可能是地底岩脉脱落形成的，在水体中绕着北纬30°怪圈缓缓漂浮。它若只是深山空洞倒不足为奇，但这无根之山内部中空，实是出乎意料之外。由于周围环境漆黑，无法看清地貌形势，司马灰也不知道所谓的"天匦"是否真在此处。相传这东西亘古已有，乃是度量天地之物，能够自行自动。或许类似轩辕黄帝利用地底磁山之理所造的指南车，其中还有深藏在地层最深处的黄金水晶，楚幽王盒子中的遗骸即是从此得来。而天匦也是进入深渊的通道，这条通道的尽头，即存在着考古队幸存者想要寻求的谜底。如今逆水行舟回头难，众人到此已无任何顾虑迟疑，虽一时想不透这阴山洞穴里有些什么，想来这山下无根，洞中纵然深广难测，也总不至于是个无底之窟吧。

司马灰打定了主意，就让二学生把背包里剩余的氧烛、火把和弹药都取出来分给众人。

二学生一边分发物品，一边愁容满面地告诉司马灰："步枪弹药还有不少，火把和信号烛却是用一根少一根了，电池和电石一类的照明能源也所剩无几，如果不节约使用，恐怕支撑不了几天了……"

罗大舌头说："咱们的干粮可是一点也不剩了，估计等不到摸黑就都饿趴下了。"

司马灰说："要是短时间内找不到离开北纬30°怪圈的通道，大伙全得变成阴山里的行尸走肉。所以其余的事别多考虑，先撑过今天再说。"说罢他拿笔在手背上写了几行字，用来提醒自己，"一旦开始出现记忆缺失的迹象，千万别忘了给自己脑袋上来一枪。"随即抖擞精神，准备进去探明情况。可司马灰刚走出几步，却忽然闻到背后有股尸臭，这种气息在大神农架阴峪海多次出现过，好像就是那个采药哨鹿的土贼。

司马灰动念到此，心头猛地一紧："难道是那个练过僵尸功的老蛇？"

在楚载神兽坠入地底水体之时，司马灰亲眼看到此人被怪鱼吞掉多半截，只剩脑袋和胳膊还露在外边。即使他天赋异禀，服食过千年灵芝，一旦葬身鱼腹，也绝不可能大难不死，肯定早已变成了一具真正意义上的死尸。但洪波茫茫，浩淼无际，这土贼的尸体怎么会在阴山出现？

司马灰心念一闪之际，迅速转身观看，发现罗大舌头等人都在身后，唯独不见二学生。

众人共同踏过炼狱，经历了一切考验，无时无刻不在死亡线上摸爬滚打，彼此间默契已深。其余三人见司马灰突然转过身来，也都觉察到后方情况有异，立时散开几步，持枪举灯向后照视，只见身后漆黑一团，毫无活人气息。

众人记得二学生刚刚还在附近，手里拿着手电筒照明，才一眨眼的工夫，怎么说不见就不见了？

司马灰发觉死人气味离得很近，对同伴打个手势，缓步向前，矿灯的光束也随之推进。突然，他在黑暗中照到了二学生的脸部，但那惨白的脸上五官扭曲，瞪着两眼，嘴巴大张，僵住了一动不动，显然是气息已绝。在他身后有另一张湿漉漉的怪脸，形若古猿，面颊上斜带着一条刀口，那刀口像孩子嘴似的往外翻着，里面露出的皮肉都已腐烂发白了。

众人又惊又骇，来者不是老蛇又是何人？他脸上的伤口还是被罗大舌头用猎刀所劈。此贼擅别四气五味，满身铜皮铁骨的硬功夫，被活埋在坟包子里，尚能用龟息之法偷生。但这时看来，那本是血丝密布的双眼，却黑得有如一对窟窿，身上折断的肋骨，更有几根从胸前白森森地戳了出来，看样子已经死得不能再死了，哪里还是活人？也许确是死后尸起，破了鱼腹脱身，阴魂不散地尾随而来。

众人既痛惜二学生丧命，又惊骇这土贼的尸变。而司马灰感到阴寒之气悚人毛骨，肌肤为之起栗，先前在楚载神兽里发生的诡异情形，全都浮现在脑海。当时他不顾禁忌，冒险揭开了楚幽王的铜盒，受到盒中遗骸吸引，洞底阴风骤起，同时有浓密的磁云涌出，那应该是古楚壁画中被描绘为箱中女仙的鬼怪出现了，落在黑雾里的罗大舌头当场死亡，众人被迫退进楚载内部躲避。接下来罗大舌头突然死人还魂，惊得那土贼心虚胆寒逃至洞外，遁入了雾中不知去向。等双方再次遭遇之时，司马灰看到老蛇嘴里伸出一条黑糊糊的手臂，似乎此人在雾里便已毙命，却被磁云里的妖怪钻进了体内。大概是壁画里描绘的那些东西，必须借助死人躯壳才能离开黑雾。它们似乎能将活人瞬间麻痹，变成僵死之态，随即借躯而行。被其附身者除非是彻底死亡了，否则还有希望复苏过来，这是唯一能解释罗大舌头为什么会"野鸡诈尸"的原因。所以此刻跟着众人来到阴山的行尸，并不是土贼老蛇，而是古楚壁画里屡次出现的箱中女仙。

倘若那土贼是个死而不化的僵尸，总归有其形质，倒也容易对付。可巫楚壁画里描绘的鬼怪，却不知究竟是何等异常之物。现在只有一点可以肯定，这东西是躲在土贼尸体中浮水至此。想那土贼体质虽然异于常人，可在茫茫洪波中漂浮太久，尸身都被浸得软烂如泥了。所以它还要再找有生者移形换壳，这才跟随着气息和光源来至洞口。二学生便是出其不意受制，陷入了肌肉僵死的状态。

就在一瞬之间，司马灰的种种疑惑和猜测一齐涌上心来，心知要立刻出手，否则等箱中女仙脱离土贼尸壳，转而进到僵死的二学生体内，到那时就回天乏术了。

此刻其余三人也均是骇异万分。罗大舌头见那古猿般的怪脸从二学生身后浮现，咒骂道："这个死不绝的土贼！"喝骂声中，举起手中的加拿大双管猎熊枪迎头射击。

司马灰急道："别用火器，这是楚国壁画里的鬼怪！"

但这声警告迟了半秒，罗大舌头还是扣动了扳机，只听"砰"的一声轰响，枪火闪动中，也没看清那土贼的尸体如何移动，竟已无声无息地贴近身前。罗大舌头顿觉寒气切肌，全身毛发竖起，还不等叫出声来，便舌头根子发硬，像截木桩子似的摔倒在地。

司马灰看到土贼尸体的脑袋被大口径猎枪轰没了，两手却兀自扑住僵死的罗大舌头，从胸口里冒出一道似是有形有质的黑气，直朝罗大舌头嘴里钻去，也不由得感到全身毛骨悚然。他擅别物性，虽不清楚巫楚壁画中描绘的箱中女仙到底是什么，但在这电光石火之间，已看出这东西的本质极阴极寒，却追光逐热。二学生所拿的手电筒，是从 Z-615 潜艇里找到的照明工具，光线亮度高于其余几人安装在 Pith Helmet 上的矿灯，所以二学生才最先受到攻击。而罗大舌头使用猎熊枪轰击，瞬间产生的光热更大，才引得它放开已经僵如朽木的二学生，掉头扑向手持猎枪、头顶矿灯的罗大舌头。

司马灰眼见情况危急，却无法可想，只得端起"1887 型杠杆步枪"射击，先将那箱中女仙从罗大舌头身边引开。枪声未落，他就发觉那团附在尸体里的黑雾已挣脱出来，裹着一阵阴风扑面掠过，但并未与他接触，反倒冲着旁边的胜香邻和高思扬去了。

胜香邻见机之快并不输于司马灰，知道那箱中女仙钻到谁的身体里，谁就没命了。她拦住准备使用步枪的高思扬，取出一支塔宁夫探险队留下的鱼油火把，迎风晃着，打算抛向远处，谁知那团黑雾来得好快，刚点燃的火把就倏然转为暗淡。

司马灰见状额上青筋直跳，心想眼下能拖一秒是一秒了，立即抢过胜香邻手中的火把，一个箭步飞身蹿出，就觉阴魂般的恶寒之意从后紧随。他借着纵跃之势将火把抛开，然后就地躲避，等缓过这口气来再设法周旋。但他满目漆黑，混乱中难辨方位，又没拿捏好分寸距离，用力过大，居然直接跳进了那个深不可测的山洞，身体如同风筝断线、石沉大海般"呼"的一声直坠下去。

第三话
乘虚不坠

  司马灰虽然没有"飞燕掠空、蜻蜓点水"的本领，却也练过绿林中的翻高头，擅长攀爬提纵之术，体内有股透空的浮劲儿，翻墙越脊不在话下，但此刻忽然足底踏空坠落深洞，再想回可回不去了，只听耳侧风声不绝，自知不管这阴山洞穴深浅究竟如何，定然会摔个骨断筋折有死无生，想到这心中也不禁为之一寒。

  这时，司马灰的步枪和火把还分别握在手里，那鱼油火把触风不灭，淋雨不熄，下坠当中虚虚晃晃地照到洞壁间遍布的苍纹，似乎可以着手。他估计凭自己"蝎子倒爬城"的身手，能够在壁上挂住，但此时与洞壁相距三五米远，且向内凹陷，触手难及，身体又正处于高速下坠状态，也无从借力横移。

  司马灰清楚生死之别就系于这瞬息之间，只好奋力求生，撒手放开火把，随即端着"1887 型步枪"向侧面射击。那 12 号弹药出膛时带来的后坐力，将他身体由上向下坠落之势撞得稍微偏移，使腰腹在空中有力可借。趁着这难得的机会，司马灰扔下步枪，一个筋斗翻向洞壁，指尖摸到岩层起伏的苍纹就紧紧挂住。

  他祖传的"蝎子倒爬城"，乃是绿林四绝之首。要学这门功夫，起练时除了肘踵之力，还得钉一根铁钉在城墙上，以手指拈住钉子，全凭指力将身体悬空，离地数尺。所以他这身提纵攀爬之术远非常人可及，但生死关头，前心后背也全是冷汗。

  这一口气还没喘匀，忽见身侧洞壁上亮起一大片微光，他以为是自己摔得头昏眼花看错了，再定睛细瞧，发现好像是洞穴内壁有腐磷残留，由于摩擦产生了一大团鬼火。光雾中隐约有个女子身形，四肢又细又长，却看不清头面手足。

司马灰惊骇失色，巫楚壁画中的鬼怪果然是些阴魂。当年洪荒泛滥，禹王凿河治水，茫茫禹迹探至四极，又在涂山铸鼎象物，遍刻世间魑魅魍魉之形，使人们事先了解这些怪物，以免受其侵害。那禹王鼎山海图包罗万象，连大神农架阴峪海下的史前孑遗生物都涵盖在内，却为何没有存在于磁雾里的箱中女仙？而古楚国壁画中记载的形态，却是极尽神秘诡异之能，外边的箱子也许是死尸，暗指它能借尸而行？可又似是而非，另外这东西吞噬光热，被人看到本体的机会几乎没有。

司马灰稍稍这么一怔，那阴魂已攀着洞壁迫近而来，此时看得更加清楚，心里也是愈发吃惊。只见这东西犹如一缕黑雾，似是有形而无质，四肢触到壁上带出一团磷光，冷飕飕的阴风透人肌骨。司马灰不由得打了个寒战，这才回过神来，骂声："入娘贼！"急忙施展蝎子爬，倒攀着岩纹躲闪，怎奈那洞壁异常险陡，矿灯在漆黑的洞穴里作用有限，想逃却已不及，只觉自身被一股怪力揪住，再也挣脱不开。

司马灰知道若被那阴魂接触，瞬间就会僵如枯木，随后只有任其摆布的份儿了。此刻感到身后一紧，他心里不禁发慌，脚底打滑，险些又从壁上掉落，但随即发现手脚依然入股，借着壁上鬼火回头一看，原来那团黑雾般的阴魂伸出长臂攫人，刚好抓住他的背包。

司马灰暗道："祖师爷保佑！"急忙脱开背包带子，顺着陡壁攀向洞底，同时心中猛一转念，心想掉在漆黑的洞穴内部，即便使尽浑身解数，也绝难摆脱雾中阴魂纠缠。这东西吞光吸热难窥其形，毫无反手应对的余地，只有先趁洞壁鬼火看清这箱中女仙的真身，才知道是否有破绽可寻。

如今已是生死关头，机会稍纵即逝，岂容多想。司马灰也是艺高人胆大，敢于以身涉险，当即横下心来关掉矿灯。他虽不懂土贼那套龟吸吐纳的行尸之法，但清楚人之呼吸为生者之气，一呼百脉皆开，一吸则百脉皆合，于是深吸一口气，伏在壁上再也不动，眼看那道磷光裹着一团黑气自上而下，瞬间已到身侧，果真变得迟缓起来。

司马灰全身毛发倒竖，大着胆子望过去，只见面前有层薄如蝉翼的透明胶质悬浮在洞壁上，磷光下能看到自身的投影赫然其中。而这层透明物形状如伞如箱，有个黑漆漆似人非人的东西裹在里面，形状就像个身姿诡异的女子，每条肢体都分为数十条更细的刺丝。

司马灰心中一惊，此物有些像是深水中的幽灵水母，或是某种箱形女仙水母。禹王鼎山海图中涉及了许多可惊可骇的奇异之物，也并非没有这东西的相关记载，但司马灰存了先入为主之见，只注意察看大神农架阴峪海之下的图案，没考虑到怪圈周围的情况。而那古鼎年代久远，图形古奥，与巫楚壁画上描绘的箱中女仙相去甚远。在禹王鼎里的记载也非常少，大意是"古称浮蚷，乘虚不坠，触实不滞，千变万化，不可穷极"，单从鼎身上铸刻的夏朝古篆上就几乎没法理解。司马灰通过几番接触，终于看出它的内脏近似女子人形，裹在一层可以收缩的透明胶质中，带有无数条可瞬间致人僵化的毒丝触手，体内没有脊椎，却可以承受磁雾中的巨大压力，甚至能够在雾中移动城邑，但离开磁雾可能难以生存太久，因此要借助土贼的尸体才能浮水而至。

司马灰脑子里一连闪过三五个念头，却想不出任何应对之策，倘若稍做接触，就会立刻被这鬼怪般的东西的刺丝缠住，眨眼间全身僵硬，连眼珠子都不能转了。想必此物毒性迅猛，几秒钟之内就会散布全身。

司马灰见"浮蚷"附在洞壁上距离自己越来越近，估计闭气之法并不完全管用，想到会被这个内脏像女鬼似的怪物从嘴里爬进体内，心中更是发毛，也沉不住气了，心道："好汉不吃眼前亏，此时不走，更待何时！"当即向着漆黑的洞底直溜下去。谁知那"浮蚷"来势奇快，他刚刚下落，就觉身上一阵战栗，竟已被毒丝刺进了体内。

司马灰猜测这个近似箱形女仙水母的阴魂，只适应地雾里的环境，一旦从雾中脱离，就必须寻找血肉之躯维持生存状态，而且要不断重复这一过程。此时他紧贴着洞壁落下，不料身上却已被"浮蚷"体内下垂的刺丝裹住，刹时间万念俱灰。

而司马灰正呈下坠之势，那"浮蚷"幽灵般的内脏受其带动，也跟着从壁上滑落，近乎透明的箱形薄膜向后翕张开来，内脏都被扯到了他的身前，使得坠落之势略为延缓。从被刺丝接触，再到躯体僵硬失去意识，其中不过几秒钟的时间，就在这瞬息之间，司马灰心念动如闪电，趁着左手还未麻木，摸出怀中的氧烛咬掉拉环，对准那团黑雾般的腔肠按去，但没等胳膊伸展开来，左臂便已失去了知觉。

那氧烛本是众人准备探洞之时，防备遇到封闭狭窄空间出现缺氧状况用的。其结构就是一个铝罐，底部有一层药物，扯掉拉环就会燃烧，并提供少量氧气。它在司马灰手中"哗"的一下着了起来。那"浮蚷"受到光热吸引，立刻伸出腔体攫住氧烛。岂料氧烛罐子口径狭小，那黑雾般的腔肠向内一钻，烛火顿时熄灭，罐内形成了真空状态，反倒将它的内脏紧紧吸住。箱中女仙和幽灵水母一样没有脊椎，体形可大可小，缩成一团便可从人口中钻入，却终究是有质之物，腔肠顶端捏起来足有一个拳头大小，更是敏锐不过，这时被铝罐吸住就以触手挣脱，但它体内仅具一层细膜，只听"啪"的一声轻响，竟将内脏覆膜撕破，顿时流出满腔黑水，跟司马灰一同摔落在洞穴底部，旋即化为乌有。

司马灰从岩壁间坠落的地方，距离洞底并不太深，又被那箱中女仙拖拽，尽管落地摔得不轻，但由于身体已僵，也无大碍。过了许久，司马灰渐渐恢复，接连呕了几口黑水，神情恍惚不振，就像刚刚死过一次，眼前金圈乱晃，一看其余几人也到了洞底。

司马灰听众人说及经过，才知道自己先前掉进洞穴之后，胜香邻唯恐他有什么闪失，随即追了下来，却看见他僵倒在地，也不见那雾中阴魂的去向。而另外两人中毒较轻，陆续醒转过来，便跟高思扬一同下来会合，此刻见司马灰化险为夷，终于把揪着的心放下了。

罗大舌头问司马灰："巫楚壁画里的小娘儿们到底是什么东西？你把它给收拾了？"

司马灰活动活动麻木的手脚，只觉身上疼痛彻骨，忍不住嘬着牙花子吸了口冷气，脑袋里却仍然发空，竭尽全力回想最后几秒钟的情况："我好像……给它拔了个罐子。"

高思扬说："你刚才躺在这里挺尸，可把我们急坏了，怎么还有心思胡言乱语？"

司马灰脑中发懵，过了一阵神志恢复，才把自己的经历简略说了一遍。

众人听罢并无释然之感，虽然终于弄清楚了楚幽王盒子以及楚载神兽附近出现的异象，可解开的谜团也使余下的谜团更加离奇，想不透让土贼把遗骸转移的人是谁，天瓹是否真的存在？这个大得出奇的山洞又是什么地方？

第四话
大 海 波 痕

司马灰平生所历之奇，以"占婆王匹敌神佛的运气、罗布泊极渊沙海中的时间匣子、北纬30°地底怪圈"为最。想来世上诡秘古怪之事莫过于此了，却都有些线索可循，唯独涉及绿色坟墓就完全找不出任何头绪，一直纠结在"死循环"里越陷越深。他仅知道绿色坟墓妄图掌握深渊里存在的秘密，如今全部的希望，只悬于这最后一条渺茫的线索，那就是抢先在阴山里找到通道。

他自从掉进山洞之后，借着岩壁上的鬼火，看到了箱中女仙的真身，终于在千钧一发之际，使用氧烛将其置于死地，随即失去了知觉。而罗大舌头等人则是刚下来不久，谁都没顾得上观察周围地形。

此刻胜香邻点起了火把照明，司马灰趁亮在洞底找回了背包和枪支，但发现"1887型杠杆步枪"已摔坏了。胜香邻见状便将自己的"1887型杠杆步枪"交给司马灰，她则向罗大舌头要了那把"瓦尔特P38手枪"防身。

当前面临的危机，就如高悬在头顶上的"达摩克利斯之剑"，随时都会落下。司马灰能感觉到死神的脚步越来越近，当然是不敢懈怠，立刻将步枪背到身上，忍着疼痛举目四顾。这里的洞壁含有磷化物，不时冒出鬼火，在相物之术中称作"阴烛"，显然是死得人多，尸气凝聚而成，离远了就看不清楚，照明还是主要依靠矿灯和火把。

众人眼见这洞穴规模宏伟，火把虽然明亮，但只能照及一隅，估计深浅只相当于洞口直径的一半。底下也没有洞口那般宽阔，周围古壁削立，齐整异常。岩壁上全是一层接一层的苍纹皱褶，每层都有半米多高，轮廓清晰，宛似波涛汹涌的大海。

司马灰记得有种上古地层痕迹，被称为"大海波痕"，他以前在宋地球的书里看过这类插图，此刻身临其境且亲眼目睹，也不禁惊异于天地造化之雄奇，人工画卷又岂能摹其万一？但洞中空空如也，与先前的推测完全不同。

高思扬不明白"天匦"为何物，问司马灰："那究竟是个什么东西？"

司马灰说："人生在世都是匆匆过客，肉身凡胎难免一死。相传人死之后，形灭神存，只有一缕幽魂不散，还可重入轮回。也有不少人由于生前坏事做尽，被打到阴山背后永世不得超生，所以阴山就是关着这些恶鬼冤魂的地方。据说这座阴山里有个圆盘形的物体，亘古已有，关于它的相关记载也不算少，却都是稀奇古怪，根本无法让人理解，在没看到实物之前，我也是琢磨不透。"

高思扬又问："可这里好像什么也没有，咱们会不会找错地方了？"

司马灰说："这座漂浮在北纬30°怪圈里的磁山，肯定就是阴山了。因为它与巫楚壁画里的记载完全吻合，但现在距离这么近，磁山为什么没有将猎刀步枪吸住？以及古人在山里发现遗骸的具体地点，还都不得而知……"

这时众人已翻过一道接一道的地层波痕，摸索到了对面一侧的岩壁附近，就听洞口传来些细微声响，好像有什么东西在攀壁而下。

司马灰等人立即停下脚步，屏住呼吸听了几秒，不由得大惊变色："是这阴山里的行尸走肉！"

众人原本还感到奇怪，为什么一直没受到"伏尸"攻击，想来它们多在距离水体较近的地方，以便掠食求生，先前可能惧怕"箱中女仙"，才纷纷躲避藏匿，此时嗅到了生者气息，就跟着爬进洞来。

众人心下雪亮，这些魂死魄生的"伏尸"凶狠残忍，行动极为快速，加上洞穴里漆黑无比，倘若是成群结队地扑过来，凭这几支步枪根本无法抗衡。司马灰看到火把照耀下，岩壁底下有三个形状很规则、城门大小的窟窿，立刻拔足奔去。

二学生两条腿发软，稍慢了几步，就觉身后有吞咽口水的怪声，心里更是发慌，想着千万不能回头，但还是忍不住后看了一眼。当时阴烛忽明忽暗，只见一张带着淤血的灰白大脸近在咫尺，二学生顿时惊骇欲死，腿底下更不听使唤了，被那"伏尸"一把揪倒在地。他见"伏尸"张开血盆大口咬了下来，不禁吓得高声惨叫。谁知那"伏尸"嘴部越张越大，转瞬间竟张成了一百八十度，下巴像块破帘子似的垂到胸前，鲜血如决堤一样从嘴里涌了出来，流得二学生满身满脸都是。他瞠目结舌，也不知道究竟发生了什么事，木雕泥塑般躺在地上呆呆发愣。

原来罗大舌头发现二学生情况不妙，而"加拿大双管猎熊枪"杀伤面太广，近距离根本不能使用，情急之下直接用手扳住了"伏尸"张开的大嘴，臂膀运足力量，暴雷般断喝一声："开！"居然把那"伏尸"的上下颌骨从中掰开了。

这时另外三人从后跟来，目睹了罗大舌头竟有如此蛮力，心惊胆战之余无不叹服，当即拽起地上的二学生，从岩壁下的豁口鱼贯而入。

众人穿过岩壁，举起火把一照，见是个规模相近的洞穴，才知这山体内部是洞中套洞，被岩壁隔成了两间石室，同样齐整得近乎诡异。只不过这间石室顶部封闭，而岩壁底部孔穴贯通，没有东西可以遮拦。

众人不敢停留，举着火把继续往深处走，却见尽头的岩壁下，仍有三个并排的窟窿，竟与刚才穿过的那道岩壁一模一样。但身后"伏尸"跟得太紧，他们来不及再细看周围地形，只好硬着头皮埋头钻进去，进去一看还是一间石室，不免更是骇异。

五个人一路深入，也不知穿过了多少道岩壁，而每道岩壁对面都有一间石室，却不见地形有任何变化。

众人越走心里越是发憷，这山洞古怪至极，天晓得它通着什么地方。如果山体内部的结构是鬼斧神工，天然造化，那也不可能是几十间石室都被岩壁隔开，各自的规模形状又都完全相同，更看不出有人力开凿的痕迹，这样简直可以完全排除人为的假设。因为这种工程绝不是人力能为，究竟是地形相似，还是始终在两点之间重复经历着同一个事件？

阴山伏尸在身后紧追不舍，只是受地形限制不能一拥而上。众人被形势逼迫，脚下一步也放松不得，不停地穿过一道又一道岩壁，根本顾不上想什么，却见这山腹中的石室无穷无尽，渐渐两腿酸麻，呼吸变得沉重，心中更是打战。

二学生实在跑不动了，被众人像拖死狗般硬拽着。他上气不接下气地告诉其余几人，恐怕跑到死也没用，这个山洞里面实在太诡异了，试想天然山洞的内部结构怎么会完全相同，简直像是从一个模子里抠出来的，这地方简直就是迷宫般的"温彻斯特鬼屋"。

罗大舌头也叫道："在进来之前我就觉得不对劲，我看咱多半被这山洞里的阴魂缠住，中了障眼法，不来点黑狗血是出不去了。"

司马灰闻言心中一动，想起当年在京听过的一件怪事。那是说早年间有个书生，家境贫寒，在京郊一处荒园里苦读，打算赶在大比之时搏个光宗耀祖。天底下的读书人大多如此，但想时容易做时难，旧时科举制度的状元进士，都如筛孔筛出来的一般，每科总共能有几人高中？这书生连考了几年都是名落孙山。某夜月明星稀，他独自一人在荒园徘徊，对着月亮吟诗遣怀，忽听墙头有人咯咯发笑，抬头一看原来是个绝色美女，从墙外探头进来看他。自古道："灯下观男子，月下看美人。"书生一见那美女在月下明艳无比，顿时看得呆了，以为是哪家小姐暗中仰慕自己的才华，特趁月夜前来野合，不禁喜出望外，赶紧整顿衣冠，打开园门迎接。谁知来到门外一看，发现那竟是一条米斗粗细的大蛇，在墙下顶着一颗美女的脑袋，听得园门开了，便转过头来冲他挤眉弄眼，惊得书生三魂不见了七魄，逃回房里反锁门户。紧接着听到有人砸门，呼唤其名，书生哪里敢开，好不容易熬到天亮，就匆匆收拾行李逃回了老家。此后夜夜入梦，都会回到那月下荒园，将前事重新经历一遍，如此反复不断。那书生受不得吓，没多久便病入膏肓，眼瞅着堪堪废命，最后幸得一老叟相救。他授予书生秘诀，再遇梦回荒园便立刻咬破自己食指，就能从重复的噩梦中惊醒过来。这个传说版本甚多，如今也不知哪个是真哪个是假，但书生一定是被妖物所缠，破了障眼法即可安然无事。二学生所说的"温彻斯特鬼屋"虽然古怪，毕竟是人之所为，而这山洞却是天然生成，说不定其中有"地市"幻布，或是被阴魂纠缠，也甭管遇到的究竟是什么情况了，只要咬破食指，身上感觉到疼痛，便能立刻摆脱。

司马灰动了此念，就告诉众人赶紧自咬手指，否则还得一遍接一遍重复地钻岩壁。他随即带头咬破了自己的食指，心想这回可逃出去了，不料到尽头一看，赫然是道直上直下的岩壁，壁上波痕如海，下面有三个窟窿，早已数不清见过多少遍了。

第五话

重复经过

　　司马灰听闻以往每遇乱世，便是天降异象，妖怪屡生，多以邪法惑人。若是你反反复复经历同一件怪事，那多半是有"地市现象"发生。形成的原因很多，很可能是岩壁里阴气沉积所致。这并非是无稽之谈。湖南长沙黑屋附近荒坟古墓众多，民国那时候的土贼，一到夜里就出来干活，掏开坟包子抠宝。某次三个贼人掏开一个盗洞，挖到深处触到有古砖，那可全带着画像石，一看就知道掏着了大墓巨冢。三贼喜出望外，以为要发大财了，连夜埋下火药在墓墙上炸出个窟窿。等到散尽了晦恶之气，就该下去掏"行货"了。这几个贼本来各有分工，可留下把风的唯恐进去抠宝的私藏贼赃，而进去抠宝的也不太放心，害怕自己干着半截活儿被人闷死在里头，经过一番商量后，三人决定破了规矩一同下去。于是彼此都拿牛筋索子互相拴了，一个接一个，脑袋顶着脚心钻进了盗洞。谁知就在这条不算太深的盗洞里，三个土贼向前爬到马灯煤油耗尽，洞子里陷入一片漆黑，也没摸到先前炸开的墓墙。三贼发觉情况不妙，知道遇上鬼了，加上做贼心虚，越想越怕，赶紧倒爬着向后退，可后面的入口也没了，这条直进直出的盗洞，居然两端不见首尾。结果这三个土贼连惊带吓，被活活地困死在了盗洞里。半年后，另有一群贼发掘古冢，才在盗洞里看到这三具尸体。为首的老贼经验丰富，料知这三个同行撞上了"地市"，当即用草纸燃烟，往洞内倒灌，抽去烟雾后才敢进入，果然在墓室中找到一只千年狸猫。说是千年，其实也没法计算，反正就是活的年头多了，遍体生出白毛的一只老狸。它性喜幽暗，穴入墓中而居，所以古墓里都是它的便溺，能产生一种特殊的气味，形成所谓的"地市"。这种气息一旦被人吸入脑内，就会导致幻觉出现，明明只有几十米深浅的一条洞子，那三个土贼却出来进去一直折腾到死，实际上始终在原位没挪过地方。假如识不破其中关键，来者纵然是心硬胆壮的郎君，十个里也要有九个着了它的道。

这类奇闻异事司马灰听过不少，可无一例外都是发生在很早以前。由于那时候人烟还不怎么稠密，所以在那些荒山野岭间，也许还真有诸如"千年古狸、人首蛇身"的东西存在。而如今就拿大神农架原始森林为例，已被林场子砍秃了多少大山？即使还剩下些人所不知之物，恐怕也不多见了，因此这些怪事在近代就少得多了。

不过司马灰先入为主，认定自己这伙人是在山洞里撞上了"地市"，虽不知所遇是鬼是怪，可只要咬破食指，身上一疼一惊，也就把这幻惑破了，否则岩壁后的石室重复出现，如何才是个头？

怎知这法子并不管用，石室尽头有三个窟窿的岩壁依然如故。众人疲惫欲死，都跟拉风箱似的呼呼喘气，却犹如置身在一场不停重复的噩梦里，永远不能离开。

司马灰等人愈发惊恐，停在这道岩壁前裹足不前，只听身后风声不善，回头看时发现，已有一具"伏尸"接近了火把照明范围下的光圈。它由暗到明，灰白色怪脸上那死水般的眼神毫无变化。众人看得身上一阵发冷，赶紧掉转枪口向后射击，但又不敢纠缠，一面开枪一面退进了岩壁下的窟窿。

司马灰和罗大舌头常年翻山越岭，一向惯走长路，但其余几人到此都是精疲力竭难以支撑了。司马灰心知再向山洞深处逃，到头来也不会有什么结果，必须尽快揭开这阴山古洞之谜，就取出装在二学生背包里的龙髓，点燃了扔到三个窟窿里，用火光暂时挡住源源不绝迫近的"伏尸"。

众人唯恐火势一弱，"伏尸"拥进来无法抵挡，当下咬紧牙关继续往里跑，直看到深处的岩壁，才放慢脚步稍作喘息。

石室规模恢弘，约有百米见方，内部幽深漆黑。司马灰反身观察，还能看到后边洞窟中燃起的火光，但穿过这道岩壁进入下一间石室，就完全瞧不见火光了。在如此深邃宽阔的山洞中，有限的能见度使人五感大幅下降，他心中暗暗叫苦，按着矿灯在岩壁上四处乱照。

高思扬也几乎虚脱，只觉肺部都要炸裂开来，一颗心跳得好似擂鼓，只好把双手撑在膝盖上急促地喘气。她看司马灰举止奇怪，忍不住问道："你想找什么？"

司马灰说："我先前看二学生身上全都是血，就顺手抹了一把，在岩壁上按了个血手印做标记，明明是在中间这个窟窿的侧面，可他娘的见鬼了，怎么会不见了？"

高思扬吃惊地说："司马灰你发什么神经，这里怎么会有你留在后面的记号？"

司马灰却清楚自己的意图，现在首先要确认究竟遇到了什么状况。无非有两种可能：一是这山洞里的地形重复出现；二是众人在山洞里的行动重复发生。所谓"物有其理"，世间万事万物，都绕不开一个"理"字。本来第一种可能最为合理，但眼下面临的情况却彻底颠覆了"理"。

如果这座阴山依然完整，它要比现在所能见到的部分高出许多。由于山上露出一个巨大无比的洞口，所以耸立起来的山体仅剩下 1/3，与洞口相通的岩洞，可以标记为"零号石室"。在"零号石室"的岩壁下方，有三个窟窿可以进入山洞的更深处。再将穿过岩壁的空间标记为"一号石室"，它与"零号石室"的区别在于相对封闭，没有连接山外的洞口。而"一号石室"尽头的山壁下同样有三个窟窿，通往更深处的"二号石室"，它和前边一间石室的结构规模和轮廓大小完全一致。三号、四号也是如此，深处还有更多一模一样的石室，要是一个个地标记下来，众人此时置身之处，至少是几十号了。但有诸多迹象表明，山洞里不可能存在相同的地形，那么排除掉第一种地形相似的可能，就只剩下第二种可能性了。其实山洞里只有"一号石室"，众人是在反复不停地穿过一个固定空间，这情形等于是一遍又一遍经历着相同的恐怖梦魇。

司马灰把他想到的情况简略说了，众人均是面色惨然，手足无措地怔在当场，心中充满疑问："怎么可能发生这种怪事？"

但正如司马灰先前所言，阴山洞窟里的地形，肯定是鬼斧神工天然生就的。因为山洞内部的沉积岩层遍布大海波痕，这种地质波痕的存在，至少有上亿年历史了。山洞里一道道岩壁下的窟窿里，也同样存在波痕，浑然天成，没有任何人力开凿的痕迹。而且这古洞规模宏大，完全是无穷的岁月造化形成，绝非人力可及。但是有个问题，阴山古洞里无穷无尽的岩室毫无分别，试看普天下万千奇峰异洞，可有两处完全相同吗？退一万步说，就算有两个岩室相同，可以解释成惊人的巧合，那么三个岩室相同，就只能用奇迹来形容了。而这阴山中无数岩室之间毫无区别，如果再解释成奇迹，恐怕连鬼都不会相信。

　　然而这都是众人亲眼所见，想必不会看错，身上的疼痛和急促的呼吸，都表明现在的遭遇，既不是司马灰最初猜测的"地市迷魂"，也不是二学生说的"温彻斯特鬼屋"结构怪异，那就只能是在反复经过同一个石室。

　　高思扬根本理解不了其中缘故，问司马灰："如果咱们经过的地方确实都是一号石室，那你为什么没找到自己留下的手印？"

　　司马灰挠头说："大概因为咱们是在重复经过，而不是重复发生，山洞里的石室应该是固定不变的。而每一次经过它，事件却是重新发生，所以以前留下的痕迹都消失了。"

　　罗大舌头听罢一拍大腿："这可麻烦了，要是咱走慢了一步，岂不也都跟着消失了？你说有没有这种可能？"

　　司马灰说："你留下看看不就清楚了？"

　　罗大舌头肃然道："咱还没修炼到为了验证真理而献身的崇高境界呢，赶紧撤吧！"说罢帮着司马灰拖上喘不过气的二学生抬腿就走。

　　胜香邻刚才喘息了一阵，也能说话了。她边跟着司马灰走边说："你推测咱们是重复经过一个地方，那不就是说这山洞里也有一个怪圈？"

　　司马灰说："差不多吧，除此之外应该没有别的合理解释了。也就是我经得多见得广，这才能想出来。更倒霉的是咱们脚底下根本不能停，停下来即便不在石室里消失，也得喂了那些追上来的阴山伏尸。但咱这伙人都是血肉之躯，体力终究有限，这么一直逃下去可不行，得在累死之前找到脱身的办法。"

　　胜香邻说："我觉得应该还有另外的原因，只是咱们一时还没发现。"

　　这时二学生也喘过一口气，张着大嘴断断续续地插言道："我……我好像发现……发现这个原因了。这山洞里……还有个……有个很诡异的情况……"

　　罗大舌头抬手在二学生脑袋上敲了一个栗暴，骂道："你小子吃了灯芯草——说得倒挺轻巧，我罗大舌头都没发现，你是怎么发现的？"

　　二学生说："你是……瞪着眼看的，而我……我可是一直……一直在观察。我发现山洞里确实……还有个比……比重复经过更诡异的情况……"

第六话
化石走廊

　　罗大舌头瞪眼道："嗬，我还真没观察出来，你小子浑身上下长了几层胆？怎么什么话都敢说？"

　　二学生以为罗大舌头言中所指是自己先前那句话的后半部分，便应道："其实我一直都是蛮有胆识的，莫道书生空议论，头颅掷处血斑斑啊……"话音未落，脑壳上又挨了一记栗暴。

　　胜香邻听得蹊跷，追问二学生道："刚才你说发现了一些反常迹象，那是什么？"

　　罗大舌头对胜香邻说："这小子观察分析能力老丰富了，更丰富的是想象力，看到拉杆式步枪就能想象到闹鬼的屋子，真是有多大脸现多大眼，戴着个比瓶子底还厚的眼镜，他能发现什么？"

　　司马灰在旁听了个满耳，就示意罗大舌头别插嘴，先让二学生把话说完，倘若说不出个子丑寅卯来，再按谎报军情论处不迟。

　　二学生焦急地说明情况，说他个人完全同意司马灰的判断。由于山体内部的岩层中，有存在了上亿年的古老地质痕迹，因此只能先天成形，而不会后天开凿改动。两边又没有岔路，所以完全可以排除掉地形相似和鬼屋迷途的假设。众人进了阴山古洞之后，自身感觉虽然是一直往深处前进，但实际上是在重复经过同一个地方。最恐怖的是每次重复经过之后，以前留下的痕迹就都不见了，不仅包括司马灰的手印，还有弹壳和燃料烧灼的痕迹，也全部凭空消失了。好像除了这山洞石室本身不会改变外，在里面发生过的一切都会被抹掉。不过众人要是照这么理解，那可就大错特错了。因为这间石室并非恒定不变，它也在发生着诡异的变化。

　　石室岩壁下有三个窟窿，二学生记得清清楚楚，第一次经过的时候，这三个窟窿分明如城门般大小。在众人一遍又一遍反复穿过岩壁的同时，三个窟窿也在不知不觉间逐渐变小了，或者说是石室整体开始缩小了，只不过每次的变化非常细微，在如此漆黑深邃的洞穴里凭借火把照明，人的感知和视界不免受到限制，故此很难察觉到这种变化。这就好比满满的一碗豆子，你拿出去一颗两颗，看不出有什么变化，但等抓出去两把再看，碗中的变化就非常显著了。此刻观察面前这道岩壁下的窟窿，再对比先前的印象，便会切实感觉出宽窄与高度都小得多了，只比民宅的房门稍大。石室两边的直线距离，似乎也缩短了很多。

众人听罢纷纷点头，先前遭遇了意想不到的怪事，还要抵挡紧跟在后的"伏尸"，只顾在山洞里奔命，谁都没留意这些变化，如今动念一想，又举着火把四下观看，才证实二学生所言果是不假——这间石室变小了。

司马灰越想越惊愕，岩壁上的三个窟窿，迟早会变得无法容人通过。可为什么每一次穿过这间石室，它的大小就会缩减一圈？

众人觉得脑袋都大了几圈，不约而同地停下脚步，想尽快找出一个可行的对策，但不知是被急行军拖垮了，还是让这山洞里发生的怪事吓住了，一个个"呼哧呼哧"地喘着粗气，半天没人开口。

高思扬见气氛压抑得令人恐惧，就对司马灰说："你倒是给句话呀，接下来该怎么办？"

司马灰摇了摇头，转头问二学生："你觉得发生这种怪异现象的根源在哪儿？"

二学生说："我估计这是一种人类心智永远无法企及的神秘力量……"

司马灰皱眉道："别跟老子装神弄鬼，你直接说你不知道不就完了吗？"

罗大舌头提议说："我看往这山洞深处走也不是个事，咱手里的家伙也不是烧火棍子，不如掉头回去，杀开一条血路！"

高思扬道："这地方太古怪了，只怕回去也找不到洞口。何况大伙体力透支，又没粮食和水，哪还有力气往外逃？"

胜香邻始终凝神思索，这时忽然抬起头说："我猜出这个山洞的秘密了。"

二学生不敢相信听到的回答，呆望着胜香邻问道："你能理解那些人类心智难以企及的秘密？"

胜香邻说："你将山洞里出现的一切怪异都归结于鬼神所为，我却觉得是咱们被这个山洞误导了。"

司马灰深知胜香邻思维清晰缜密，所见所识也远非只会照本宣科的二学生可及。胜香邻接着说："探险队在山洞里遇到的状况，一共存在三种可能：首先是天然造化的地形近似；其次是无法解释的鬼神之力；最后则是古人在山里开凿的迷宫。不过由于岩层表面记录了地质波痕，因此第三种可能性绝对不存在。另外这阴山古洞形成于亿万年前，它内部纵然有无数间相似的石室，又怎会根据深度渐次缩小？所以第一种可能也难以令人信服，只有第二种才能解释目前遇到的一切。"

司马灰听胜香邻言下之意，心想，难道是这万年洞穴中存在什么幻障物质？

但是相比神鬼之力，胜香邻更愿相信第一种可能，她接着说："应该是天然造就的地形相似，每一处石室的结构都没区别，只是规模稍有变化，越往里面越狭窄……"

司马灰奇道："这可真够邪门的，别说这古老的山洞是天然造化所生，即使是人力开凿，大概也做不到如此……如此精密。"

二学生附和道："是啊，每间隔开的石室都完全相同，从外到内居然还依次缩小，确实只能用'精密'两个字来形容了。"

胜香邻心知时间紧迫，没办法逐一回答众人提出的疑问，就将火把交给高思扬，拿出笔和本子，先画了一个旋涡形的圆圈，又用笔在旋涡上标了许多横道。她端详了一眼说："山洞里的地形大致是这样了，螺旋内部有精密的间隔，除了外大里小，结构几乎完全一致，间隔处的窟窿是输气孔，它就像一个……菊石①或鹦鹉螺壳的化石。"

司马灰一看本子上的图形，立即明白是怎么回事了，阴山洞穴里一间接一间的石室，是一条"化石走廊"。

众人在黑暗中没能察觉出方向偏移，又见地形地貌一成不变，心慌意乱之际不免妄加猜测，如今捅破了这层窗户纸，余下的事便不言自明了——这座内部完全中空的山体，其实是个螺旋形的圆盘，它应当属于

---

① 软体动物门头足纲的一个亚纲，是已灭绝的海生无脊椎动物，生存于中奥陶世至晚白垩世，是由鹦鹉螺演变进化而来的。

某种腕足生物的遗壳。菊石不会有这么大，或许是古鹦鹉螺的一种，其壳体外表为磁质层，内部存在多层间隔，由外向内依次旋转缩小，奇异的分割结构无限接近黄金比例，能够承受难以想象的压力，潜入重泉之下的深渊。

司马灰先前看到古鹦鹉螺的外壳上裹着一层砖化物，估计它是死于喷涌的灼热泥浆，最终才变成了一个空壳化石，在这茫茫水体中沉浮移行。

司马灰想到这儿心念一动，寻思古楚壁画和禹王鼎上记载的天瓯，乃是度测天地之物。它奇纹密布，可以自行自动，外形是个螺旋状的圆盘，显然都与"古鹦鹉螺遗壳"相近，只是没料到会如此巨大。另外这东西早已经死了，再也不可能自行移动。

司马灰将这念头对其余几人一说，众人也都表示认同。据此推测，北纬30°线水体是处在岩石圈下的深泉，只有古鹦鹉螺才能抵达最深处，而楚幽王盒子里的遗骸，也存在于这个深渊的底部。

这时高思扬提醒众人："布置在气孔里的燃料维持不了多少时间，究竟何去何从必须当机立断。"

司马灰心想不错，就问胜香邻："古鹦鹉螺遗壳里还有没有别的出口？"

胜香邻只见过普通的鹦鹉螺化石，不知与这古种有没有区别，但是依常理推测，往深处走的话，地形会越变越窄，尽头未必存在出路。

司马灰暗想："化石洞窟只是个空壳，外壁裹着砖化物，应该没有看上去那么坚厚，等走到里面最狭窄的隔室中，尝试用大口径猎枪往上轰击，说不定能打个豁口出来。"于是横下心来继续向里走，接连穿过几间石室，岩壁上的气孔变得更窄了，却仍是不见尽头。

罗大舌头在前不住叫苦道："这么跑可真好比黄皮子拖鸡——越拖越稀，即使精神上不滑坡，肚子里也扛不住了……"话说一半就没了声音。

司马灰等人听罗大舌头忽然住口，心下都好生奇怪，立刻跟进去用火把照视，只见这间石室岩壁环合成圆，绕壁一周都是跪地的石雕鬼俑，身上古纹如画，张口吐舌，形貌诡谲。

众人顾不得仔细观看，先合力将几尊鬼俑推到洞口，堵住了来路，随即坐倒在地，大口喘气。

司马灰定下神来举目观望，看这四壁环合成圆的石室已至尽头，此时挤了五个人再加上那些鬼俑，使空间显得十分狭窄，犹如置身在一口深井的底部。

　　司马灰担心氧气不足，就让胜香邻将火把压灭。之前众人还留了些电石备用，此刻取出燃起了电石灯，白光阴惨烁亮，照得石室一片明亮，但鬼俑的身影投在壁上，更添压抑不祥之感。而那石壁被灯光一照，顿时浮现出无数双绿莹莹的怪眼。

第七话
深渊通道

众人见状吃惊不小，立即举起枪来推弹上膛，再定睛一看，才发现壁上雕刻着很多人头，层叠起伏，凹凸错落，面部大多模糊不清，仅具轮廓，唯有眼窝里镶嵌着绿松石，被电石灯照得诡波显现，炯炯若生。

罗大舌头没好气地骂道："他娘的虚惊一场！"说着话拽出猎刀告诉司马灰，"咱在长途列车上找刘坏水借了些经费，要死在地底下自然作罢，可万一能活着出去，我可不想被那老家伙整天堵着门催债……"他边说边把绿松石逐个撬下来放入怀中，还喝令二学生帮他。

司马灰斥道："罗大舌头，我看你也是个不开眼的民兵土八路，这玩意儿品相平平，再寻常不过了，你当它是祖母绿呢？"

高思扬对司马灰说："你们倒在这儿分起赃来了，果然和土贼没什么两样。"

司马灰说："那罗大舌头当年有个俄国名，人称'搂不够不爽斯基'，专业拾茅篮捡废品的。"

罗大舌头一听这话，当场停下手来不干了，同时大发牢骚："你要不给我这光辉伟岸的形象抹黑就得死是不是？咱们先前去罗布泊荒漠的时候，我可听宋地球讲过这绿松石，说是女娲补天都要用它。我就纳闷这么有意义的东西，怎么在你眼里就成破烂了？反正我罗大舌头看东西首先看它的意义，其次才看价值，没价值还能活，没了意义连睡觉都不踏实……"

司马灰既已达到目的，便不再多说什么了。他看壁上浮刻与那些鬼俑都如上古之形，就问胜香邻这是哪朝哪代所留。

胜香邻看了半晌，认为鬼俑身上的文饰与夏朝龙篆相仿，但是难以分辨来历，更无法解读其中的秘密。她推测那古楚壁画描绘的阴山地脉，形如城阙，是一座地底磁山，周围有很多圆盘形的物体，若果真如此，现在众人进入的古洞，仅是其中之一。阴山边缘不知还有多少此类化石壳子，比众人预想的大出许多，也许再接近山脉主体，步枪和猎刀之类的铁器就会被它吸了去。

司马灰寻思，众人被堵在这古洞尽头的石室中，终究不是办法。别说没有干粮，如果耗费时间过长，脑子里的记忆也该被磁山抹掉了，所以现在不能久留，必须尽快到磁山里看个究竟，设法找到脱身的途径。但剩下的时间恐怕不太够了，更不知能否破壁逃出。

刻不容缓，司马灰跟其余几人商议了几句，正待着手行事；忽听石室黑暗处有人"嘿"了一声。那动静虽然不大，但沙哑僵硬，听得众人头皮子发麻。司马灰和罗大舌头更是险些从原地跳起："绿色坟墓！"

司马灰曾在占婆王古城中与绿色坟墓周旋多时，对这嘶哑僵硬的声音印象极为深刻，却想不到对方真的就在附近。那么在神农架阴峪海说出暗号的人，果然就是这个幽灵了。他立刻打开矿灯，朝着声音来源的方向照去。

那恰是一尊鬼俑侧面的阴影，矿灯照过去空无一物，但司马灰等人出生入死，只是为了解开绿色坟墓身上的诸多谜团，此时有所发现，岂肯轻易放过？当下持枪上前搜寻。

通讯组的两个人与胜香邻从未接触过绿色坟墓，此时看这情形真如见鬼，心里骇异难言，于是不敢做声，都跟在司马灰身后行动。

司马灰仔细察看那满是人头的墙壁，就见被罗大舌头抠掉绿松石的地方，都露出一些窟窿，似乎这石室外部还有夹层，刚才的声音便是从中传来的。他摘下矿灯，将脸半靠在岩壁上向里张望，由于漆黑一团，看不到是否有人。

正当司马灰狐疑不定之际，矿灯的光束穿过孔隙，照到一个满是尘土的面罩。他隐能辨认出那是苏制套头防化面具，但与他的鲨鱼鳃式防化呼吸器不同。那面罩后面显然有人，感到光束照过来就向旁躲避。司马灰趁着对方移动，又看到此人穿了一身艇员的制服，但非常破烂，散发着一股腐晦之气，就像刚从死去多年的枯骨上扒下来的。他心知这便是绿色坟墓，于是不动声色，一面观察对方的位置，一面暗中抬手给罗大舌头作出指示。

罗大舌头立即会意，端着加拿大猎熊枪对准岩壁轰击，但那墙壁是在化石外堆砌的古砖，十分坚厚，12 号霰弹难以将其贯穿。

这时，就听绿色坟墓那摩擦朽木般的声音说道："同在难中，相煎何急？"

司马灰退后半步，冷哼了一声说道："难不成你这回想冒充 615 艇上的幸存者？咱们是一回生两回熟，分别以来我无时无刻不记挂着你，你那套糊弄鬼的废话趁早留着别说了。"

绿色坟墓阴沉地说道："既然都是故人，那就当着真人不说假话，也容我说句逆耳的忠言，要知道'螳螂枉费挡车力，空结冤仇总是痴'。"

司马灰等人自然不相信绿色坟墓之言。这个地下组织直接或间接杀害的人不计其数，其中包括阿脆、玉飞燕、宋地球、胜天远、Karaweik、穆营长、通讯班长刘江河、民兵虎子等等，这些人与司马灰、罗大舌头、胜香邻三人的关系不比寻常，或为师生故交，或为兄弟战友，或为父女姐妹，仇恨已经结得太深了，正所谓是"水火不能同炉"。

司马灰深知绿色坟墓是何等狡诈，岂会看不透这层道理？如今对方肯定是受形势所迫，不得不利用众人摆脱困境。

绿色坟墓似乎也看穿了司马灰心中所想，直言道："胳膊再粗拧不过大腿，凭你们区区几人，绝不是地下组织的对手。我从缅甸野人山开始，就一直想将你们置于死地，怎奈你等命不该绝，想来也是限数未到。可我在磁雾中才逐渐醒悟，追溯前事，原来咱们之间的关系无关正邪善恶，也不是水火不能相容，无非是因果纠结。"

司马灰等人一边想着如何将绿色坟墓揪出来，一边揣测对方意图，哪敢信其所言。

但绿色坟墓继续往下说，他说双方是因果纠结，最终都落在这个黑洞般的水体里，而这地底是座能消除记忆的大磁山，如不设法进入直达深渊的通道，众人都将神消魂灭。绿色坟墓声称已经掌握磁山的秘密，但凭一己之力难有作为，需要有人从旁相助，说完就陷入沉默，等着司马灰等人作出回应。

司马灰是光脚不怕穿鞋的，反正只坚持"老子就不信"这一个原则，但见场面陷入僵局，便说道："你要是真有诚意，就先把套头面具揭掉。"

绿色坟墓有几条底线不能逾越，首先是不能被任何人知道其真实面目，其次不会对外泄露藏匿行踪的办法，闻听司马灰所言果然是不肯露面，只说愿意吐露另外的秘密作为交换。

司马灰对此并不意外，暗想不管绿色坟墓是活人还是死人的幽灵，总得有个身份来历，似乎这个秘密切实威胁着它的存在，甚至到了如今这般地步，对方也不敢摘掉防化面罩，看来绿色坟墓的真实面目，比占婆王那张脸还要神秘。难道这个幽灵根本没有脸吗？可转念一想又觉得不对，真要是没脸，也就不怕被人看到了。这到底是谁呢？会不会是一个我曾经见过的人？

这些疑问在司马灰脑海中纷纷闪过，但隔着岩壁又无法将绿色坟墓揪出来，扯掉面具，唯有揣情摩意猜测对方的意图。他明白眼下的形势是双方互相牵制，心中暗想："对方打算利用我们这伙人摆脱大磁山，这是我们仅有的主动权，可如何才能不为其所用？另外绿色坟墓以前显然是完全不知道磁山里的秘密，就算它与众人前后脚进入此地，也不会这么快能找出逃脱的办法。"

司马灰想到这里，突然冒出一个念头：也许绿色坟墓就是压在阴山下的恶鬼，后因机缘巧合从地底逃脱，但脑子里的记忆被这座大磁山抹去了，此时它回到这石室，看到鬼俑上的古篆文刻，才想起了以前的旧事？

司马灰毕竟对绿色坟墓的底细毫不知晓，先后猜测了几种可能，都没什么头绪。只不过根据现在发生的事件，可以看出绿色坟墓对地底磁山深感恐惧，才不得不在石室中现身出来直言其故。但它向来阴险，会不会只想耽搁时间，拖住渐渐接近谜底的探险队，利用磁山将众人困死在原地？

如果是前者，那么司马灰情愿在此同归于尽，若是后者，则不能再与绿色坟墓纠缠，应当尽快从化石古洞中脱身。这两种情况都有可能发生，司马灰遇事向来果决，是个敢拿自己脑袋押宝的亡命之徒，此刻却不免举棋不定。

司马灰一时间难做取舍，与其余几人交换了一下眼色，决定先沉住气，且看绿色坟墓会吐露哪些惊人的秘密。

第八话
禹 王 古 碑

绿色坟墓见司马灰等人没有立刻作出回应，估计事态还有转机，就继续说下去。这燧古传道，鸿蒙开辟，阴阳参合而生天地，大地是厚达几千米的岩石圈。岩层中有暗河，由于凿井穴地，常有水流喷出，实际上是压力导致，所以古时称地下水为"泉"。北纬30°线下的巨大水体，就是洪泉极深之处。

这洪泉如渊，深不见底，高处被浓密的磁雾遮盖，周围则混沌未开，但在洪波之下还有个环形凹槽，那才是九重之泉以下的真正深渊。地底的原始水体为海洋雏形，曾经存在大量不同种类的有壳生物，后经沧桑巨变，有些古鹦鹉螺之类的生物被潜流带入深渊。它们凭借承压壳落进空洞，逐渐变成了化石，后来又被地幔里喷涌出的岩浆重新推入水体，漂浮在茫茫冥海中。直至有磁山陷落下来，才将这些空壳吸在山体周围。

当神农架木为巢之际，上古之人误入地底，那时磁山高耸，而神农架阴峪海下的岩洞伸入地雾，撞击后发生了地震，将磁山挡在了原地，山体撞塌的地方露出个大洞，才有人得以进到其中，并从空壳里发现了黄金玛瑙等物。但由于山体沉浮不定，想返回再取的时候，竟已不知所终。后人将这些矿物里形似枯骨的部分，拼成一具遗骸，自此视为圣物。由于磁山里没有金脉，所以后人推测，壳中遗骸来自地底洪泉之下。

到禹王导川治水，欲寻天瓯，度量地深几重，得知上古燧明国有神木，盘曲万顷，通天接地，云雾生于其间，磁山则被那树根缠在了地底，所以得见此山，并发现人在山中不可久留，超过一天即变为恶鬼，故此称之为"阴山"。

当时，自淮源得古碑甚巨，其上遍刻螭龙之篆，那是夏朝龙篆最初失落的部分。据说禹王在淮水锁住大蛇，此碑即拜蛇人古物，里面记载着一些不得了的秘密。那时洪荒初息，山深而地薄，时复开裂，即便举国之人一旦陷下，便绝难再出。请巫问神后将古碑填入重泉以下，以定天地之极，又斩断神木，让阴山消失于茫茫洪波之中。

困在禹墟中的拜蛇人却一心想找回古碑，但直至彻底消亡也未得结果，不过这些事迹都在拜蛇人留下的遗迹里，用夏朝古篆详加记载。

再往后，春秋战国时代，楚幽王为了祭鬼，先后铸了九尊大金人挡住阴山，结果致使地层崩塌，磁雾迅速弥漫开来，人入其中则死。

绿色坟墓告知众人，这化石洞里的鬼俑，皆是拜蛇人所留，只要依其所言，就能使遗壳摆脱阴山，虽不能逃出生天，但是可进入深渊底部。到时它愿将禹王古碑里那不为人所知的惊天秘密，全部说给司马灰等人知道，到时两方合力，何愁找不到生路，而在此僵持下去则毫无意义。

司马灰听了绿色坟墓所说之事，心里极为骇异，想不出此人竟能洞悉一切，但想必还隐瞒了很多重要信息。他微一沉吟，明知绿色坟墓不会说出实情，还是忍不住问道："从缅甸野人山里逃出来四个人，除了我和罗大舌头，其余两人现在怎样？"

绿色坟墓阴恻恻地说道："其实你早已知道了，何必再问？我若有心欺瞒，完全可以说那两个人都还活着，但这一来你就会觉得我的话不可信了。现在剩下的时间已经不多。你要是信我所言，就把那尊没头的鬼俑推开，这鬼俑本身是块玄磁，能造成磁位偏移，化石古洞就能被洪波推动，彻底脱离这座阴山了。拜蛇人深识磁性，能以陨铁在地底导航，这种古法应当可行。你们要是不想变成活尸，就赶快动手。"

司马灰暗暗切齿，一时难以决断。绿色坟墓这些话如同扔出的一颗烟雾弹，信也不是，不信也不是。他倒不是担心困死在阴山，而是无法确定对方虚实。

高思扬低声对司马灰说："毕竟现在隔着一道墙壁，谁也奈何此人不得，不如就照对方说的做，等到了深渊底部，也不愁没机会抓到他。"

司马灰眉头一皱，摇头否决，心想你是没接触过绿色坟墓，不知其心机何等阴险狠恶，哪会这么好心给众人指点生路？另外，对方肯定知道我不会信它这套鬼话，会不会故布疑阵，使我们不敢触碰那尊无头鬼俑？

司马灰念及此处，就看向旁边的胜香邻。而胜香邻也是神色疑惑，轻轻摇了摇头，表示难以揣测。这就像是绿色坟墓手里攥着一枚铜钱，正反两面，不知哪一面朝上。绿色坟墓心里当然知道哪一面朝上，并告知众人一个不知是真是假的结果，而在它张开手掌之前，谁也没法确定。

绿色坟墓见众人犹豫不决，又继续晓之以理，动之以情，无非是禹王古碑和深渊里的秘密是何等惊世骇俗，还有困在阴山里的结果又是何等悲惨恐怖。

司马灰听到这儿，不禁冷笑起来。众人都被他吓了一跳，心下不禁悚然："正在形势紧迫之际，怎么会突然发笑？"

绿色坟墓也觉得出乎意料："你……你到底推不推那尊鬼俑？"

司马灰说："老子险些又被你绕进去了。深渊里的东西与我毫不相干，我凭什么去推那尊鬼俑？"

绿色坟墓问道："那你是想让大伙都困在阴山里等死了？"

高思扬闻言心里一动："司马灰怎么又擅自替别人做主？他这个决定，把我们的命都搭上了。"但转念一想，"天知道现在身处何方，从地底逃出去之后的生还之望也属渺茫，我又何必做此胆怯之态？"于是忍住没有说话。

这时司马灰却不说话，而且猛然站起身来，招呼罗大舌头过来帮忙，两人合力搬起一尊倒地的鬼俑。

罗大舌头还没明白过来，奇道："你这又是想搞什么名堂？"

司马灰脸上杀机浮现，放低声音说："我估计石俑沉重，能撞塌了这道岩壁，到时候你手底下利索些，可别再让这狗娘养的逃了。"

罗大舌头早就红了眼，一听敢情是这么回事，立刻咬牙切齿地说道："你就瞧好吧，我非剥了它的皮不可……"

二人浑身筋突，把能使的力气全使上了，大喝一声，抱着石俑向壁上直撞，耳轮中就听"轰隆"一声响，顿时撞穿了一大洞。

绿色坟墓自认由前到后算无遗策，却没算到司马灰还有这么一手，转身就往夹层深处逃去，不料又被塌落的古砖压住，只好挣扎着向外爬。

司马灰抛下石俑，死盯着在地挣扎的绿色坟墓叫道："你这厮如今走不脱了，老子要仔细看看你到底是人是鬼！"说完端着步枪快步逼近。

其余几人也都从后跟上。胜香邻提醒道："小心它还有诡计！"

谁知身后突然传来"喀喀喀"的声音，似是砖石摩擦所发。司马灰等人担心是洞外的"伏尸"爬进来，可回头一看，却是二学生满头大汗，正用肩膀顶着一尊无首的鬼俑，竭力向前推动。那鬼俑极为沉重，底部又有磁石吸牢，二学生使出吃奶的力气，才将它挪动了半尺。

司马灰见状立时怒火攻心，端起步枪就要射击。胜香邻却觉得二学生应该不是地下组织的成员，这家伙好奇心重，肯定是受了绿色坟墓刚才那番话的蛊惑，妄想窥探深渊里存在的秘密，论罪过也不致就地处决，于是在旁挡了一下。

二学生刚才头脑一阵发热，看到司马灰等人又惊又怒，心中也是悔意顿生，满脸歉意地伏在地上："咱们肯定……肯定是出不去了。我临死前只是想看看……禹王古碑上有些什么……"

司马灰唯恐绿色坟墓趁机逃了，顾不上再理会二学生，可他刚要转头，这化石古洞在洪波中已不知有多少年头，自身磁壳已饱受侵蚀，全凭那尊玄磁石俑固定，移动后改变了磁极，顿时从山体侧面滑向水中，沉入了无休无止的虚空。众人在石室中忽觉天旋地转，耳朵里再也听不到任何声音，周围的鬼俑和砖石纷纷滚落。

司马灰心说不好，忙稳住身形用矿灯照过去，只见绿色坟墓已借机脱身，迅速爬进了岩壁的缝隙深处。众人本待乱枪齐发，但失了重心，如今大势已去，此刻既已错过了千载难逢的机会，也只得先求自保。

古鹦鹉螺化石本是无生之物，落进滚滚洪波，便被大水灌入。但它内部一间间结构相同的石室，逐层减缓了水量和压力，就似石沉大海，穿过弥漫无边的混浊，坠下了无底深渊。众人很快就在漆黑一团的石室中失去了知觉。

待到司马灰清醒过来，脑中轰鸣不已，几乎想不起来此前发生过什么。四肢仿佛被撕扯开来，全身血管都是疼的，他试着打开矿灯，好在这东西还算可靠，一看古洞满壁皆是龟裂，但整体尚且完好，眼前有潮湿的水汽缭绕，周围云昏雾暗，想来已落到了重泉之下的空洞。

第九话
地下肉芝

司马灰脑中疼痛欲裂，索性一动不动地继续躺在原地，在这冥冥之中，不知道经过了多少时间。其余几人也先后醒转过来，又隔了好一阵子才能勉强起身。

罗大舌头缓过劲儿来，便不依不饶地要剁了二学生，再剁出心来看看是什么颜色。刚才要不是有人半道插这一腿，绿色坟墓怎么可能再次脱身？

高思扬急忙阻拦，并担保二学生与绿色坟墓无关，当时他只不过是求生心切。大伙都是血肉之躯，遇上那种情况，谁敢保证不会胆寒？

二学生此刻也是追悔莫及，沮丧地低着头不敢直视众人，恨不得在哪儿找个地缝钻进去。

这时司马灰已经冷静下来。他也对错失良心懊恼不已，好不容易抓住绿色坟墓的漏洞将其困住，可它还是找到了众人心理上的薄弱环节，导致功亏一篑。绿色坟墓没算到他搬起石俑撞穿墙壁，他也没料到同伙在紧要关头心理防线崩溃，这都是预先估计不到的突然变化，想来这也是气数使然。他当即挥手让罗大舌头作罢："毕竟求生之心人皆有之，视死如归却是谈何容易。这小知识分子跟咱们的背景不同，他跟绿色坟墓又没有死仇，生死关头一时胆怯情有可原。"

二学生涕泪齐下，表示要在思想根源挖错误，灵魂深处找原因，今后绝不会贪生怕死了。

高思扬见司马灰将此事轻描淡写地一带而过，虽然以前心存成见，此时也不免赞许他的气度。

其实司马灰心里也暗自惭愧，先前若非胜香邻推开枪口，他早就将二学生崩了。想起众人深入地心深渊，不知历涉了多少艰险危难，能活到现在全凭相互扶持，自己虽是不怕死的亡命徒，不惜代价愿意跟绿色坟墓同归于尽，却怎能搭上旁人的性命？

众人随即在崩坏的石室中合计下一步行动，虽不知外面情况如何，但应当已随着化石古洞落进深渊底部了。这水体下似乎是个深谷，也就是陷在地幔里的环形凹槽。中间有高密度弥漫气体隔绝，落下来的水就蒸发成了浓雾，所以有充足的空气。这里地处重泉之下，深度难以估量，再往深处就不会有地下水和岩层了，而是灼热气体和岩浆凝聚成的大海，有生之物稍微接近就会在转瞬间化为飞灰。很难想象古人如何将禹王碑带到这深渊底层，更猜不透为什么要这么做，而绿色坟墓则对古碑里记载的秘密十分重视，千方百计以求窥觑。不管结果如何，众人只能先设法在深渊里找到那座古碑，相信一切悬而未解的谜底都在其中了。

接下来清点了枪支弹药和工具装备，至此还有三条"1887 型拉杆式步枪"，将弹药平均分配后，每人各有 50 余发子弹。罗大舌头的加拿大猎熊枪剩余 30 发大口径霰弹；胜香邻的"瓦尔特 P-38"手枪有几个备用弹夹。弹药虽然尚能维持一段时间，可水和干粮却全部告罄。

众人身处湿漉漉的水雾中并不觉得口渴，但每个人都已饿得前胸贴着后背。他们逐渐适应了血管受地压产生的涨裂感，便打开矿灯向外摸索，从化石古洞外层的裂痕中爬到外部，只见满眼雾气，数步开外已不能见人。落脚处软绵绵的不知何物，寻平缓处顺势上行，就见周围皆是色彩斑斓的硕大芝盘，形如云，下布五足，顶端为黄白两种晕纹，其下浅红，厚达十余米，边缘处有苍苔下垂，状甚奇异。看来那化石古洞坠下重泉，就落在了其中一株地芝顶端，压垮了很大一片。

众人饥火正炽，辨别无毒之后，便纷纷上前割取，放到嘴里咀嚼，初时浅尝，只觉味如白鸡，肥而且润，纵有深山老林里千年以上的野菌草芝，也难及其万分之一。这些估计是生于地下的某种大肉芝，他们顾不上多想，立即一阵狼吞虎咽。

司马灰腹内有了东西垫底，脑子也活络了许多，这才想起地下肉芝不可轻食。听闻民国那时候有个老客往长白山采参，因地面陷裂掉到了山洞中，就发现洞底有大芝盘，食后不久就化为了人形枯木。因为这东西有成形成器之说，懂的人就能瞧出来，成形的像生灵，比如肉芝像人，眼目手足俱备，那就是有了灵气，吃掉便可长出新牙，生出黑发，返老还童。

但成器的肉芝则是感应天地晦滞所生，一旦吃了这种肉芝，就要变成地下的化石了。不过现在要分辨形器也已晚了，又见其余几人正割下肉芝装进背包，只好抛下这个念头不再理会。

此刻周围浓雾重重，众人判断不出深渊里的地形和方位，更不知禹王碑沉在何处。而随着化石古洞坠落的阴山伏尸，虽然多承受不住地压毙命，却也难保不会有个别侥幸存活下来，留在附近非常危险。于是众人打算先摸清地势，找个稳妥安全的地方充分休整，然后再设法搜寻禹王碑和绿色坟墓，于是强撑着又往芝盘高处走。

那芝盘尽头从雾中探出，众人走到边缘就已从中穿出，借着头顶由电磁摩擦迸发出的光痕，发现身处在一片漫无边际的大雾夹缝中，其形有若垂天之云，覆盖着空旷磅礴的深谷。这深谷主要由山峦起伏的金脉以及分布在底陷处的水晶丛林构成，推测为岩浆冷却后在地幔中重新聚变所生。

司马灰等人看得悚然生畏，这个深陷在地幔中的凹槽多半延伸几万公里，一行人与之相比，实是微渺如尘。能被光痕照到的地方只是一小部分，其余地带都充斥着浓雾，显然难以穿越。因为这地底下凶险异常，溯古由今，历来罕有人迹到此，在地形不明的情况下，一步踩空落进水晶洞或封闭的岩浆室，就再也别想有命出来。

高思扬这时指向东面，说雾中似乎有个很大的阴影，在光痕下也仍是一片漆黑，好像那茫茫浓雾深处裂开了一条缝隙，却不知是个什么所在。

司马灰也发现那黑影很不寻常，奇道："好像有什么东西被雾遮住了。它会不会是沉入深渊的禹王碑？可那要是石碑的话……未免也太大了些。"

胜香邻说："岂止是太大了，恐怕至少会有上千米高……"说话间那光斑倏然消逝，地底陷入了一片漆黑，她赶紧把方位记录下来。

众人完全不知道禹王碑在深渊里的具体位置，如今看到重泉下的地质构造如此宏大深邃，都不知该何去何从，也只得走一步看一步，又见两侧的山脉为东西走势，雾中存在巨大阴影的方向在西面，东面雾深谷险很难接近，就决定先往西面探寻。

司马灰眼见诸事不明，再怎么疲惫也不敢留在原地。此前清点过仅存的照明设备，矿灯可以维持数日，电石消耗极为缓慢，还算是较为充足。塔宁夫探险队的鱼油火把则只剩下十几根，由于还不知要在漆黑的深渊里穿行多少公里，所以不到万不得已的时候不能动用。于是他吩咐其余四人在确保安全的前提下，尽可能减少使用照明工具，这就要求相互间必须保持最近距离，队伍不能过于分散。

这里已与磁山隔绝，众人布置妥当，就参照罗盘方位所指，寻觅能落脚的地方向前行进，看见沿途遍布着高达百米的地下肉芝，重叠蔽空，下边到处散落着木化菊石的空壳，形状千奇百怪，都大得异乎寻常。周围死气沉重，感觉不到任何生物存在。这种凝固无声的沉寂令人提心吊胆，穿行在其中的难度也超出了预期，摸着黑走走停停，进展很是缓慢。

高思扬没想到还有机会绝处逢生，到此后始终忐忑不安，感觉绿色坟墓既然能利用众人进入重泉之下的深谷，自然也能利用众人去找禹王碑。司马灰只顾追寻一个也许根本不该被揭露的秘密，完全没想过最终会导致什么结果出现，这无异是在玩火。她向来心直口快，边走边直言相询。

司马灰却毫无退缩之意，反正众人早就陷进了水深火热之中，至此还有什么豁不出去的？

回首来路，坠落在野人山裂谷的蚊式特种运输机、谷底生长的上古奇株忧昙婆罗、黄金蜘蛛城中占婆王匹敌神佛的面容、尸眼密室中的幽灵电波、耸立于古楼兰荒漠下的巨大陨铁、罗布泊望远镜中的地底测站、极渊沙海中的时间匣子、拜蛇人遗留的夏朝龙篆、大神农架阴峪海中的楚载神兽、环绕这北纬30°线的怪圈水体、失踪的苏联 Z-615 潜艇、能使人变成活尸的地底大磁山、度量地深几许的天匦化石……这些秘密都已先后揭晓。

如今所有悬而未决的事件，也开始浮现出清晰轮廓。也许那禹王古碑里记载的秘密，就是一切谜团的真相。现在的关键问题，是有没有胆量去接触这个谜底。无论是死亡两次并从匣子中逃脱的赵老憨，还是沉入深渊重泉的禹王碑，以及从不敢显露真实面目的绿色坟墓，被困在地底并消亡了千年的拜蛇人，这些纠结最深的谜团之间，应该都有某种重大联系，而答案就尘封在这个被称为"神庙"的深渊里。

高思扬见劝不动司马灰，轻叹道："可即使找到深渊里的禹王碑，揭示了绿色坟墓身上的一切谜团，并将它置于死地，咱们也不可能再活着回去了，所有人的命运都将在此结束。"

司马灰稍一沉吟，回应说："我相信找到答案并不意味着结束，这甚至不会是结束的开始，至多是开始的结束。"

图书在版编目(CIP)数据

谜踪之国.3,神农天匦/天下霸唱著. —合肥:安徽文艺出版社,2010.6
ISBN 978-7-5396-3412-8

Ⅰ.谜… Ⅱ.天… Ⅲ.长篇小说—中国—当代 Ⅳ.I247.5

中国版本图书馆 CIP 数据核字 (2010)第 092259 号

谜踪之国Ⅲ神农天匦　　　　　　　　　　天下霸唱/著

出 版 人:唐　伽　　　　　　　策　　划:千喜鹤文化·项竹薇
责任编辑:岑　杰　　　　　　　特邀编辑:黄嘉锋
装帧设计:宋晓亮

出版发行:时代出版传媒股份有限公司 http://www.press-mart.com
　　　　　安徽文艺出版社 www.awpub.com
地　　址:合肥市翡翠路 1118 号　邮政编码:230071
营 销 部:(0551)3533889
印　　制:北京天正元印务有限公司
(如发现印装质量问题,影响阅读,请与印刷厂商联系调换)

开本:700×1000　1/16　印张:17.25　字数:300 千字
版次:2010 年 6 月第 1 版　2010 年 6 月第 1 次印刷
标准书号:ISBN 978-7-5396-3412-8　　定价:28.00 元